Yan Lan

Chez les Yan

Une famille au cœur
d'un siècle d'histoire chinoise

ALLARY ÉDITIONS
RUE D'HAUTEVILLE, PARIS Xᶜ

À ma mère, qui est toujours mon modèle,
à mon père qui est toujours mon héros.

Le premier janvier 2016, j'étais à Sanya, dans l'île tropicale de Hainan, au sud de la Chine, pour fêter le Nouvel An avec mon père.

Je lui dis que je songeais à écrire sur l'histoire des Yan. Malgré ses quatre-vingt-quatre ans et une santé fragile, mon père se leva d'un bond. Il me serra les mains de toutes ses forces, semblant vouloir me faire passer toute son énergie intérieure.

Non seulement c'est un excellent projet, me dit-il, mais tu dois le placer en tête des priorités de ta nouvelle année.

Je ne lui en dis rien mais il m'avait conforté dans ma décision.

Pendant toutes mes années passées en France, quand mes amis français me posaient des questions sur ma famille ou sur l'histoire de la Chine, je voyais bien à quel point ils étaient surpris d'apprendre ce que nous avions vécu. Ils ne se

*rendaient pas compte de ce qu'a été la Révolution culturelle
et la période qui a précédé.*

*Un jour, mes amis les plus proches, Catherine et Bertrand
Julien-Laferrière – Bertrand est le parrain de mon fils et je
suis la marraine d'une de leurs filles chinoises –, m'ont encouragée à raconter l'histoire de ma famille et, à travers elle, celle
de la Chine. C'était il y a dix ans et leurs paroles n'ont cessé
de faire leur chemin, rejoignant le dicton qui résume l'accomplissement d'une vie : faire un enfant, planter un arbre, écrire
un livre.*

*Comment mon fils qui a vingt ans aujourd'hui connaî-
tra-t-il l'histoire de sa famille sinon par les livres ? Des bio-
graphies de mon grand-père ont déjà été publiées en Chine.
Mon père a rédigé ses mémoires après dix ans de travail et
de recherches à Pékin et Moscou. Ma mère, elle aussi, a consi-
gné l'histoire de sa famille à l'intention des siens. Je leur en
suis reconnaissante, et je me sens l'obligation de continuer
cette tradition.*

*Ce que j'ai vu, entendu, vécu, a été si intense que je dois
prendre le relais et témoigner à mon tour.*

Yan Lan

Prologue

Je venais d'avoir quatre mois quand mes parents m'ont confiée à mes grands-parents paternels. Maman s'apprêtait à partir pour Rome, avant de rejoindre l'ambassade de Chine à Berne, où elle était en poste dans ces années-là. Quant à mon père, interprète russe des hauts dignitaires chinois et, parmi eux, du chef suprême, Mao Zedong, il n'avait pas davantage le temps de s'occuper de moi.

Ainsi, les visages de Nainai, ma grand-mère, de Yéyé, mon grand-père, et jusqu'à celui de l'ayi, ma nounou, m'étaient-ils devenus plus familiers que celui de mes diplomates de parents ; plus familiers et, j'oserais dire, plus tendres et bien-veillants à l'égard de leur petite Nan nan, mon surnom, et bien moins sévères que celui de ma mère.

Ma mère raconte dans ses *Mémoires* qu'elle dépose son bébé à la Résidence du Conseil des Affaires d'État, au centre de Pékin, où mes grands-parents paternels occupent, depuis des années, un appartement de fonction, bâtiment 10, 3e étage, porte droite.

C'est donc à cette adresse que j'habite, où j'ai ma chambre, où le chauffeur de mon grand-père nous ramène quand Yéyé vient me chercher pour le week-end, à la sortie du jardin d'enfants-pensionnat où j'ai été placée dès l'âge de trois ans.

Aussi, ce jour-là, est-ce une exception si ma mère, vient me chercher à la sortie d'une école primaire. Pour mériter d'y être inscrite, je dois passer un petit examen. Et pour la circonstance très solennelle de ma «candidature» au cours élémentaire 1ʳᵉ année de ce prestigieux établissement, ma mère s'est rendue disponible, impatiente de savoir comment sa fille s'est tirée de cet oral.

J'ai de bonnes raisons de m'en souvenir. L'épreuve – puisque c'est ainsi que ma mère l'avait appelée – consistait en ceci : on m'avait montré l'image d'un chat en train de grimper à un tronc d'arbre où un petit oiseau était perché sur une branche. La maîtresse m'avait demandé de lui décrire ce qui, selon moi, allait se passer.

Et qu'as-tu dit ? demanda ma mère.

J'ai expliqué que le chat se rapprochait de l'oiseau pour qu'il accepte de devenir son ami.

Voilà qui est à tout à fait faux rétorqua ma mère, instantanément irritée. Ce qu'il fallait voir et dire c'est que le chat s'apprête à dévorer l'oiseau.

Inutile de préciser que je n'ai pas été reçue et que c'est la première et la dernière fois où j'ai échoué à un examen.

On était en 1964. L'été de mes sept ans.

1

«La Révolution n'est pas un dîner de gala, elle ne se fait pas comme une œuvre littéraire, un dessin ou une broderie, elle ne peut s'accomplir avec autant d'élégance, de tranquillité et de délicatesse ou avec autant de douceur, d'amabilité, de courtoisie, de retenue et de générosité d'âme. La Révolution, c'est un soulèvement, un acte de violence par lequel une classe en renverse une autre.»

MAO ZEDONG,
LE PETIT LIVRE ROUGE, 1966

Ils sont sept ou huit.

À sept ou huit, ils ont enfoncé du talon chacune des marches des trois étages du bâtiment 10 de la Résidence du Conseil des Affaires d'État.

Ils ont tambouriné du poing à la porte.

Sept ou huit casquettes, vareuses, brassards se sont engouffrés dans l'appartement.

«Yan Baohang!», aboient les casquettes.

Ce n'est pas le nom de celle qui est à la cuisine et prépare le dîner, notre ayi, qui lâche un cri.

Ce n'est pas le nom de ma grand-mère – j'ai écrasé mon nez dans le molleton de sa blouse, et ses mains, de chaque côté de ma tête, protègent mes oreilles des vociférations.

Yan Baohang, le nom qu'ils aboient dans tout l'appartement, c'est celui de mon grand-père, c'est le nom de Yéyé.

Je pleure car je ne suis pas habituée aux cris, aux cavalcades dans les escaliers, aux coups de poing sur la porte.

Malgré les mains de ma grand-mère qui courent en caresses affolées sur mon crâne, malgré la douce chaleur de son vêtement où j'ai claquemuré ma peur, les aboiements de ces sept ou huit mâchoires me terrorisent.

Yan Baohang !

Le nom de mon grand-père.

Yan Baohang ne se cache pas.

La preuve ? Il est sorti de son bureau. Il est là.

Oui, c'est moi. Qui êtes-vous ? Que me voulez-vous ?

L'une des casquettes se tourne alors vers moi et dit :

La petite fille n'a pas à pleurer.

La casquette dit encore : le grand-père de la petite fille, il va seulement venir avec nous, on va parler. Puis, la casquette ajoute : c'est tout simple, il vient quelques heures. Ou quelques jours. Pour parler avec nous. Et quand il a fini de dire ce qu'il a à dire, ton grand-père revient. Pas de quoi pleurer !

Mon grand-père ne dit pas : Mais, oui, Nan nan, n'aie pas peur ! Mon grand-père, Yan Baohang, qui n'a pas l'air fâché – ai-je jamais vu Yéyé fâché ? –, qui n'a pas l'air préoccupé mais simplement grave, répond du ton posé et avec le sang-froid que je lui ai toujours vus en des circonstances solennelles. Dans ce cas, messieurs, pour accéder à votre demande – à savoir que je vous suive pour «parler» –, il me faut un papier officiel, il me faut un mandat d'arrêt, de quoi justifier...

Un papier? Mais quel papier pourrait empêcher mon grand-père de dîner avec nous comme tous les soirs? Quel papier pourrait me priver de la paume de mon grand-père rituellement posée sur ma tête pour dire avec tendresse et douceur : Allons, Nan nan, il est l'heure d'aller se coucher?

Mais alors que je sors un œil de la blouse de ma grand-mère pour m'assurer qu'un tel papier n'existe pas, voici qu'on l'extirpe de la poche d'une vareuse et qu'on le pointe sous le nez de mon grand-père. D'une main, il ajuste ses lunettes, de l'autre il fait signe d'entrer dans son bureau et dit : «La seule radio de tout l'appartement est ici. Prenez la peine, messieurs, de vous assurer qu'il ne s'agit pas, comme vous dites, d'un appareil émetteur-récepteur télégraphique. Vous en doutez? Qu'à cela ne tienne, messieurs : emportez donc cette radio, faites-la examiner, qu'on en finisse.»

Quarante minutes sont passées. Aucune de nous trois n'a changé de place. Immobiles. Sans parler. L'ayi sur le seuil de sa cuisine, Nainai et moi dans la salle à manger. Hormis le cœur de ma grand-mère qui bat à tout rompre contre le tissu de sa blouse, hormis la toux sèche de mon grand-père qui s'est enfermé dans son bureau avec les soudards, plus un bruit dans toute la résidence plongée dans l'obscurité. La nuit retient son souffle.

Soudain, derrière la porte du bureau de Yéyé, d'une seule rafale, crépitent les mots :

CONTRE-RÉVOLUTIONNAIRE ! BOURGEOIS ! RÉVISIONNISTE ! ESPION !

Le sens de pareils mots, je ne le connais pas. J'entends seulement :

MÉCHANT ! MAUVAIS ! SALE ! TRAÎTRE !

Passant sa main sur mon front, ma grand-mère perçoit que ces invectives ont déclenché une poussée de fièvre. J'ai peur de perdre Yéyé et le sentiment d'une catastrophe imminente m'étreint.

Tout se passe en une fraction de seconde. « N'ayez pas peur », nous dit mon grand-père en sortant de son bureau, et il se dirige, sous escorte, vers la porte d'entrée. Qu'aucune d'entre nous n'ait peur, tel est l'unique souci de cet homme au moment de quitter sa maison, son épouse et la mère de ses sept enfants, au moment de quitter sa petite-fille et fille unique de son fils cadet, au moment de quitter l'ayi à son service depuis dix ans. Que nous n'ayons pas peur ! Et surtout, qu'on ne lui fasse pas l'injure de l'attendre pour dîner, dit-il tandis que les sept ou huit mâchoires à casquettes s'agglutinent autour de sa haute et noble stature.

Nous sommes restées longtemps devant la porte. Hébétées.

Pas la porte de l'appartement. Non, c'est devant la porte grande ouverte de son bureau que nous sommes restées longtemps avant d'oser y pénétrer. Quelque chose de lui se tenait là, dans son bureau, et c'est auprès de ce quelque chose que nous cherchions à nous consoler.

Nainai est entrée la première et je l'ai suivie, incapable de lui lâcher la main. Puis, la chère ayi. Voici dix ans qu'elle vivait avec nous, à Pékin, venue du fin fond de sa province du Hebei, pour aider ma grand-mère et s'occuper de moi. Son doux visage m'était plus familier que celui de ma propre mère. Un visage sur lequel, jusque-là, je croyais avoir vu défiler toutes les émotions selon que j'étais docile, obéissante, soigneuse, paresseuse, insouciante, ou de mauvaise grâce. Mais jamais, je ne l'avais vu pleurer.

Sur le bureau de mon grand-père des pages du *Quotidien du peuple,* du *Journal de l'Armée de Libération,* du *Drapeau rouge,* étaient annotés de sa main dans les marges.

Lan, viens m'aider, disait-il et, du menton, il désignait la pierre à encre, le papier de riz, le pinceau : les trésors du cabinet d'un lettré chinois. Il surveillait le geste de ma main malhabile, la guidait jusqu'à ce que l'encre monte de la pierre jusqu'aux cils du pinceau. Il était attentif à ce savoir de la calligraphie chinoise qu'il possédait de la même façon qu'il maîtrisait l'écriture au stylo à plume ou au stylo tout court, lequel était désormais notre seul savoir. Yéyé était un excellent calligraphe, tout le monde s'accordait à le dire. Et les connaisseurs saluaient la qualité de ses poèmes de style ancien.

De même Yéyé connaissait les textes classiques, ceux des anciennes dynasties qu'on n'enseignait plus : *La Grande Étude, L'Invariable Milieu, les Entretiens* de Confucius et de Mencius, l'ensemble constituant les «Quatre livres» que se devait de posséder tout honnête homme. Les pattes de mouche de son écriture sur les journaux, revues et magazines qu'on lui faisait porter montraient aussi qu'il maîtrisait parfaitement l'anglais.

Dans le bureau ne manquait que le poste de radio grand modèle, où tous les matins, à 7 h 30, même le week-end, il écoutait les informations. Mais cet appareil n'était pas le sien. Il lui avait été prêté par mon père l'année dernière, parce que celui de mon grand-père avait rendu l'âme.

Nainai disait vrai. Je m'en souvenais d'autant plus que, peu après cette date, au lieu de me dire que mon père venait d'être assigné à résidence sur son propre lieu de travail, on m'avait seulement annoncé, que, «très occupé en ce moment», il ne viendrait me voir qu'épisodiquement. Et comme, entre ma grand-mère et moi, les émotions et les pensées s'échangeaient par d'autres moyens que les mots, cette fois encore, Nainai, devinant ce qui me préoccupait, m'avait dit : «Ne t'inquiète pas, Nan nan, tu vas voir, pour les fêtes de printemps, janvier ou février, tout sera rentré dans l'ordre, Mingfu sera parmi nous...» Et je percevais qu'il lui répugnait d'ajouter le nom d'un être cher – celui de mon grand-père – à celui dont nous espérions, pour les

fêtes lointaines du printemps, le retour « à la vie normale ».
Je comprenais qu'ajouter un seul nom c'était commencer
une liste. Je comprenais que bien des personnes qui m'étaient
chères depuis toujours, des personnes de ma famille que je
voyais de moins en moins, demeuraient suspendues dans
l'attente de savoir si leur nom viendrait grossir une sombre
liste en train de naître dans l'esprit détraqué des amateurs
de listes où on pouvait aligner tous les membres d'une même
famille, oncles, tantes et jusqu'aux pièces rapportées. Alors
que j'interrogeais le beau portrait que j'avais toujours vu
au-dessus du bureau de mon grand-père, j'observais pour
la première fois combien ce portrait était curieux : une
photo en noir et blanc, un visage de profil, dans un encadrement marbré qui donnait à l'ensemble une impression
de relief. Ce personnage, mon grand-père m'en avait dit le
nom plusieurs fois. Il avait même précisé que je lui avais
été présentée. Mais il connaissait tellement de monde, tant
de monde se pressait pour lui serrer la main, alors celui-là
ou un autre… Sauf que tout le monde n'avait pas le privilège de trôner au-dessus de son bureau ! Et comme je cherchais à retrouver ce nom, il me revint tout à coup, associé
aux derniers mots de mon grand-père… Sur le pas de la
porte, les sept ou huit Gardes rouges à ses basques, il s'était
remis à tousser. Ma grand-mère avait couru chercher un
manteau et tandis qu'elle le lui tendait, Yan Baohang avait
dit : « Ne te fais pas de souci, ma chère Gaosu, rien de
grave… informes-en simplement le Premier ministre. Oui,

ce serait bien, rien de sérieux, mais parles-en simplement à Zhou Enlai.»

Cette nuit-là, c'est l'automne à Pékin. 6 novembre 1967, malgré le froid – car la date officielle de mise en route du chauffage n'a pas encore été décrétée –, ma grand-mère et moi, nous ne dormons pas. Nous veillons. Par la fenêtre de sa chambre à coucher la Voie lactée étend son voile de traîne lumineux. En bas, les érables du jardin de la Résidence sont rouge sang.

2

De temps en temps, Nainai m'emmenait en visite chez de vieux amis. L'estime que mes grands-parents leur portaient depuis les années 30 commandait que je leur donne du Grand-oncle Wang ou Grand-mère Wang, de même que Nainai les appelait Grand-frère Wang ou Belle-sœur Wang comme il se doit de manifester le lien d'affection dans la tradition chinoise.

J'ai oublié le nom de la ruelle – *hutong* – où ils habitaient. *Banchang hutong ? Lumicang hutong ?* Mais je n'oublierai jamais la toute petite pièce où s'entassaient les Wang, qu'on la nomme chambre, cuisine ou séjour. Toujours est-il que dans cet « espace » où se tenait la famille, nous parvenions à y tenir nous aussi et à y prendre le thé sans que je puisse comprendre comment une chose pareille était possible, bien qu'à vrai dire, cette pièce ouvrant directement sur la rue, c'est comme si nous prenions le thé dans la rue. Passe encore pour le thé, mais au-delà, comment s'y prenaient-ils pour dormir avec un minimum de décence dévolue à une famille qui, manifestement, n'en manquait pas.

Comme je ne posais pas de question, je ne risquais pas de savoir ce qui liait mes grands-parents à ces gens d'une soixantaine d'années, un peu plus jeunes qu'eux, des liens si amicaux qu'en retour ils étaient conviés à venir prendre le thé à la Résidence, à Xibianmen, un quartier d'un tout autre standing. Je m'étonnais qu'ils n'aient pas l'air de nous en vouloir de vivre dans un grand appartement où chacun avait sa chambre, un grand appartement lumineux avec de grandes baies vitrées sans vis-à-vis, une salle à manger et un salon où il n'était pas rare qu'une trentaine de personnes, la famille Yan au grand complet ou des amis, se réunissent. Je pouvais recevoir mes cousins qui, eux, ne manquaient pas de me jalouser car contrairement à eux je n'y étais pas de passage : c'était là que j'habitais, c'était mon adresse et s'il était vrai que mes cousins et moi recevions autant d'affection de leur part, j'avais, moi, le privilège d'être chez nos grands-parents «à demeure», autrement dit d'être chez moi. Quant à mes grands-parents, je les trouvais tout simplement remarquables de naturel dans leur façon d'assumer leur situation.

Il y avait pourtant, dans ce misérable recoin de *hutong* dont j'ai oublié le nom, au moins un élément qui aurait dû me mettre sur la voie pour comprendre ce qui, dans une telle fraternité enjouée, liait des personnes au mode de vie si opposé. Cet élément tenait à ce que ces gens étaient des Dongbei Ren.

Que signifiait donc «être Dongbei Ren»? Pour répondre à cette question essentielle, je n'avais qu'à me remémorer ce que disait mon grand-père quand arrivait la question rituelle que tout Pékinois pose à tout autre Chinois – du moins à ceux dont l'accent ne laisse pas ou plus deviner la région d'origine –, à savoir d'où l'on vient et, surtout si l'on sait d'où l'on vient «pour ne pas se sentir semblable à une lentille d'eau sans racines», comme dit le proverbe. Car il suffit de jeter un œil sur une carte, et de comparer l'étendue de notre territoire à celui de n'importe quelle nation européenne, pour comprendre que cette question a du sens, en dehors de tout nationalisme déplacé. Quand deux Chinois se rencontrent pour la première fois, la question «D'où êtes-vous?» est l'une des plus fréquentes. Et pour peu que le hasard vous ait placé sur le chemin d'un natif de la même région ou province que vous, aussi vaste soit-elle, votre interlocuteur accède illico au rang de «compatriote», comme si son statut de Chinois n'y suffisait pas tout à fait. Et dans ce cas la distance entre vous et lui s'abolit aussitôt.

«Je suis Dongbei Ren», Yéyé se présentait toujours de cette façon. Cela voulait dire : Je viens du Dongbei, le nord-est de la Chine. Je viens de l'ancienne Mandchourie – sans pour autant appartenir à la minorité mandchoue, celle qui, au travers de la dernière dynastie, a régné sur la Chine de 1644 jusqu'à 1912 et sous l'empire duquel je suis né. Je ne suis pas Mandchou, je suis Han. C'est égal, je ne puis nier que mon pays natal est celui-là, le Nord-Est et, parmi les trois provinces qui le constituent, Heilongjiang, Jilin et Liaoning, lesquelles sont, à mes yeux, la plus belle région de Chine, je suis du Liaoning. Je viens de la forêt, des hautes futaies, je viens de la neige et du froid. Je viens de ce monde des arbres toujours verts : le pin et le thuya, le genévrier géant et le bouleau blanc. J'appartiens non à la Chine du riz et du thé car, comme vous le savez, cette Chine-là commence en deçà du Fleuve Jaune, bien au sud de Pékin, non, j'appartiens à la Chine du blé et du sorgho, la Chine du ravioli et des galettes, la Chine du meilleur tabac qu'on puisse griller dans un fourreau de pipe à eau. Et sans vouloir faire injure à ceux de mes compatriotes qui n'ont pas eu cette chance de naître là, je viens de cette contrée si âprement arrachée à la convoitise japonaise que nous en connaissons le prix, le détestable prix du sang versé.

Mais cette tirade, ce n'était pas dans le *hutong* que mon grand-père la déclamait, pour la bonne raison que les Wang étaient du même pays, ils savaient cela sans avoir à se le dire. Mais, alors, comment savais-je qu'ils étaient Dongbei Ren ? Eh bien, parce que n'étant pas de ces Chinois passés par Londres ou Édimbourg, comme eût dit Mme Chiang Kai-shek, outre qu'ils avaient conservé dans leurs manières quelque chose de la rudesse paysanne, les intonations de Pékin, urbaines, standardisées, exagérément policées, n'avaient pas eu raison de l'âpreté de leur accent et, quand ils entonnaient en chœur une chanson, toujours la même, «Sur la rivière Songhua», c'était leur voix puissante, ample et chaude qui donnait le mieux à entendre : «Ma maison est dans le Dongbei, au bord de la rivière Songhua…»

Mes parents, eux aussi, habitaient dans un *hutong*. Ils avaient beau être diplomates, ils n'en appartenaient pas moins à la classe des cadres «normaux» du régime. Ils avaient à traverser une cour pour aller aux toilettes mais disposaient tout de même de deux trois pièces, aménagées dans une maison traditionnelle, un petit *siheyuan* à cour carrée, où vivaient quatre autres familles, ce qui, en Chine, à cette époque relevait déjà du privilège, car le paradoxe dans ce pays à taille de continent semble être que depuis toujours chacun doive se disputer son petit coin d'espace vital. Mais mes parents étaient le plus souvent à Paris, Rome ou en Suisse, pour ma mère, en «Europe de l'Ouest», comme on disait alors ; à Moscou, Varsovie ou Bucarest pour mon père…

À huit, neuf ans, n'ayant jamais voyagé et faute d'éléments de comparaison, je ne pouvais prendre conscience de la familiarité qui existait entre les immeubles qu'on voit en Suisse, en Hollande, au Danemark et l'architecture de la Résidence, une architecture des années cinquante, sobre et solide, qui se soucie du bien-être, assez intelligente pour composer avec une nature domestiquée en jardins de sophoras et jujubiers, saules pleureurs et plaqueminiers. La seule chose que j'aurais pu dire et, par là, on jugera de l'enfant délicieusement gâtée que j'ai été, c'est que ce troisième étage du bâtiment 10 de la Résidence comportait un balcon – naturellement sans vis-à-vis ! – où j'avais obtenu, un jour de caprice, qu'on installât des poussins achetés au marché dans des gloussements de bonheur, lesquels poussins ayant grandi et, révélant parmi eux une poule d'une corpulence avantageuse, celle-ci ayant cherché à s'échapper, s'élança de ce promontoire, voletant piètrement mais voletant tout de même du troisième étage vers les plates-bandes. C'est alors que les résidents avaient pu voir, non sans stupéfaction, mon grand-père en chaussons et robe de chambre, oui, monsieur Yan Baohang, puisque je vous le dis !

Yan Baohang ? Le ministre ?

Je ne sais pas s'il est ministre, je croyais qu'il s'occupait du protocole…

Le protocole, peut-être… Enfin bref, vous savez bien, il est sénateur ou, plutôt, il était membre permanent de la Conférence politique consultative… il a même été gouverneur du Liaobey en son temps, lorsque les communistes ont gagné ces provinces du Nord.

Oui, bon, et alors ? des huiles comme celles-là, de toute façon, il n'y a que ça à la Résidence…

Eh bien, samedi matin, à 8 heures, sous les yeux de sa petite-fille, la petite Lan, qui s'égosillait à lui crier : «Yéyé ! je t'en supplie, rattrape-la !» M. Yan Baohang, avec toute la

26

classe qu'on lui connaît, imaginez-le en savates et robe de chambre dans les jardins de la Résidence, en train de courir après une poule dans l'espoir de la ramener au plus vite à la petite !

Comme partout dans le monde, il y avait des mots magiques, souvent des noms de lieu, qui permettaient de vous identifier instantanément.

Si, par exemple, je disais que j'habitais Xibianmen, d'emblée, mon interlocuteur situait la Résidence du Conseil des Affaires d'État et demandait : « N'est-ce pas là que l'ancien vice-président chinois au temps du Kuomintang a son logement ? N'est-ce pas là qu'habitent les Huang, la famille de Huang Yanpei ? N'est-ce pas la Résidence de Yan Baohang, l'ancien gouverneur du Liaobey, le sénateur ? »

« C'est Yéyé », répondais-je, en contenant mal ma fierté.

Mais si, tenté par une indiscrétion sans conséquence, vu mon âge, mon interlocuteur ajoutait : « C'est très bien, mademoiselle Lan et... peut-on demander à mademoiselle Lan si son papa est, lui aussi, membre de la Conférence consultative du peuple ? » et que je répondais : « Non, papa, lui, il travaille à *Zhongnahai* (Siège du gouvernement central) », je ne me doutais pas une seconde que ce que je disais était susceptible de l'impressionner. Et, de la même manière, parce que je ne cherchais pas à impressionner puisque je n'avais pas conscience, en ce temps-là, du privilège qui m'était accordé, je ne racontais pas qu'il m'arrivait de déjeuner avec mon père à *Zhongnahai*. D'une part, la vantardise était si mal vue chez nous que je me serais bien gardée de me vanter de quoi que ce soit ; d'autre part, tout se passait pour moi très simplement : je me présentais aux gardes en faction, surmontant autant que possible l'appréhension que m'inspirait la raideur de leur maintien ; l'un d'eux faisait appeler un autre fonctionnaire chargé de m'accompagner jusqu'à mon père et voilà tout. Je ne racontais pas non plus qu'il m'avait déjà été donné d'assister à une projection privée dans la petite salle de cinéma de la résidence de Mao Zedong, je ne mesurais tout simplement pas le caractère exceptionnel de la situation.

Pour en revenir à Xibianmen, c'est bien simple : tout ce qui avait compté avant la Nouvelle Chine, avant 1949 et au-delà, résidait là, dans l'un ou l'autre de ces appartements familiaux, deux par paliers, confort bourgeois, à l'occidentale, dans des bâtiments de trois étages dressés au milieu d'un poumon arboré. Beaucoup d'anciens généraux, de dignitaires de l'ancien régime, un certain nombre de charges honorifiques, des membres de la Conférence consultative du peuple ou de l'Assemblée nationale populaire, etc.

Notre bâtiment comptait aussi des célébrités sans rapport avec le pouvoir. Pour être reçu chez le docteur Ye, au rez-de-chaussée du bâtiment 10, «notre» bâtiment, on venait de très loin, après avoir attendu longtemps pour obtenir un rendez-vous à condition d'avoir été spécialement recommandé. Et bien que rien, dans la construction des bâtiments de la Résidence, ni la distribution des pièces, ni l'agencement

des meubles, n'eût été conçu dans le respect de la géomancie et autres préceptes de la Chine ancienne, le docteur Ye,
lui, prodiguait la médecine chinoise traditionnelle. Cette
pratique, vieille de plus d'un millénaire, avait beau tout igno-
rer de la science moderne, c'était bien la seule à laquelle tous
les parents et grands-parents estimaient qu'il était raisonnable
et prudent de confier leurs enfants, sachant qu'ils en avaient
tiré bénéfice pour eux-mêmes. En outre de par sa notoriété,
le vieux docteur Ye ne pouvait, en aucune manière, être
considéré comme un simple médecin de famille, sans parler
d'un «médecin de proximité». Toute consultation accordée
pour le moindre petit bobo d'enfant revêtait un caractère
exceptionnel.

Alors, si l'un ou l'autre de mes 27 cousins commettait
l'imprudence de toussoter en présence de mes grands-parents, il était aussitôt conduit au rez-de-chaussée grâce au
grand privilège octroyé par l'insigne thérapeute «aux Yan
du 3ᵉ droite», et reçu sans délais. En ce qui me concerne,
j'avais au moins une bonne raison de voir un inconvénient
– j'aurais bien été en peine d'en dénicher un autre – à habiter la Résidence. J'avais encore le souvenir, aussi vif qu'amer,
de la soupe d'herbes du docteur Ye. Une soupe qu'il fallait
ingurgiter à la suite de plusieurs décoctions suivant un rituel
aussi imparable qu'obscur et qui m'avait convaincue que le
bonheur de vivre avec mes grands-parents à Xibianmen,
était sans doute à ce prix, le prix de ce bonheur comprenant,
en outre, le fait que ma fièvre avait disparu.

Dans le but, je suppose, de m'encourager à affronter l'épreuve de la soupe d'herbes, le bon vieux docteur Ye s'était donné la peine de m'expliquer un jour que, par ce moyen, mon organisme désorganisé allait retrouver son équilibre entre le yin et le yang. Et comme, la première fois qu'il avait prononcé ces mots, j'avais écarquillé les yeux, il avait ajouté : «Tu viens me consulter, petite Lan, parce que tu as trop de feu. Dans le cas présent d'une petite personne qui a trop de feu, l'absorption des herbes que j'ai spécialement choisies à son intention vient apporter à son organisme le froid qui manque à son équilibre. Dans un cas contraire, un cas où tu aurais trop de froid, j'aurais choisi des herbes propices à te redonner du feu.» Alors, je m'étais enhardie : «Mais, docteur Ye, qu'est-ce que le yin ? Et qu'est-ce que le yang ?» Le bon vieux docteur me rétorqua alors : «Pour le savoir, petite Lan, je pense qu'il faut y consacrer rien moins que toute la vie.» Le plus important est de garder l'équilibre entre ying et yang. Et c'est ainsi que je pensais en rester là de mon initiation aux principes de la thérapie chinoise traditionnelle. Jusqu'à ce que, plusieurs années plus tard, alors que je vivais à la campagne, les principes de cette médecine me soient revenus et aient commencé à m'intéresser suffisamment pour que je m'initie aux principes de base de ceux qu'on appelait à cette époque «les docteurs aux pieds nus.»

Pour l'heure, la popularité chez nous du bon vieux docteur Ye tenait aussi au crédit que l'éminent thérapeute daignait accorder à Nainai certaines fins de mois. Et, peut-être parce que cette grande faveur avait toujours été à sens unique et faite de bonne grâce, le docteur Ye avait été particulièrement bien accueilli lorsqu'un soir, fort tard, il s'était présenté à notre étage avec une requête. La question de savoir si, dans le contexte de l'époque, il était sage ou non d'accéder à cette requête ne se posa pas. Et, de même que le bon docteur Ye avait une fois pour toutes exclu de calculer les intérêts de ses crédits, de même, il ne pouvait être question de «calculer» le risque encouru pour la faveur extravagante qu'il nous demandait.

Le docteur souhaitait confier la garde de deux coffres à Gaosu, ma grand-mère, si cela ne l'importunait pas trop. «Naturellement, je vous les monterai», avait tenu à préciser notre éminent voisin, ajoutant qu'après mûre réflexion, cette solution lui était apparue la meilleure car personne ne pouvait dire ce qui lui arriverait si les Gardes rouges découvraient ces coffres qui contenaient des fourrures, de belles fourrures soit dit en passant. Tandis que chez les Yan, ou plus précisément chez Yan Baohang, autrement dit chez des «Rouges» pour ne pas dire chez un proche de Zhou Enlai, alors il n'y avait plus rien à craindre.

Louwen, elle aussi, habitait la Résidence. Même bâtiment, premier étage, même pensionnat. Son père? Il était en charge des services de la Documentation au sein du Conseil des Affaires d'État.

Il arrivait que Louwen vienne jouer chez moi pendant le week-end ou que j'aille chez elle. Si je vous en parle, c'est que Louwen était mon amie. Ma meilleure amie de ces années-là. Mais c'est une autre histoire.

3

« Croissant de lune, froide faucille d'or pâle. »

LAO SHE,

LE CROISSANT DE LUNE, 1935

6 novembre 1967, peu après 20 heures.

Au pied de la Résidence, le jardin est tout entier plongé dans le noir. Mi-automne du calendrier lunaire : pas encore de ces vents de sable glacés descendus droit de Mongolie. Moins de lumières aux fenêtres qu'à l'accoutumée. Des lampes se sont même éteintes, j'en suis sûre, au moment où nous nous sommes précipitées sur le balcon pour suivre des yeux mon grand-père. L'obscurité soudaine me rappelle la détestable habitude que les grandes personnes ont prise désormais de se parler à l'oreille, ou de parler tout bas, ou de changer précipitamment de pièce et de refermer la porte derrière eux quand j'approche ; et si je les interroge, leur détestable habitude de me répondre par un « ne t'inquiète pas » dont le ton me donne au contraire toutes les raisons de m'inquiéter.

Le «ne t'inquiète pas» de ma grand-mère ce soir est encore pire. La nuit elle aussi se contracte dans le noir, à l'affût de tous bruits, à l'affût d'un pleur ou d'un cri.

Nainai a immédiatement envoyé l'ayi alerter tous ceux qu'elle pourrait trouver à Pékin. Leur fils cadet, mon père, «très occupé en ce moment», est dans l'impossibilité d'intervenir pour savoir où se trouve Yéyé : il lui est interdit de se rendre où que ce soit, interdit de rentrer chez lui ou d'aller chez son père. Mais, par chance, maman est à Pékin, elle arrive, ma grand-mère en est sûre. L'une de mes cousines aussi, Lingling, qui habite provisoirement chez mes grands-parents, ne devrait pas tarder à rentrer, d'autant que ses cours à l'université sont suspendus depuis plusieurs mois. On pourrait croire ainsi que c'est ma mère, ou l'une de mes tantes, ou ma cousine que nous guettons depuis notre balcon. Nous gardons aussi un œil sur la porte d'entrée. Mais en vérité, que ce soit dans l'allée du jardin ou à la porte de l'appartement, c'est lui et seulement lui, dont nous espérons le retour à tout instant.

Dans ce soir glacial, sur le balcon, les mots des Gardes rouges me brûlent encore le front et, serrée contre la poitrine de ma grand-mère, je sens leur venin passer dans mes veines, traverser ma chair, passer dans les veines de ma grand-mère, je sens ce poison qui progresse vers mon cœur et vers son cœur à elle aussi.

J'ai pourtant à l'esprit le visage de Yan Baohang, sortant de son bureau : aucune de leurs insultes n'avait altéré l'expression de son visage. Aucune de ces injures ne lui avait fait baisser la tête ou rentrer les épaules ou grimacer. De son bureau où ces mots avaient retenti, il était sorti, l'air grave, mais il était droit et calme. Il n'avait pas élevé la voix, il ne s'était pas débattu quand l'un des Gardes rouges l'avait empoigné et, même, celui des Gardes rouges qui l'avait empoigné avait dû sentir son autorité naturelle. Mon grand-père n'avait pas besoin de crier pour se faire obéir, il ne criait jamais sur moi et pourtant je lui obéissais. Non seulement ce Garde rouge n'avait pu empêcher Yan Baohang de se dégager, mais il ne l'avait pas retenu lorsque, sans se précipiter, il s'était approché de sa femme pour lui parler à voix douce puis de moi, posant tendrement sa main sur ma tête comme il faisait toujours.

Je comprenais que si les mots des Gardes rouges continuaient à rougeoyer en moi comme des braises, c'est que leur pouvoir de nuisance m'atteignait moi et non mon grand-père. Ces mots me submergeaient de honte, comme si c'était moi qu'on avait traité de VILAINE, MAUVAISE, MÉCHANTE. Je comprenais de même que si ma grand-mère restait à guetter sur le balcon au lieu d'aller se coucher, si elle avait missionné l'ayi à travers la ville à la recherche de nos proches et nos alliés ; si elle continuait à scruter, tantôt le jardin, tantôt la porte, si elle consentait à ce que je reste avec elle, au milieu de la nuit, c'était parce que les mots des Gardes rouges l'avaient blessée, elle aussi. C'était parce que ces mots blessaient mon père, ma mère, mes tantes, mes oncles, mes cousins. Ils étaient venus salir toute ma famille.

Ma mère est enfin arrivée. À peine Nainai lui avait-elle tout raconté que, déjà, ma mère passait en revue la liste de ses contacts, de ce qu'il convenait d'entreprendre, avec cette faculté que je lui enviais de hiérarchiser les urgences, d'agir plutôt que de se lamenter. Cette aptitude lui faisait courir le risque de passer pour froide alors que c'était elle qui s'activait, elle qui s'était tout de suite démenée, elle qui organisait point par point le plan destiné à sortir mon grand-père des griffes qui s'étaient refermées sur lui. Aussi, à peine ma cousine Lingling avait-elle franchi le seuil de l'appartement que ma mère lui tendait une liste d'instructions avant que toutes deux ne repartent aussitôt.

Les recherches étaient lancées. En moins d'une heure, des dizaines de gens à vélo – car personne ne disposait de voitures privées à cette époque – parcouraient Pékin en tous sens pour savoir QUI l'avait emmené ? OÙ ? Et POUR-QUOI ?

4

C'était au printemps 1966. Kehui, le jeune frère de maman,
aimait bien prendre des photos. Il avait demandé à mes
grands-parents de poser pour lui dans les jardins de la Résidence. J'étais là, à ses côtés. Je me disais que mon jeune oncle
avait rudement bien choisi le décor pour son portrait : derrière le vieux couple, l'extrémité d'une branche de cerisier
chargée de fleurs et tournée vers le ciel leur allait à merveille,
c'était beau.

Ce que Nainai portait ce jour-là, je n'en suis pas très sûre
parce que Nainai changeait de vêtements tous les jours :
tantôt une blouse de couleur unie, tantôt à motifs de fleurs
imprimées, ou un pantalon avec tunique, à la chinoise, un
petit foulard de soie assorti autour du cou. Tandis que mon
grand-père, des jours ont passé sans que je le voie et son
image est restée comme sur cette photo. Peut-être aussi

parce qu'il y a moins de variété dans les vêtements d'hommes. Sauf sur des portraits anciens, quand il étudiait à Londres, Édimbourg ou Copenhague et qu'il arborait ce genre de chemise que vers la fin des années 30 on portait en tunique sur le pantalon à bords flottants en crêpe de soie du Shandong, ou bien en costume ou en blaser et cravate, un pardessus à l'occidentale, des chaussettes de soie noire, des souliers de satin noir à épaisses semelles de toiles blanches piquées, hormis sur ces portraits, je l'ai toujours vu en *Zhōnghshān zhuāng,* cette veste à quatre poches extérieures, à col plat et court, ou col montant à la manière des officiers, et qu'on appelle – à tort – veste «à col Mao», alors qu'en réalité tous les Chinois l'ont adoptée au début du XXe siècle, Mao comme les autres, à la suite de Sun Yat-sen, le père de la Chine moderne, l'un des fondateurs du Kuomintang et premier président de la République qui, pour toujours, venait de renverser la dynastie des Qing. On sait que pour les Chinois de cette époque adopter cette veste marquait leur adhésion à l'ère nouvelle qui s'ouvrait pour la Chine. Mieux, à partir du moment où cette veste avait été «proposée» par le premier d'entre les Chinois et aussitôt adoptée par le gouvernement de 1912, c'est devenu plus qu'un emblème : le costume officiel de la Chine porté depuis par tous les dirigeants et jusqu'à l'actuel président, Xi Jinping, qui l'arbore souvent lors de cérémonies officielles en tant que symbole traditionnel de la Chine contemporaine. Quant à ce nom – *Zhōnghshān zhuāng* –, il vient du nom courant du fondateur de la première République chinoise *Sun Zhongshan* – Sun Yat-sen étant son nom littéraire plus familier en Occident qu'en Chine. Mais la plus spectaculaire de toutes les innovations de ce temps avait dû être, je le suppose, ce geste symbolisant la rupture avec le féodalisme : la plupart des hommes de la génération d'avant mon grand-père avaient cessé de se raser le haut du crâne et s'étaient coupé la natte qu'ils portaient serrée dans le dos et que les Mandchous avaient imposée en signe d'allégeance pendant presque trois siècles.

Pour ce qui est de mon grand-père, en costume cravate ou en *Zhōnghshān zhuāng,* on a toujours dit qu'il était très élégant. Grand. Comme la plupart de ses compatriotes du Nord-Est, il avait la peau claire comme ces champs de blé qui font dire du Dongbei qu'il est le grenier à blé de la Chine.

De lui, on a toujours dit qu'il était distingué au physique comme au moral. Sobre mais chaleureux. Fidèle en amitié. Généreux. Très sociable. Pour appuyer leur admiration, certains tenaient à mettre en avant sa capacité à réfléchir et sa faculté à penser pour lui-même.

« Comment Yan Baohang pourrait-il être un méchant » s'interrogeait Soong May-ling, l'épouse du généralissime Chiang Kai-shek ? Elle qui, pour consentir à épouser Chiang Kai-shek, avait exigé non seulement qu'il divorce, renonce à sa concubine et embrasse la religion des Soong, protestants de longue date ! « Comment Yan Baohang pouvait-il être un méchant, demandait-elle, puisqu'il est protestant et pieux ? »

Pieux, je ne sais pas. Mon grand-père ne m'a jamais emmenée au temple. Il ne m'a jamais parlé de Jésus-Christ. Protestant, oui, je sais. Converti dans sa jeunesse. Comme l'écrivain Lao She, son ami de ses années d'étudiant en Europe, et, comme lui, rallié au régime communiste.

Nainai aimait à raconter qu'à la naissance de Mingfu, mon père, un moine mendiant s'était présenté pour demander l'aumône. Ma grand-mère, aussitôt, avait chargé ma tante aînée, Mingshi, alors enfant, de remettre l'obole à ce mendiant, non sans lui faire savoir que cette charité était d'inspiration chrétienne «aussi vrai que nous ne sommes ni bouddhistes ni taoïstes mais chrétiens mon mari, mes enfants et moi!» Preuve s'il en est, que cette femme forte – mais toutes les femmes sont fortes chez les Yan – ne dissimulait pas ses convictions religieuses.

Bien des points communs liaient Soong May-ling et Yan Baohang, son aîné d'à peine trois ans. Tous deux anglophones, formés à l'occidentale, le goût de l'entregent, un même raffinement de l'allure et de la pensée.

Mon père se souvenait, avec jubilation, que Soong May-ling avait offert une décapotable à Yan Baohang. C'était au temps où le gouvernement se trouvait à Nankin. Yan Baohang avait fini par accepter de s'occuper du Mouvement de la vie nouvelle que promouvaient Mme Chiank Kai-shek et son illustre mari. Or, c'était ma tante Mingshi qui avait pris le volant de la KomIntern Molodyozhi fabriquée à Moscou, plus connue sous le nom de KIM, et avait installé sur le siège arrière, Mingfu, mon père, alors tout jeune enfant. Dans ses *Mémoires,* il rapporte le plaisir qu'avait sa sœur à klaxonner dans les rues de Nankin, et tous deux à s'amuser au spectacle de la garde de Chiang Kai-shek qui accourait pour faire le salut militaire à chaque fois que résonnait ce timbre qui leur était familier.

Un vieil ami de la famille aimait aussi à raconter qu'une fois Soong May-ling avait appelé à minuit passé au domicile de Yan Baohang : Chiang Kai-shek demandait à le voir sans délai. Naturellement, Yan Baohang s'était exécuté et comme Soong May-ling elle-même lui avait ouvert la porte, elle s'était écriée : «Ah, Paul – c'était son nom anglais – ainsi vous accourez… sans même vous raser ! Voilà qui est… bien ! Voilà qui est… parfait ! »

5

« *Rapace, ton gant acéré a ravi mes fils, mais ne détruis pas mon nid.* »

ATTRIBUÉ À WU WANG, *LE LIVRE DES ODES*
(XIᵉ – VIᵉ SIÈCLE AVANT J.-C.,
DYNASTIES ROYALES ANTIQUES)

17 novembre 1967 : onze jours exactement après l'arrestation de Yan Baohang, son plus jeune fils, Mingfu, était incarcéré à son tour.

D'abord, mon grand-père.

Puis mon père.

Les précautions oratoires prises avec moi jusque-là n'eurent plus cours. On m'apprit sans détour l'assignation à résidence à laquelle mon père était soumis depuis un an, autorisé à sortir de son bureau seulement le week-end. J'appris aussi qu'il venait d'être arrêté.

Mon oncle Mingzhi et sa femme, qui travaillaient tous deux pour le ministère des Affaires étrangères, étaient assignés à résidence. Idem pour mon oncle aîné Daxin : il avait beau être général d'armée, il était placé en résidence surveillée lui aussi. L'une de ses filles, à qui on avait mis un porte-voix entre les mains avait été forcée de proclamer publiquement qu'elle désavouait son père et qu'elle tirait désormais un trait sur leur relation. Et comme si cela ne suffisait pas, ma tante Shuti, la femme de Daxin, professeur de lycée, avait été publiquement humiliée par ses élèves, puis tondue. Selon la rumeur elle restait libre jusqu'à nouvel ordre. Humiliée mais libre.

Quelque temps auparavant, j'étais sortie de l'école en réclamant une panoplie de Garde rouge. Une autre fois, j'avais arboré le fameux brassard écarlate. La maîtresse ayant commencé à nous initier à l'art de la calligraphie au pinceau, j'avais projeté de faire des *dazibaos* comme on en voyait placardés maintenant partout. Ma mère m'avait alors très sévèrement réprimandée : «As-tu idée de ce qu'est un *dazibao*? me demandait-elle en colère. Un *dazibao*, mademoiselle, c'est seulement fait pour critiquer et dénoncer!» Et de me rappeler le respect dû aux enseignants, qui s'imposait à tout élève et en toutes circonstances. Puis elle avait stigmatisé l'ignorance de ces jeunes gens qui prétendaient savoir à la place de leurs aînés. Par jeunes gens, elle désignait les Gardes rouges car on évoquait, en effet, des mises en causes et autres séances d'autocritique et de délation conduites par des étudiants et même des lycéens. Mais c'était aussi mon ignorance qu'elle voulait accabler. D'un côté, on m'avait maintenue dans l'ignorance, de l'autre, cette ignorance m'était reprochée. J'avais dix ans. J'étais plongée dans le plus grand désarroi.

Avec ma grand-mère, on guettait aux fenêtres en prenant
soin de ne pas être vues. Tout le monde guettait aux fenêtres.
Tout le monde prenait soin de ne pas être vu. Si l'on n'était
pas sûres de l'identité du visiteur, on faisait mine de ne pas
être là. Tout le monde était terré chez soi et tout le monde
faisait mine d'être ailleurs.

Le mot arrestation revenait dans toutes les phrases. Sur
toutes les lèvres affleurait le nom de Jiang Qing, l'épouse en
quatrièmes noces de Mao Zedong. Bien que le bureau politique du parti eût posé comme condition pour consentir à
leur union que l'ex-starlette s'abstînt de toute activité politique, Jiang Qing était désormais membre du groupe en
charge de la Révolution culturelle au sein du Comité central.
La rumeur propageait des scénarios embrouillés et tous
invérifiables : il était par exemple question d'aveux obtenus
sous la torture, d'un ancien général de l'armée du Kuomintang ayant, par ces aveux mêmes, rendu possible le déman-
tèlement d'un groupe de contre-révolutionnaires sévissant
dans le Nord-Est – ledit groupe anti-révolutionnaire se trouvant constitué de plusieurs généraux ou anciens généraux
de l'Armée rouge, de proches du général Zhang Xueliang,
de plusieurs ministres ou anciens ministres.

On ne cherchait ni la source ni les preuves de ces allégations. On traduisait : Yan Baohang est un ancien du Kuomintang. Originaire du Nord-Est. Proche du général Lü
Zhengcao, lui-même natif du Liaoning. Ancien ministre,
nommé par le pouvoir communiste dont Liu Shaoqi est le

président. C'était donc lui, le coupable. La rumeur ne précisait pas si Yan Baohang était toujours vivant ou mort.

Des pièces à convictions se fabriquaient. Des complots s'inventaient. Des fictions s'articulaient autour du mot de trahison.

Un appareil émetteur-récepteur de messages codés, vulgairement maquillé en transistor radio, avait été saisi. Le suspect avait été dénoncé comme un espion à la solde de Moscou. L'entourage de Mao Zedong était infesté de traîtres. Le président Liu Shaoqi et le dirigeant Deng Xiaoping, proche d'entre les proches de Liu Shaoqi, étaient incriminés. Un tel réseau exigeait un russophone. Pour ne pas dire un révisionniste, selon l'expression dont Mao affublait maintenant les Soviétiques tombés en disgrâce, les Nikita Khrouchtchev et autres Alexis Kossyguine. Dans l'entourage de Mao Zedong, infesté des traîtres susnommés, Yan Mingfu était le traducteur officiel du russe. Sur toutes les photos réunissant Mao Zedong, Liu Shaoqi, Kossyguine, Yan Mingfu est là. Yan Mingfu a cherché à dissimuler l'émetteur-récepteur chez son père. Les deux coupables sont sous les verrous.

Toute la journée, famille, proches, moins proches, des gens défilaient dans l'appartement avec de nouvelles informations qu'on s'empressait de rapporter à ma mère. Les plus récentes contredisaient les précédentes. Plus les contradictions étaient flagrantes, plus le récit était tenu pour vrai. Malgré ce qui était rapporté, toute la journée et de partout, on ne savait rien, on n'était sûr de rien. Pendant que ma mère sillonnait à vélo la ville en tous sens, ma grand-mère, elle, faisait entrer, faisait asseoir, écoutait, réconfortait, raccompagnait. Une fois les gens partis, la personne que j'aimais le plus au monde prenait sa tête entre ses mains, fermait les yeux et, se parlant comme à elle-même demandait : « Ont-ils seulement des vêtements chauds ? » J'avais demandé : « À qui, Nainai, est-ce que tu penses le plus en ce moment ? » Et ma grand-mère, l'être que j'aimais le plus au monde, avait vu mon désarroi. « Je pense en premier lieu à mon fils », avait-elle dit.

6

Cette époque de l'année était celle de la rituelle livraison des choux, car il n'y avait pas de primeurs dans le froid de Pékin. Les familles faisaient provision de choux pour l'hiver, en particulier les familles originaires du Dongbei, dont le chou est l'une des spécialités.

Je revois les montagnes de choux au pied des bâtiments de la Résidence, regroupés selon les commandes, leur belle tête lisse et pommelée dont la couleur vive tranchait avec les arbres effeuillés. C'était toute une affaire que de remonter dans les étages les quinze kilos de choux qui seraient l'aliment de base de l'hiver, agrémenté de toutes les manières, en salaison, au lard, à la viande, au vermicelle… Et pour la préparation des choux marinés, destinés notamment à farcir les plus fameux raviolis que je connaisse, l'ayi et ma grand-mère avaient déjà fait place nette à la cuisine, sorti le sel en quantité, les pots, les pierres et tout le nécessaire pour cette confection qui accompagnerait du tofu, de la viande, ou – délice suprême – la fameuse marmite fondue du Nord, son fromage de soja, sa viande et son vermicelle…

Pour cette préparation, Nainai autant que l'ayi feignaient d'avoir besoin de mon aide. Le plaisir que j'éprouvais à ce rôle de petit marmiton était si manifeste que l'une et l'autre avaient fini par accepter qu'il fût pour moi plus excitant que n'importe quel autre jeu.

Si je me souviens bien, il fallait en premier lieu laver très soigneusement les choux. Ensuite, on les mettait à sécher toute une journée. Le lendemain, dans chaque pot, on alternait une couche de choux avec une couche de sel jusqu'à ras bord. Après quoi, on versait de l'eau chaude abondamment, on disposait de très lourdes pierres pour tasser le tout puis on fermait le pot hermétiquement. Rien qu'à l'idée du moment où il serait enfin possible d'y goûter – pas avant quinze jours – on en salivait d'avance…

L'année précédente, déjà, certains tas de choux étaient restés en plan plus longtemps que d'habitude. Cette année, c'était pire. Les tas diminuaient au compte-gouttes. Que se passait-il ? La Résidence manquait tout simplement de bras. De bras d'hommes. Où étaient-ils donc passés ?

Les nuits étaient devenues étrangement silencieuses, privées de ce drôle de chuintement du chou en train de fermenter dans les bocaux. Que ce drôle de petit bruit apaisant revienne et, avec lui, les jours heureux. Dans le lit de ma grand-mère où j'avais l'habitude de me glisser, je me tournais vers le lit de mon grand-père, lui aussi, il me manquait. Dehors, le restant de choux se décomposait.

Sans craindre de réveiller ma grand-mère, je demandais : « Nainai, est-ce que Baohang, ça veut dire quelque chose ?

– Tu sais bien, Nan nan, répondait-elle : "Bao", c'est celui des caractères qui, dans le prénom, indique la génération. Tous les frères de Yéyé et ses cousins ont ce caractère en commun : "Bao". Parce que, selon la tradition, il y a toujours un ancêtre, dans toutes les familles de chez nous, qui décide par avance du caractère déterminant d'une même famille pour les dix ou quinze générations à venir, et dont la liste se transmet de père en fils puisque c'est par les hommes que se fait cette transmission. De sorte que, si tu croises un homme ou une femme dont le caractère du milieu est "Bao", peu importe que le deuxième caractère soit Wang, Yan ou je ne sais quoi, tu peux être sûre que tu as devant toi une sœur, un frère, une cousine, un cousin de ton grand-père. De même, si tu n'étais pas fille unique, à toi aussi, on aurait donné un caractère "du milieu". Regarde le nom de mes enfants, ton père est "Ming" – Yan Mingfu – comme tes trois tantes, Mingshi, Mingyin et Mingguan, ainsi que tes oncles – Mingxin et Mingzhi.

« Pour ce qui est de "Hang" ? Attends que je réfléchisse. En Chine, le prénom qu'on donne à nos enfants, nous le créons de toutes pièces, il est le fruit de l'imagination. On le choisit où on veut, soit qu'on trouve le caractère beau, soit qu'il exprime un vœu. Toi, par exemple, ta mère t'avait choisi un caractère très beau, mais si compliqué à calligraphier que tu n'y arrivais pas. Elle a décidé d'en changer et de t'appeler Lan qui signifie orchidée. Vois, tu n'as pas perdu au change.

« Pour en revenir à ton grand-père dont le prénom est "Hang" : cela pourrait désigner un vaisseau en pleine mer. Cela pourrait être un navire conquérant... Ça devait être cela, oui, que sa mère ou son père avaient en tête en lui donnant "Hang" pour prénom... »

Et ainsi, je m'endormais.

7

« Et puissions-nous ensemble connaître
les jours aux cheveux blancs. »

Zao Zhi, Piao, *prince de Pai-ma* (192-232)

En Chine, depuis toujours, les femmes gardent leur nom de jeune fille. Née Gaosu, (Gao pour son nom de famille et Su pour le prénom), ma grand-mère est restée Gaosu après son mariage avec Yan Baohang. Il avait quatorze ans, elle en avait seize.

Ainsi, au temps de la guérilla anti-japonaise, aux alentours des années 30, ce n'était pas madame Yan qu'on envoyait chercher lorsqu'il fallait donner asile aux combattants contre le Mandchoukouo, cet État fantoche mis en place par le Japon dans le nord-est de la Chine. On demandait Gaosu. Et Gaosu prenait les choses en main.

De même, au temps où mes grands-parents habitaient Chongqing, cette ville devenue le siège provisoire de la République de Chine et du gouvernement du Kuomintang, quand il fallait porter secours aux patriotes, c'était encore

Gaosu qu'on demandait. Et le respect qu'on avait pour elle commandait qu'on lui donne aussi du *Yan Da Sao :* belle-sœur de Yan. C'était l'époque où nationalistes et communistes combattaient ensemble les Japonais. Seules les prétentions expansionnistes de l'archipel nippon, si dangereusement proche du Nord-Est chinois et de la Corée, avaient réussi à sceller l'alliance contre-nature entre nationalistes et communistes, luttant alors sous la même bannière du Kuomintang.

Dès cette époque précédant la Deuxième Guerre mondiale et l'annonçant tout à la fois, il y avait parmi ces patriotes un homme nommé Zhou Enlai qui, étant plus âgé que mon grand-père, lui donnait du *Da Ge* (Grand frère). Quant à ma grand-mère, Gaosu, Zhou Enlai allait jusqu'à l'appeler «Notre très chère grande belle-sœur». Ce n'était donc pas une marque d'amitié récente ou de circonstance lorsque, beaucoup plus tard, devenu Premier ministre, au moment de rendre hommage à Gaosu, il avait évoqué les occasions si nombreuses où il avait confié des camarades aux bons soins de ma grand-mère. D'ailleurs cette formule «aux bons soins» était juste car en confiant à Gaosu les camarades révolutionnaires, Zhou Enlai savait qu'ils seraient soignés, nourris, choyés, et en toute sécurité chez elle. Et rappelant qu'elle les avait traités comme ses propres enfants, le Premier ministre l'avait alors appelée *Da Niang* et *Guo Mama* : la grande Maman. Il aurait pu tout aussi bien dire que le nom de ma grand-mère lui allait comme un gant. Je ne parle pas de «Gao» qui est son patronyme mais de son prénom «Su» qui signifie modestie, réserve, simplicité.

C'est pour ses qualités de cœur qu'elle prit tout naturellement la direction des jardins d'enfants du Liaobey lorsque son mari, au lendemain de la Deuxième Guerre mondiale, avait été nommé gouverneur de la Province. Et après la Nouvelle Chine (c'est-à-dire après la proclamation de la République populaire de Chine le 1er octobre 1949, avec Mao Zedong à sa tête et Zhou Enlai en chef du gouvernement), Gaosu avait suivi mon grand-père au ministère des Affaires étrangères, où elle avait travaillé pour le Département de documentation.

Ma grand-mère a donné sept enfants à mon grand-père, dont six ont survécu.

Mingfu, le plus jeune, est mon père. Il est né en 1931.

Et lorsque, dans la cuisine, en tête à tête avec ma grand-mère, je pense à mon père, j'éclate en sanglots devant mon bol de bouillon de riz du matin car comme le dit le proverbe «l'eau lointaine n'étanche pas la soif du moment».

C'est alors que ma grand-mère me raconte une histoire bien différente de celles qu'elle raconte d'habitude. Celle-là n'est pas pour rire, je le vois bien à son air à la fois doux et grave. «C'est, dit-elle, Sai Weng (Vieux Sai) qui a perdu son cheval. Comment, tu ne la connais pas? Pourtant, pas un Chinois du continent et d'ailleurs qui ne sache ce récit vieux de mille ans, dit-elle. À croire qu'il parle à tout le monde comme il me parle à moi. Et il ne manquera pas de te parler à toi aussi. On raconte qu'un jour le Vieux Sai a perdu un de ses chevaux et qu'il n'a plus désormais qu'une seule bête sur les deux qu'il avait pourtant élevées à grands frais.

Qu'à cela ne tienne, dit le vieil homme, ainsi va la vie! Car le vieux Sai est philosophe comme nous nous efforçons de l'être aussi, n'est-ce pas? Or voici qu'un jour, non seulement le cheval disparu est de retour mais il se présente en compagnie d'un fier et beau cheval sauvage. «Ah, voyez donc les surprises que nous réserve la vie», médite l'excellent monsieur Sai, qui charge aussitôt son fils de dompter le cheval sauvage. Mais le fils s'y prend si mal qu'il fait une mauvaise chute. Ce malheur était sans doute écrit depuis toujours songe le père. Là-dessus, la guerre éclate dans la contrée. Tous les jeunes gens de la même classe d'âge que le fils Sai sont enrôlés. Tous, sans exception, sauf lui qui s'est cassé la jambe.»

À l'époque, je ne suis pas sûre d'avoir parfaitement compris le message que ma grand-mère voulait me faire passer, mais ce dont je suis certaine après tant d'années, c'est que dans le malheur où nous étions, son récit m'avait redonné force et courage. J'avais cessé d'inonder de larmes mon pain et mon bouillon de riz. Je contemplais le visage plein de bonté de ma grand-mère, un visage dont je ne saurais dire autrement qu'il était comme un soleil dans la nuit que nous traversions et dont j'ignorais qu'elle serait si longue et si noire. Celle qui, ce matin-là, n'aurait pas su dire où était son mari, son fils cadet, ni quel sort attendait ses autres enfants, avait d'abord en tête de ne pas désespérer et m'encourageait à faire de même. Et pourtant, des raisons de désespérer, ma grand-mère en avait bien plus que je ne le supposais. Il est vrai qu'on me ménageait encore beaucoup, on prenait soin de me cacher bien des choses, notamment qu'on était inquiets pour mon oncle second, Mingzhi, lui aussi diplomate, de sept ans l'aîné de mon père, et qui avait été son meilleur professeur de russe. Inquiets aussi pour Daxin, mon oncle premier, dont la rumeur le disait en quarantaine et pour ma propre mère… Voir chez ma grand-mère, cette volonté de garder confiance et la tête haute me permettait de comprendre le sens d'un récit que mon grand-père aimait raconter.

Cette histoire a pour cadre une cérémonie de commémoration du Kuomintang en l'honneur de Sun Yat-sen, l'homme qui avait négocié la reddition du dernier et jeune empereur, Puyi, âgé de quatre ans, avant de devenir le premier président de la République de Chine.

«Gaosu était à mon bras. J'étais en habit et ta grand-mère dans une *Qipao* en soie de toute beauté dans laquelle j'aimais beaucoup la voir. Pour accéder à la tribune, les invités devaient monter de nombreuses marches et les services du protocole avaient recommandé aux couples, pour le bon déroulement de la cérémonie et pour faciliter le travail des photographes, de passer les uns après les autres sans se précipiter. Je sais que cela a pris du temps car j'ai gardé le souvenir de tout ce que j'ai pu dire à ta grand-mère pendant cette montée des marches et le souvenir aussi de l'attention qu'elle ne cessa de porter à ce que je lui disais. Ce n'est qu'après la cérémonie, dans la voiture qui nous ramenait, que Gaosu a enfin pu ôter l'escarpin dont le talon s'était cassé. Tu penses bien que je n'ai pas manqué de lui redire combien j'étais fier d'avoir une épouse qui sache, en toutes circonstances, garder souverainement la tête haute. »

8

Il y a aujourd'hui des choses que je peux dire. Des choses que j'ai tues trop longtemps. Certaines choses, on ne peut les dire tout de suite. D'abord, on ne les croit pas quand elles arrivent. Puis, on a honte de les vérifier. Honte de les dire. À la honte vient s'ajouter la peur. La peur de ne pas être crue. La peur d'être dénoncée comme affabulatrice. Honte. Peur.

J'ai déjà raconté que j'avais eu envie de me déguiser en Garde rouge, c'est vrai. Au tout début, quand les premiers Gardes rouges sont apparus, ils étaient les héros du moment. Des petits soldats de la Révolution. L'avant-garde de la Révolution. C'est ainsi qu'on les présentait. C'étaient de jeunes étudiants voire des lycéens. Ils avaient l'âge de mes cousins les plus âgés. Ils étaient l'image même de la jeunesse ardente, celle à laquelle j'aspirais sans vraiment comprendre le sens de cette Révolution. Garçons et filles, ils portaient un uniforme très à la mode. L'uniforme, pour tout enfant, c'est l'habit séduisant par excellence : kaki ou bleu, brassard rouge, képi rouge. J'aurais voulu parader comme eux. En disant que tout enfant voulait cela, je ne cherche pas à trouver des excuses à mon aveuglement, je dis ce qui est : nous voulions tous être comme eux.

Au début, les mots qui leur étaient associés étaient les mêmes que ceux que je pouvais entendre chez moi : Révolution. Patrie. Peuple. Justice. Et puis des mots nouveaux sont apparus, que je ne connaissais pas : Dénonciation. Rafle. Perquisition. Autodafé. Suicide. Des mots qu'on n'employait pas chez moi. On entendait aussi des groupes de mots qui allaient toujours ensemble, les mots «révisionnistes» et «antirévolutionnaires» étaient toujours accompagnés de «À BAS !».

Cela avait commencé avant que mon école ne ferme. Avant que ma tante par alliance, Shuti, ne soit publiquement humiliée et tondue par ses propres élèves. Dans mon école, j'étais alors en cours élémentaire deuxième année, j'avais neuf ans, on avait contraint la directrice et le censeur à manger des excréments. C'est du moins ce qu'on avait raconté. Nous, on ne pouvait pas le croire. On avait ri. Jusqu'au jour où j'ai vu la maîtresse agenouillée devant nous, forcée de courber le dos et de baisser la tête au-dessus d'un panneau proclamant : Traître. Révisionniste. Contre-révolutionnaire. Puis on l'avait forcée à répéter : «Je suis une traître. Je suis une révisionniste. Je suis une contre-révolutionnaire.» On appelait cela des séances d'autocritique. J'ai peine à écrire ce qui suit, il le faut pourtant : à la fin, la maîtresse a été frappée avec la boucle d'une ceinture. La scène m'avait traumatisée.

Il serait faux de dire qu'à partir de là j'ai commencé à croire tout ce qu'on racontait. Croire ou ne pas croire, c'était terriblement compliqué. Le mensonge avait corrompu la vérité à un point tel que je n'étais même pas certaine de ce que je voyais de mes propres yeux.

Je rentrais à la maison, la boule au ventre, la nausée au bord des lèvres, et je trouvais des adultes apeurés, en train de chuchoter, me fermant la porte au nez pour continuer à parler entre eux. Ils m'évitaient. Leur silence, pensaient-ils, formait un cocon protecteur. Ils ne voyaient pas que, dans ce cocon, j'étais seule. À neuf dix ans, on n'est pas bien armé et moins encore si on voit les adultes vaciller.

Le jardin de la Résidence du Conseil des Affaires d'État était à présent désert. On voyait de moins en moins de voitures. Tout au plus quelques limousines Black Volga, dont les chauffeurs déposaient leur passager tranquillement il y a peu de temps encore, ainsi qu'une ou deux berlines *Pobieda*. Et puis soudain, le bruit tonitruant d'une camionnette *Gaz* dont les bâches en s'ouvrant libéraient une horde, une troupe qui se ruait vers un bâtiment et disparaissait dans une cage d'escalier. Un logement était désigné, la porte enfoncée, l'appartement fouillé, mis sens dessus dessous, les habitants eux-mêmes fouillés, humiliés, insultés. On voyait des paquets de livres et de journaux voler par les fenêtres, réunis en tas dans le jardin, arrosés de kérosène et brûlés. On assistait à tout cela en catimini. La porte restait béante sur l'appartement saccagé, vidé de ses occupants. Tout le monde était saisi de terreur. C'est tout juste si, rentrant chez eux, les gens jetaient un œil sur les derniers *dazibaos* de peur d'y voir placardé leur nom.

Parfois, on entendait crier longuement. Une bête humaine hurlait. Si c'était la nuit, on enfouissait sa tête dans son oreiller. On entendait son propre cœur battre à tout rompre. Si c'était le jour, on se recroquevillait, on retenait son souffle, on haletait.

Le mot suicide était de tous les mots nouveaux que j'entendais alors le plus terrifiant. Lorsque, à peine articulé, il s'échappait d'une phrase, aussitôt accompagné d'un mouvement de menton désignant tel bâtiment, tel appartement et que, par malheur, j'entendais 2e étage ou 3e étage, en face, à droite, alors l'horreur prenait forme. J'étais pétrifiée à l'idée de voir un pendu car je n'imaginais pas d'autres moyens de suicide. Je m'étais figuré uniquement celui-là, et cette image comme surgie d'un cauchemar faisait perler la sueur à mon front.

Un autre mot revenait tout le temps : Folie. Il ne me faisait pas aussi peur. Au temps des jours heureux, ç'avait été un mot qu'on employait pour désigner toutes sortes de choses. Parfois même, le mot folie prêtait à rire, je pouvais donc y faire face plus facilement et y réfléchir. J'imaginais une maladie, un mal contagieux, une sorte de peste ou de rage. Un mal que tout le monde pouvait attraper désormais. Un mal tombé sur la ville, sur tout le pays, sur le monde entier peut-être et que personne ne parvenait à éradiquer. Cela pouvait s'apparenter à un virus mais davantage à une tumeur, quand les cellules prolifèrent sur un mode anarchique. Ces images m'avaient été inspirées par ce que j'avais saisi au vol, dans telle ou telle conversation entre adultes, à propos du mot Révolution. C'était comme si, ce mot, jusque-là associé à la victoire sur l'ignorance, sur le féodalisme, sur les superstitions et tous les archaïsmes des temps révolus, avait, non pas perdu de sa substance mais, pire, subi une distorsion du sens qui en avait fait, ni plus ni moins, un synonyme de destruction. Si j'avais alors connu le tableau de Goya, j'aurais dit : c'est cela que nous vivons, non pas *Saturne dévorant un de ses fils* mais la Révolution dévorant ses propres enfants.

Cet été 1966, j'entendis parler d'un homme que je n'ai jamais vu, je crois – comment en être sûre aujourd'hui ? En effet, je n'ai appris son existence que beaucoup plus tard, lors de la célébration du centième anniversaire de mon grand-père. Lui et Ning Encheng, un autre de ses amis proches, formaient avec mon grand-père un trio d'inséparables. Ils étaient à Londres et Édimbourg en même temps que mon grand-père qui étudiait les conditions de vie de la classe ouvrière, la question du chômage et de la pauvreté des classes laborieuses pour sa thèse. Ning Encheng, qui allait devenir professeur à l'université de Stanford, était aussi étudiant, tandis que Lao She, le troisième pilier de cette amitié forte et profonde, enseignait déjà le chinois à l'École des langues orientales de Londres.

Ils s'étaient connus autour des années 1925, à l'occasion d'une rencontre d'été comme les organisait en ce temps-là la Young Men's Christian Association, à Fengtian, dans le Liaoning. Les trois amis partageaient le même goût de la littérature, la même passion pour les musées londoniens, la même hostilité envers les Japonais au moment de l'occupation de la Mandchourie. D'autant que l'un d'eux était originaire de cette région et l'autre, issu de la minorité mandchoue dont, une fois devenu écrivain, il témoignerait en relatant la vie des petites gens à la toute fin de la dynastie impériale puis sous l'occupation japonaise.

Voici donc qu'on parlait de ce troisième homme qui avait à peine quatre ans de moins que mon grand-père. Il était question de ce partisan de la première heure de Mao Zedong, revenu au pays dès la proclamation de la Chine communiste en 1949 et devenu une sorte d'écrivain officiel chargé d'éduquer les masses par son théâtre. Mais il ne s'agissait plus, comme par le passé, ni de vanter le talent de Lao She ni de se délecter comme le faisait mon grand-père de ses personnages, tels le patriarche Qi ou l'infâme Grosse Courge rouge de la saga des *Quatre générations sous un même toit,* ou du fameux Siang-Tse du *Tireur de pousse-pousse,* non, il s'agissait d'annoncer que Lao She venait de se suicider. Le corps de l'écrivain avait été trouvé flottant entre deux eaux du Tai Ping, le lac de la Grande Paix, au centre de Pékin, ville qu'il avait tant aimée et où chacun connaît ce dicton : «Quand l'homme est au fond du puits, on lui jette des pierres.»

Qu'est-ce qui avait pu pousser cet intellectuel progressiste à une telle extrémité? Lao She avait assisté lui-même à des autodafés. Il avait vu de ses propres yeux des livres précieux détruits par le feu. Il avait été brutalement interrogé, humilié, puis battu par les Gardes rouges. Ce geste pouvait ressortir à un sentiment de tragédie ayant saisi l'histoire de la Chine en train de se faire. On pouvait y lire son désespoir mais, aussi, une manière de révolte : le dernier geste d'un homme qui ne veut pas abdiquer sa dignité d'homme.

Lire Lao She, ce que je fis bien plus tard, m'a permis de confirmer cette hypothèse. Dans *Gens de Pékin,* je fus frappée par cette opposition que l'écrivain instaure entre «les limites si incertaines de la civilisation et la barbarie». Mais c'est dans son grand opus, *Quatre générations sous un même toit,* dont il avait commencé la rédaction à Chongqing, en pleine guerre sino-japonaise, que je relevais le nom de Qu Yuan (342-290 av. J.-C.) et ce n'est pas par hasard que Lao She s'était référé au plus célèbre poète de l'Antiquité chinoise : se sentant impuissant devant les malheurs auxquels son pays était en proie, Qu Yuan avait mis fin à ses jours en se jetant dans la rivière. Dans ce même livre, l'auteur faisait dire à un de ses personnages : «Plutôt mourir que manquer aux principes.» Enfin, à propos de Ruixan, homme d'honneur, intellectuel et figure centrale de son roman, il avait écrit : « Il avait souvent entendu sa grand-mère raconter qu'en 1900, quand l'armée des Huit Puissances était entrée dans la ville, plusieurs hautes personnalités s'étaient suicidées avec leur famille, se sacrifiant ainsi pour leur patrie. »

9

« Tous les êtres vivants peuvent atteindre le paradis,
l'homme, c'est une autre affaire. »

PROVERBE BOUDDHISTE IN *AU BORD DE L'EAU,*
ATTRIBUÉ À SHI NAI'AN (XVIᵉ SIÈCLE)

Que Lao She ait décidé de mettre fin à ses jours ou qu'il ait été suicidé comme on l'a laissé entendre – il avait été roué de coups par les Gardes rouges sur les marches du temple de Confucius, le 23 août 1966 – la disparition de l'écrivain était prémonitoire de la spirale infernale dans laquelle le pays allait s'enfoncer.

Il n'était plus seulement question de hordes de jeunes gens, élèves ou étudiants dont les plus jeunes avaient neuf ans, comme moi, et les plus âgés dix-huit ans qui saccageaient en priorité tout lieu jugé bourgeois, tout logement désigné comme tel, clouant au pilori ce qui à leurs yeux pouvait s'apparenter à la culture bourgeoise : vinyles de musique classique cassés en deux dont les enregistrements rapportés de l'étranger, comme l'avaient fait mes parents, inspiraient une vraie fureur ; gravures et calligraphies déchirées, maculées ; rayonnages de livres saccagés, reliures meurtries, cahiers arrachés, le tout piétiné puis jeté au feu.

Il n'était plus seulement question d'agresser dans la rue les passants portant des lunettes ou à qui des vêtements bien coupés donnaient l'air de fonctionnaires, d'enseignants, d'écrivains, d'artistes, autrement dit des intellectuels, des notables appartenant à l'espèce des malfaisants, des privilégiés, des nuisibles et devant qui ces hordes brandissaient le trop fameux Petit Livre rouge qu'un certain général Lin Biao leur avait distribué par complaisance envers Mao Zedong. On se serait cru au temps de la conquête japonaise quand l'envahisseur voisin brûlait tout ce qui avait trait à la doctrine du père de la patrie, Sun Yat-sen : nationalisme, démocratie, socialisme. Ces vandales étaient chinois, et on se serait cru sous la dynastie des Qin, au IIIe siècle avant notre ère, quand le tout-puissant roi Shi Qin Huangdi commandait qu'on brûle, non seulement les livres canoniques mais qu'on enterre près de cinq cents lettrés…

Il n'était plus seulement question de détruire tout ce qui témoignait d'un savoir ou d'une pensée, au nom d'une imposture intitulée « combat contre les quatre vieilleries » : les idées anciennes, la culture ancienne, les coutumes anciennes et les usages anciens. Il serait bientôt question bientôt de contester l'expression même de toute autorité. Alors, le nom du président Liu Shaoqi fut prononcé. Puis ce fut au tour du secrétaire général du parti, Deng Xiaoping, ce dernier pourtant fidèle d'entre les fidèles du grand Mao. L'un et l'autre furent publiquement accablés, accusés de déviance au motif qu'ils avaient cherché à engager le pays sur la voie capitaliste. Et le comble de l'imposture c'est que ce mouvement dans lequel toute une jeunesse se retrouva embrigadée, fut baptisé en haut lieu Révolution culturelle.

En réalité, cette mise en cause des intellectuels avait débuté dès les années 50, la plupart des intellectuels en Chine à cette époque étant des enseignants, chercheurs, académiciens et cadres dans les administrations. Sur ordre des autorités, ils furent contraints de confesser leur contamination par l'impérialisme capitaliste, de se déclarer coupables d'avoir trahi le peuple chinois et furent contraints de rendre grâce au président Mao de les avoir remis dans le droit chemin. Soumise à cette épreuve aux conséquences psychologiques incalculables, l'image des intellectuels en général s'en trouva profondément dégradée. Le concept de lutte des classes, alors réactivé, aboutit à distinguer les «bonnes origines» sociales, issues de la paysannerie ou du monde ouvrier, des «mauvaises origines», urbaines et éclairées.

La question des lettrés est très ancienne en Chine. Le système ancestral des examens avait formé une caste fonctionnarisée au service de l'Empire, forcément docile puisque destinée à lui fournir ses cadres dirigeants. L'idée du parti communiste chinois était de faire des intellectuels des alliés dans le combat pour la Nouvelle Chine. De fait, la plupart des dirigeants du parti communiste chinois contribuèrent

69

beaucoup à cette révolution, en «trahissant» souvent leurs origines de propriétaires terriens, comme Mao Zedong, Liu Shaoqi ou Deng Xiaoping.

Cependant, dès 1949, il avait été admis, par Mao Zedong lui-même, que le travail des intellectuels était indispensable à la conduite de la Révolution, non seulement ceux qui avaient embrassé la cause communiste mais encore – thèse défendue par Zhou Enlai et Deng Xiaoping – ceux qui n'étaient pas même affiliés au parti.

Aussi, à partir de 1956, les intellectuels furent-ils invités à formuler, sans crainte ni réserves, leurs critiques à l'égard du processus engagé par différentes instances du parti. Cette incitation prit le nom de Campagne des Cent Fleurs, selon une formule lyrique très en vogue en ce temps-là et qui médusait bien des jeunes Occidentaux pourtant rompus à l'exercice salutaire de l'esprit critique : «Que cent fleurs s'épanouissent, que cent écoles de pensées rivalisent!»

Il y eut alors un moment de flottement et, comme rien ne venait justifier cet excès de prudence, au printemps 1957, les premières remises en cause fusèrent, puis des critiques de plus en plus virulentes, enfin des attaques frontales touchant au fondement même de la doctrine. La riposte ne se fit pas attendre : la campagne «anti-droitiers» fut déclenchée avec son lot de représailles et de haine hystérique spécialement dirigé contre les intellectuels. «Révisionnistes» et «contre-révolutionnaires» comptaient alors parmi les invectives les moins infamantes. Ma tante Mingshi, qui a été traitée de «droitiste» pour avoir défendu un jeune innocent fut envoyée au fin fond du nord-est de la Chine.

Ce qui avait donné matière à débat concernant les bonnes ou mauvaises origines sociales tourna court. Mao trancha en faveur de la pureté d'intention supposée des origines prolétariennes. Parmi les spécialistes qu'on ne peut soupçonner de parti pris idéologique, l'historien et sinologue américain, John King Fairbank, à l'origine de la chaire d'histoire de la Chine moderne à Harvard, évoque les terribles «dix années perdues» pour caractériser la Révolution culturelle entre 1966 et 1976. Il va plus loin : «Ces dix années étaient en réalité le prolongement d'une période commencée en 1957.» 1957 : l'année où je suis née.

Autour de 1937 et jusqu'après la Deuxième Guerre mondiale, un front commun contre les Japonais s'était constitué, avec, d'un côté, le gouvernement nationaliste (Kuomintang) à Chongqing et de l'autre, les communistes basés à Yan'an. Les différentes sections du Comité central du parti avaient su hisser Yan'an, cette ville du Shaanxi, devenue mythique, au rang de laboratoire révolutionnaire pour les progressistes du monde entier. On n'apprenait pas seulement à se battre à Yan'an, on était aussi censé y réfléchir, poser les termes de la problématique du marxisme appelé à incorporer le mode de pensée chinois. L'objectif y était de réaliser enfin l'utopie d'une alliance de la pratique et de la théorie. Des séminaires de réflexion s'y déroulaient. Une pensée de haut vol s'y exerçait dans l'émulation.

Naturellement, il fallait aussi compter avec les ardeurs propres à la jeunesse idéaliste que Yan'an attirait : maintes idylles y trouvèrent le cadre propice à des élans sentimentaux à la hauteur de l'avenir radieux qui s'y projetait. Tous ces jeunes gens de Yan'an, qui entouraient Mao Zedong, le soutenaient et le vénéraient, n'étaient autres que des intellectuels, passés pour la plupart par l'université. Éduqués. Bien formés. Privilégiés, pour reprendre la terminologie qui finirait par se retourner contre eux. Ce serait contre eux que ces années noires se déchaîneraient avec une si stupéfiante cruauté. Parmi les enfants de mon grand-père, quatre subirent l'attraction de Yan'an. Mingshi, ma tante première. Mingyin, ma tante deuxième, très courtisée à Yan'an, y avait rencontré son mari. Mes oncles Mingzhi et Daxin avaient eux aussi communié dans l'enthousiasme de l'esprit militant de Yan'an.

Ce n'était pas faute d'avoir expérimenté sur place certaines méthodes qui auraient pu les alerter. Il était entendu que le militant fraîchement débarqué à Yan'an devait faire l'objet d'un examen de conscience afin d'identifier un mode de pensée à corriger. Le prétendant au titre de révolutionnaire authentique et sincère était convié à exposer lui-même ses antécédents. Une séance d'examen critique s'ensuivait avec ce qu'on observe d'acharnement, de surenchère et de brimades propres aux comportements de groupes face à une victime expiatoire. Des mises à l'écart puis des séances publiques d'humiliation suscitant haine et dénigrement de soi, détruisaient tout amour-propre. Il fallait être d'une constitution physique et mentale à toute épreuve pour ne pas s'effondrer.

10

Depuis un peu moins de deux semaines, mon père est à l'isolement dans la prison spéciale de Qincheng, à Pékin. Il a trente-six ans. L'accusation d'espionnage au profit de l'Union soviétique a été retenue contre lui. En guise de pièce à conviction, il est question d'un appareil émetteur-récepteur lui ayant appartenu. Ce genre de preuves, fabriquées de toutes pièces, il connaît, tout le monde connaît, il n'y prête pas même attention, on ne lui a pas précisé que l'appareil a été saisi chez son père.

Ce qui inquiète le plus Yan Mingfu ce n'est pas son père parce que Yan Baohang, associé dès 1949 à la constitution de la Conférence consultative du peuple auprès de Zhou Enlai, est une figure historique à laquelle on ne saurait porter atteinte. Mingfu pense qu'il n'y a rien à craindre pour son père, malgré l'époque qui semble vouloir renverser toutes

les valeurs. Il a été arrêté par erreur. On va le relâcher. Yan
Mingfu est moins serein quant à son propre sort. Il sait qu'il
est en charge d'un domaine névralgique de la politique exté-
rieure chinoise : les relations avec l'Union soviétique. Traducteur en russe des personnalités les plus importantes du
Politburo, dont le secrétaire général du parti, la tête suprême,
Mao Zedong, il est donc parfaitement au fait des tensions
idéologiques entre les deux partis communistes, aujourd'hui
plus rivaux que frères.

Maintes fois, il lui est arrivé d'être témoin de situations
délicates, ça fait partie du «métier». Il avait été parfois témoin
de situations burlesques. Fin juillet 1958, Nikita Khrouchtchev
vient en visite secrète à Pékin, pour un entretien avec Mao,
qui prévient mon père que l'un des entretiens aura lieu dans
sa piscine. Or, Khrouchtchev «n'entend pas la nature de
l'eau», pour reprendre les mots délicats de Shin Nai-an dans
Au bord de l'eau à propos de quelqu'un qui ne sait pas nager.
On procure une bouée à Khrouchtchev. Tandis que l'un fait
montre de son aisance dans l'eau, l'autre venu lui apporter la
bonne parole est furieux de se retrouver engoncé dans un
boudin. Au bord de la piscine, Mingfu fait la navette de l'un
à l'autre.

Mingfu fait le point sur la situation. Sa cellule, il le sait,
est située dans le «quartier» des prisonniers politiques mais
il ne sait pas où exactement car il est à l'isolement. Il suppose

que l'une des premières victimes de la Révolution culturelle, Peng Zhen, membre du Comité central et l'un des fondateurs du parti en 1923, arrêté lui aussi, ne doit pas être très loin. Si Yan Mingfu se retrouve ici dans la catégorie des disgraciés, il ne le doit pas seulement à la détérioration des relations sino-soviétiques car, à Pékin, à l'intérieur même du pouvoir, les plus hautes instances sont ébranlées par le séisme de cette prétendue Révolution culturelle. Il sait qu'il fait aussi les frais de cela. Il essaie de ne pas trop penser à sa mère et sa fille qui doivent être plus ou moins en sécurité. Quant à sa femme, elle lui paraît moins exposée que lui car sa spécialité au sein du Département des Liaisons internationales, c'est l'Europe de l'Ouest, sujet moins sensible. Sa vraie source d'inquiétude, c'est Mingzhi, de sept ans son aîné, car comme son cadet, il a appris le russe avec des instructeurs soviétiques venus spécialement en Chine.

Quelqu'un vient de tousser. Mingfu s'interrompt dans ses pensées. Quelqu'un tousse et il croit reconnaître cette toux. Celle de son père quand il a pris froid. Il est tellement ému qu'il songe un instant à poser la question, sachant qu'on ne lui répondra pas. Il a envie de crier. Puis il se calme. Le calme est nécessaire quand on ne sait pas combien de temps on restera à l'isolement. Combien de mois. Il refuse de penser au-delà. Ce qui le calme, c'est la pensée toute simple et apaisante de l'engagement de son père auprès des communistes dès les années 30, la pensée apaisante de sa proximité avec Zhou Enlai.

11

«Mille tourments, mille tristesses dans ce cœur oppressé.»

Zhang Ruoxu, Le Printemps, le Yangzi,
la lune, les fleurs et la nuit.
(Milieu du VIIe – début du VIIIe siècle)

Les Gardes rouges ne sont pas tombés du ciel. Ce qu'ils vont incarner, on le comprend à la XIe réunion plénière du VIIIe Congrès du parti en août 1966, en présence de représentants des enseignants et des étudiants révolutionnaires.

Les mots d'ordre qu'on y formule seront pris au pied de la lettre : «Soyons l'élève des masses avant d'être leur professeur». «Jugeons réactionnaires les autorités scientifiques de la bourgeoisie, transformons l'instruction, la littérature et l'art pour les faire correspondre à l'ordre socialiste». Il est requis d'«*oser* faire la révolution». Et surtout de «ne pas craindre les désordres».

Le Comité central souligne le rôle particulier dévolu aux étudiants et aux écoliers. C'est à ce jeune public que Mao Zedong s'adresse en priorité, le 18 août. Discours solennel, proféré place Tian'anmen, devant la porte de la Paix Céleste. À cette première manifestation de masse qui annonce les exactions, les dénonciations, les fouilles qui suivront, Mao a l'idée d'ajouter un slogan de son cru : «On a raison de se révolter!»

Personne ne se demande qui est ce «on». Derrière la trouvaille du pronom indéfini, tout le monde comprend que le leader fait corps avec son auditoire. Ce «on» abolit le demi-siècle et plus qui sépare le leader de soixante-treize ans d'une jeunesse dont les plus âgés ont vingt-cinq ans. À ces mots, en signe d'adhésion, garçons et filles se lèvent aussitôt. Au bout de ces milliers de bras sont brandis des milliers de Petits Livres rouges.

À l'époque, on ne peut pas y échapper, qu'il s'agisse des *Œuvres choisies* de Mao dont 150 millions d'exemplaires ont été imprimés en deux ans, des *Citations,* 740 millions pour la même période ou encore des *Poèmes* dont le tirage atteint les 96 millions.

Qu'espère Mao? Faire de la jeunesse son fer de lance dans la lutte politique sans merci qui l'oppose à ses adversaires dans le parti. En bon stratège, il sait que dans un pays où, depuis toujours, on vénère les anciens, son âge est un atout.

Avec le recul, on voit mieux ce que Mao Zedong avait en tête : peser de toute son autorité, afin que ces jeunes gens se persuadent d'avoir à faire œuvre de justiciers, sans mesurer que le but ultime est la reconquête du pouvoir par Mao, et que celle-ci se paiera en millions de vies.

Pour mieux comprendre, il faut remonter huit ans auparavant, en 1958, quand Mao Zedong lance sa politique dite du « Grand Bond en avant ». Une politique ultra-volontariste, de surproduction industrielle et agricole, après trois années consécutives de catastrophes naturelles, qui ont mis le pays au bord de la faillite. Pour caractériser cette période, le mot famine ne suffit pas, on parle de « Grande famine ». Les autorités finissent par admettre 15 millions de morts. Aujourd'hui, la fourchette se situe entre 40 et 55 millions. Et il n'y a pas de mots pour qualifier cette estimation-là.

Il suffit de relire la déclaration, faite lors d'une conférence de travail du Comité central, quatre ans après le « Grand Bond », en 1962 : « Quand le président Mao dit que la situation est excellente, c'est de la situation politique qu'il veut parler. En ce qui concerne la situation économique, on ne peut pas dire qu'elle soit excellente ; en fait, elle est très mauvaise ».

Mao quitte alors la présidence. Son calcul consiste à laisser agir Liu Shaoqi et Deng Xiaoping. Ce sont eux qui iront « au charbon ». Deng Xiaoping se met à l'œuvre avec un pragmatisme qui fera date et dont la formule est d'autant plus marquante qu'elle signe une réussite : « Peu importe que le mode de production soit individuel ou collectif, l'essentiel est qu'il contribue à augmenter la production alimentaire. Peu importe la couleur du chat. Noir ou blanc, l'essentiel est qu'il attrape la souris. »

Une fois que la situation économique commencera à se redresser, Mao risquera peut-être de voir son autorité suprême menacée. D'ici là, il aura bien trouvé le moyen de noyauter à son profit les instances du parti. Ce qui se passe en Union soviétique le convainc de mener une lutte contre les révisionnistes du parti. Liu Shaoqi pourrait être le Kroutchev chinois.

À l'été 1966, Mao mesure que l'enthousiasme de cette jeunesse est un tremplin. Après le désastre du «Grand Bond en avant», pas question pour lui de se laisser enfermer dans un rôle strictement honorifique. Mao n'a qu'une idée en tête, se relancer. Faute de soutien sûr dans l'appareil du parti, il lui reste ce lien direct, intime, quasi filial avec la jeunesse. Le nom des brigades à qui la Révolution culturelle sera confiée, c'est cette jeunesse elle-même qui vient de le trouver : Gardes rouges. Mais elle ignore qu'elle vient de s'engager sur commande dans une entreprise de destruction de l'intelligence et de la créativité, de la culture et des arts, de l'héritage de cette ancienne civilisation de lettrés.

C'est l'été de mes neuf ans. Ma première année à l'école-pensionnat de Yuying vient de se terminer. À la rentrée prochaine, je serai en deuxième année.

L'école Yuying était affiliée à Yan'an, l'école de l'élite communiste. Rien d'étonnant qu'on m'y eût inscrite, compte tenu du *curriculum vitae* familial. C'était l'un des rares pensionnats de Pékin. Ma tante Shuti y avait enseigné. L'idée de Yuying était de concevoir une école pour les enfants des cadres formés à Yan'an. Beaucoup d'enfants de diplomates, de ministres, de hauts fonctionnaires et autres dignitaires de Pékin étaient dans cette école-pensionnat et je m'y sentais bien.

Mais en ce début 1967, l'école Yuying ferme ses portes. Subitement, en plein milieu de l'année, je me retrouve privée de mes camarades et, surtout, d'une maîtresse que j'aimais beaucoup. Oui, j'aimais beaucoup son joli visage rond et sa grande natte couleur de jais. J'aimais sa gaîté, sa confiance, les encouragements qu'elle me prodiguait ; j'aimais sa manière, à la fois douce et tonique, de susciter en moi le désir d'être toujours meilleure, sa façon de me faire savoir que c'était cela précisément qu'elle attendait de moi et ce qu'au final, j'espérais aussi de moi-même. C'est pourquoi, j'avais plaisir à lui témoigner tout mon respect et toute ma considération en l'appelant Tian *Lao Shi*, autrement dit, en lui donnant du « maître », et je sentais, en retour, que la pré-férence de *Maître* Tian allait à celles de ses élèves qui comme moi étaient appliquées.

Yuying est jugé établissement élitiste, bourgeois, nuisible. La Révolution culturelle décrète la fermeture de tous les lycées et universités. Les élèves de primaire sont transférés dans les écoles proches du lieu de résidence, c'est la règle. Ainsi, je quitte Yuying pour Yuming.

La seule chose qui me va dans ce changement c'est que Louwen, mon amie de la Résidence du Conseil des Affaires d'État, dans le même bâtiment, est elle aussi transférée à Yuming. Et Yuming est si proche qu'on peut y aller à pied.

La faculté d'adaptation des enfants est grande, surtout si, comme Louwen et moi, ils sont choyés dans leur famille. Aussi, notre intégration se fait-elle sans difficultés. Je suis première de la classe comme à mon habitude, et la maîtresse prend plaisir, je le vois, à m'accorder tous les menus privilèges réservés aux «têtes de classe». Je n'ai pas honte de le dire, je suis le «chouchou» de la maîtresse, comme disent mes camarades.

Jusqu'à ce jour, début décembre 1967, où je suis convoquée.

Elle est assise derrière son bureau. Debout, j'attends. C'est comme si subitement ma maîtresse était devenue une autre. Sourcils froncés, lèvres pincées, elle dit :

– Lan, j'ai appris que ton grand-père avait été arrêté.

Je suis parcourue d'une sueur glacée. L'école, c'est bien le seul endroit où je peux oublier pour quelques heures ce qui nous est arrivé, ce que j'ai vu, ce que je sais. Et voilà que, soudain, cela déborde le cadre intime et familial des catastrophes personnelles pour se répandre au dehors, là où je ne suis plus désormais tout à fait sûre d'être à l'abri.

– Et maintenant, j'apprends que ton père vient lui aussi d'être arrêté, n'est-ce pas ?

Je baisse les yeux. Je ne peux plus affronter son regard.

– Et comme si cela ne suffisait pas, Lan, je sais aussi que ta mère vient d'être placée en résidence surveillée, c'est bien cela ?

– Non, ce n'est pas vrai !

Ce mensonge, vient de sortir de ma bouche dans un cri. À vrai dire, ce n'est pas tout à fait un mensonge, c'est un refus de ce qui est. Des larmes de rage jaillissent de mes yeux. En face, l'expression de la maîtresse s'est encore durcie, sa voix tonne :

– Cela ne sert à rien de nier. Il te faut réfléchir maintenant. Réfléchir et, surtout, confesser tout de suite les crimes qui ont été commis. Avouer que ton grand-père, ton père et ta mère ne sont que des criminels, de méprisables contre-révolutionnaires !

Je ne peux plus m'arrêter de pleurer. Je ne peux plus articuler. Ce mot de crime vient de changer la nature de mes larmes. Je ne suis plus en rébellion, je suis anéantie. D'une toute petite voix noyée de sanglots je dis que je ne sais rien. Et c'est dans cet état misérable d'abandon que la maîtresse me laisse seule, debout, hoquetant, tandis qu'elle a quitté son bureau sans un mot.

Une fois dans la cour, je n'ose plus approcher mes camarades. Du reste, ce sont elles qui me fuient comme si j'avais la gale. Et pour la première fois, la manière dont les élèves interpellent mon amie Tian Louwen me blesse comme si, Louwen, c'était moi.

Je n'ai pas encore dit quel était le problème de Louwen parce que, pour moi, il n'y a pas de problème avec Louwen. Je joue avec Louwen, je parle avec Louwen, je fais des bêtises avec Louwen comme avec n'importe laquelle de mes camarades. Je m'amuse même mieux avec elle parce que cette jolie fille avec de grands yeux noirs, très gaie, est mon amie. Du reste, comme Louwen fait exactement tout ce que les autres font à notre âge, il m'est facile d'oublier qu'elle est petite, souffre d'une malformation osseuse et que ses jambes sont terriblement arquées. La bonne camarade qu'elle est, son bon cœur, sa fidélité en amitié font que je la reçois chez moi, elle me reçoit chez elle et nous sommes devenues intimes. Le mot d'«estropiée» qu'on lui lance à la figure lui fait mal comme à moi. «Estropiée» ou «Tordue» ou «Mal Fichue» ou «Moche». Les autres méchancetés, je ne veux même pas les rapporter. La seule chose à présent capable de nous réconforter c'est de nous savoir, elle et moi, inséparablement unies dans l'adversité.

En classe, une habitude s'est instituée : il y a maintenant des fiches à remplir et, pour nous, c'est devenu un calvaire.

Je dis «pour nous» car Louwen est dans la même situation que moi. Ma main tremble au moment d'indiquer que mon grand-père est arrêté, mon père arrêté. Si ce n'était que cela, il faut encore ajouter les raisons de leur arrestation «pour activités antirévolutionnaires».

De même, la main de Louwen tremble au moment de préciser que son père, responsable des archives du Conseil d'État, a lui aussi fait l'objet d'une enquête. Le nom de nos familles, que nous étions si fières de porter, nous désigne à présent comme des parias et il nous coûte d'en transcrire les caractères car ils sont accolés à l'infamie. Quand le matin, ensemble, nous prenons le chemin de l'école, nous avons mal au cœur, mal au ventre, nous n'avons rien pu avaler.

Confortées par le changement brutal de comportement de la maîtresse à notre égard, nos camarades ont vite fait, la première fois que nous avons eu à remplir ces fiches, de regarder par-dessus notre épaule, puis de nous les arracher pour les brandir. Les encouragements tacites de la maîtresse ont donné libre cours à leur cruauté. Nous n'étions plus seulement des filles de criminels mais des estropiées, des tordues, des mal fichues et j'en passe. Bien sûr je cessai d'être responsable de toutes ces menues tâches dont on charge les meilleures élèves et dont je tirais tant d'orgueil. «Non, pas toi!», c'est ainsi que la maîtresse repoussait mon aide. «Non, pas elle!», c'est ainsi que mes camarades me rejetaient hors de leurs jeux.

À la fin de la journée, on s'en retournait vers la Résidence, Louwen et moi, tête basse. Pour ne pas accabler nos familles, on ne disait rien. On ne se plaignait pas. Je filais droit dans ma chambre, n'en ressortais qu'à l'heure du dîner et, encore, en me faisant prier. Quand venait le week-end, je me rappelais de l'époque où je guettais mon père, assise sur le trottoir des heures durant, attendant de le voir arriver d'un pas pressé depuis l'arrêt de bus jusqu'à la Résidence. J'en étais venue à trouver heureuse cette époque où son placement en résidence surveillée m'accordait au moins de le voir du samedi après-midi au dimanche matin.

Je ne me représentais pas ma mère subissant, en pire, les mêmes humiliations que moi. Je ne pouvais pas imaginer que, sitôt arrivée à son bureau du département des Liaisons internationales, l'invraisemblable dispositif inquisitorial se mettait en place. Quels états de fait valaient à ma mère d'être désignée à la vindicte de ses collègues ? Un beau-père incarcéré. Un mari incarcéré. Désignée comme la belle-fille d'un criminel. La femme d'un criminel. Qui se ressemble s'assemble, inutile de le rappeler. D'autant que, de son côté à elle, pas le moindre ouvrier, aucun paysan sans terre mais un père « capitaliste », fils et petit-fils de bourgeois, une famille entièrement suspecte, un arbre généalogique infesté de « mauvaises » origines sociales. Sur instructions – mais de qui et pourquoi ? –, son responsable hiérarchique planifiait dans son service des séances publiques d'aveux. Elle refusait de dire et redire que le comportement contre-révolutionnaire avéré de la plupart des membres de la famille, leurs trahisons, leur élitisme, les avait conduits derrière les barreaux et que la justice populaire s'appliquerait sans retenue. Il n'était pas certain, dans son cas à elle, qu'on puisse la rééduquer, cela restait à voir. Sa vie privée était exposée, fouillée, remuée de fond en comble, avec un acharnement si constant à la dépeindre comme coupable que même chez une femme au caractère pourtant bien trempé, cela finissait par insinuer une sorte d'auto-suspicion. Elle commençait à douter, je le sais. J'ai moi-même éprouvé cet ébranlement de l'être, quand on finit par se demander si, au fond, malgré son intime conviction, on n'a pas tort, si ce ne sont pas les autres qui sont dans le vrai. Quelque chose alors en soi se brise, qu'il n'est pas toujours possible de réparer. Mais de cela, ma mère, ne disait rien quand elle rentrait en fin de semaine à la Résidence.

Dans le courant du mois de décembre, elle nous informa que désormais, elle ne serait plus autorisée à sortir. Assignée à résidence dans son propre ministère. C'est à ce moment-là que Louwen et moi avons commencé à sécher l'école.

12

« La première lune d'hiver annonce les courants froids
Le vent du nord s'engouffre cruel et tranchant.
J'endure la peine et sais la nuit longue. »

LES DIX-NEUF POÈMES ANCIENS DES HAN
(Ier SIÈCLE APRÈS J.-C.)

Je me rappelais cet arbre en forme de buisson au pied de
la Résidence. Un ginkgo. Mon arbre préféré. Ça n'est pourtant pas lui qu'on cite d'ordinaire comme emblématique de
la Chine. Plutôt le saule pleureur dont les longues branches
lianes plongent en bordure du lac impérial de Beihai, au
nord de *Zhongnahai*, et que les Anglo-Saxons appellent
Peking Willow, saule de Pékin. Mais c'est le moins connu
d'entre les arbres de Chine qui me parle, c'est le ginkgo.

On dit que le ginkgo appartient à la plus ancienne famille
d'arbres connus. On dit qu'il existait déjà quarante millions
d'années avant le temps des dinosaures. Cette ancienneté
me laisse rêveuse. Le tempérament de cet arbre, capable de
tout supporter sans disparaître est remarquable.

J'aime sa puissance de résistance. J'aime son peu d'exigence quant à la qualité de l'air et de la terre. J'aime qu'il ait la force ou l'habileté de se jouer des innombrables prédateurs ou parasites menaçant toutes les autres espèces. Il me plaît encore, ainsi que le bon docteur Ye me l'a appris, qu'il soit utilisé en médecine traditionnelle chinoise depuis la nuit des temps.

On appelle aussi le ginkgo «abricotier d'argent» ou «l'arbre aux quarante écus». Sans doute parce que l'apparition de ses fleurs explose en un jaune éclatant au printemps et, parce que l'automne venu, ses feuilles prennent un ton mordoré avant de former à son pied un large tapis précieux.

L'idée qu'il y ait des individus mâles et femelles, voilà qui me plaisait aussi beaucoup à l'époque. Que cet arbre magnifique eût trouvé à se nicher au pied de notre immeuble de la Résidence, cela me semblait l'incarnation même du couple formé par Yan Baohang et Gaosu. Et parce que nous étions en hiver, parce que mon arbre fétiche était tout dénudé, parce que mon grand-père n'était toujours pas de retour et que j'allais devoir quitter Nainai pour rejoindre le pensionnat du ministère de maman, je mesurais tout à coup que la belle floraison qui manquait à mon ginkgo, tout ce qui semblait disparu cet hiver-là avait eu la couleur exacte de mon enfance dorée.

13

« Le cœur des hommes ne sera plus ce qu'il était. »

ADAGE CHINOIS

Quand j'étais petite, je n'ai jamais été obligée d'attendre mon grand-père à la sortie du pensionnat. Je savais qu'il serait là. Son empressement et sa joie à me prendre pour le week-end confirmaient à chaque fois que mes cousins n'avaient pas tort de dire que j'étais « son chouchou ».

Certains week-ends, avant d'arriver à la voiture où le chauffeur nous attendait, Yéyé me glissait à l'oreille avec un sourire entendu : « On va d'abord chercher le salaire. » Nous roulions alors en direction d'un bâtiment d'inspiration néoclassique, portique à colonnades, fronton orné d'un écusson aux couleurs des ouvriers et paysans, et frappé d'une date, 1949. Mon grand-père ayant démissionné en 1959 de son poste au ministère des Affaires étrangères, il siégeait là en tant que membre permanent de la Conférence consultative du peuple et du comité d'études des archives. Hors sessions, le club des sénateurs organisait aussi des soirées de

93

mah-jong, mais mon grand-père préférait les bals. Le goût de ces soirées dansantes était très partagé parmi les dirigeants, dont Zhou Enlai et Mao Zedong.

Une fois la limousine garée en épi, au milieu d'une flotte de *Hongqi*, la voiture des dignitaires du régime, je ne restais pas à l'attendre car ce qu'il aimait par-dessus tout, c'était de m'avoir près de lui et de présenter sa petite Lan, sa *Xiao Lan*, «la fille de Mingfu et Keliang», précisait-il. Il arriva même que Yéyé m'installe à ses côtés lors d'une interminable réunion du Sénat. La séance à peine levée, un homme de son âge, la soixantaine, très souriant, s'approcha de nous, Yéyé se leva aussitôt : «Monsieur le Premier ministre, permettez-moi de vous présenter ma petite-fille», et Zhou Enlai me toisant, répondit : «Je vois, mon vieux Baohang, que vous avez préparé une succession à votre "Maisonnée des Yan" de si belle renommée, félicitations! Cette enfant me rappelle les grandes heures de Chongqing, aux temps héroïques où ça ne désemplissait pas "chez les Yan", enfants et partisans mêlés à la fameuse "Grande Tablée des Yan", et que Mingfu, si je me souviens bien, ne devait pas être beaucoup plus haut que cette demoiselle…»

«Et, justement, répondait mon grand-père, Nan nan est sa fille!»

Mais moi, c'était la suite que j'attendais! Et sans prêter attention à ce que cet élégant et très affable vieux monsieur racontait, je me demandais où mon grand-père avait prévu de m'emmener.

En tête de mes adresses préférées, Le Village parfumé d'osmanthe. C'était un vieux traiteur du temps des Qing, au fond d'une rue piétonne. En entrant, on était accueillis par le délicieux parfum des gâteaux frais, sucrés ou salés. La spécialité du lieu était les fameux pieds de cochons marinés et grillés dont nous raffolions. Si Nainai était venue avec lui, peut-être serait-on allés chez le célèbre Dong Lai Shun. Là-bas, le vieux maître d'hôtel s'empressait autour de lui à grands frais de «Ah, monsieur Yan! Voilà! Voilà!». Tout en le débarrassant de son pardessus, il trouvait le moyen de lui souffler à l'oreille le nom de tous ceux qui étaient déjà attablés en ce haut lieu de la gastronomie. Ces dignitaires de la Nouvelle Chine, anciens du Kuomintang et de la Chine rouge ne manqueraient pas de les saluer, lui et ma grand-mère, lorsque nous nous faufilerions jusqu'au petit salon où notre table était dressée. S'y trouvait déjà tout le nécessaire propre à la dégustation de l'exquise *Huǒguō* de vieille tradition : la marmite et l'eau bouillante où tremper les baguettes pincées sur de fines tranches de mouton.

Et si ce n'était ni au Village parfumé d'osmanthe ni chez Dong Lai Shun ni au Palais des Minorités nationales, où nous allions aussi parfois, je pouvais deviner où nous emmenait le chauffeur parce que, alors, en prenant la direction du parc impérial de Beihai, on allait dans cette partie de l'ancienne Cité interdite, au nord de l'île de Jade où l'empereur aimait à venir avec ses concubines pour contempler les lampions lors de la fête des Lumières.

Là, Yéyé regardait le lac et, sur le lac, le pont, et pointait le doigt au-delà du pont : «Voilà, disait-il, là, c'est le siège du gouvernement central et du Parti communiste chinois. Là-bas, c'est la résidence de Mao Zedong. Et les saules pleureurs que tu distingues un peu partout, ceux qu'on voit si souvent reproduits dans la peinture ancienne chinoise, et bien, sache qu'en Occident, les admirateurs de cet arbre mélancolique ignorent, la plupart du temps, que cette espèce si singulière vient de chez nous... Ici, c'est le parc Jingshan.»

Tous les récits de Yéyé étaient pour lui des astuces de pédagogue. Aussi l'histoire de ce restaurant dont la spécialité est la cuisine impériale de la dynastie mandchoue et dont les deux caractères, *Fang* et *Shan* ont été tracés au pinceau par son ami, l'écrivain Lao She.

Aux premiers temps de *Fangshan*, disait Yéyé, ce lieu était exclusivement réservé à l'empereur. Mais en 1924, le douzième et dernier empereur de la dynastie Qing – le jeune Puyi – finissait par être chassé de la Cité interdite. C'est alors que d'anciens cuisiniers du Palais commencèrent à proposer leur savoir-faire en matière de repas princiers, de sorte que, depuis 1925 – à condition d'avoir touché son traitement de fonctionnaire de l'État, ajoutait Yéyé avec un clin d'œil – *Fangshan* ne désemplit pas.

Tous les ans, mes grands-parents m'emmenaient aux grandes célébrations de la Chine Nouvelle. Le 1er mai, fête du travail, était chômée trois jours, autant que le 1er octobre, fête nationale de la Victoire communiste. Mais mon privilège à moi – j'étais loin d'en mesurer le caractère exceptionnel aussi bien que précaire – consistait à monter les marches de la tribune d'honneur, une main dans celle de mon grand-père, l'autre dans celle de Nainai, d'où on surplombait la place Tian'anmen.

On assistait d'abord au défilé militaire devant la tribune centrale où prenait place Mao Zedong, tous les dignitaires, les invités d'honneur et le gouvernement au grand complet, puis le soir, c'était le grand feu d'artifice. Le 1er octobre 1964, j'ai sept ans, le bouquet final vient à peine de s'achever sous les applaudissements que mon grand-père se lève et se dirige vers un couple que je ne connais pas. L'un et l'autre sont d'apparence modeste. La femme, très simplement vêtue et l'homme, plutôt grand mais chétif, avec de petites lunettes rondes, porte humblement son grisâtre *Zhōnghshān zhuāng*, la vareuse Sun Yat-sen. Tandis que mon grand-père les salue avec beaucoup de déférence, ma grand-mère me glisse à l'oreille : « Regarde, Lan, voici le petit empereur. » C'est comme si, dans ma tête, un porte-voix s'était déclenché, pareil à ceux qui, pendant le défilé, retentissaient de slogans : MÉCHANT. MAUVAIS. MÉCHANTS SONT LES PROPRIÉ-TAIRES TERRIENS, ET MÉCHANTS SONT LES RICHES, ET MAUVAIS L'EMPEREUR, TOUS CES INUTILES QU'ON A RENVERSÉS !... ET VIVE LA RÉVOLUTION ! Ces mots que je n'ai cessé d'entendre à l'école depuis le jardin d'enfants. Et, tout au fond de moi, ce mégaphone semble me faire la leçon, prêt à vérifier que je l'ai bien apprise.

Maintenant que nous les avons rejoints, mon grand-père, comme à son habitude, présente fièrement sa petite Nan nan. Et, pour nommer celui qu'il me présente, il ne dit pas : «Le petit empereur, mais simplement, Voici Puyi yéyé.» Aussitôt, Puyi plonge la main dans l'une de ses poches, en sort une poignée de bonbons qu'il me tend avec un beau sourire. Comme je reste renfrognée, Puyi me demande : «Quel âge as-tu Xiao Lan?» Et j'ai beau connaître cette habitude chinoise d'offrir des bonbons pour marquer la sympathie, j'ai beau en apprécier la délicatesse à une époque où tout est rationné, les bonbons comme le reste, je suis partagée entre mon désir de ces bonbons comme n'importe quel enfant et ce qu'on m'a appris à penser depuis toujours.

C'est plus fort que moi et cela sort dans un cri : JE NE VEUX PAS DES BONBONS DU PETIT EMPEREUR! Puyi en reste sidéré. La petite dame baisse les yeux. Mes grands-parents sont très embarrassés. Et moi, affolée par ma propre audace, je leur tourne le dos et je disparais.

Jamais ma grand-mère ne me grondait. Mais cette fois il en fut question et sévèrement à cause de mon manque d'éducation et de respect à l'égard du petit empereur. J'en étais mortifiée. Mon grand-père qui avait enseigné dans ses jeunes années, adopta une tout autre méthode.

«Nan nan, sais-tu pourquoi on appelle celui qui n'est que l'un des arrière-petits-fils de l'empereur Daoguang, "le petit empereur"? Parce que lorsque ce petit garçon âgé de deux ans et dix mois monte sur le trône de la Chine impériale, il pleure toutes les larmes de son corps. Il pleure et crie et se démène du début à la fin de la cérémonie. Autrement dit, il pleure des heures, en présence de tous les princes de sa lignée, les Mandchous. Il pleure tant que son père, le prince Zaifeng, qui lui, n'est pas empereur, il n'est que le régent tenant l'empereur dans ses bras, ne trouve pour le calmer rien d'autre que de lui souffler : "Ne t'inquiète pas, c'est bientôt fini ; ne t'inquiète pas, cela va bientôt finir", et de le lui répéter tout le temps de la cérémonie. Et vois-tu, Nan nan, nous savons aujourd'hui combien ces mots étaient prémonitoires, car comme tu le sais, tout cela a fini. Moins de quatre ans plus tard, le dernier empereur que nous ayons connu en Chine – à qui tu viens d'avoir l'honneur insigne d'être présentée – abdiquait. La dernière dynastie que nous ayons eue, celle des Qing depuis 1644, s'inclinait devant la République, en 1912.

« Ce que je viens de te rapporter là, Nan nan, n'est pas le fruit de mon imagination : Puyi vient de le raconter dans son autobiographie. Elle vient de paraître. Cela s'appelle *La Première Moitié de ma vie*. Sa lecture confirme, s'il en était besoin, combien les révolutionnaires qui gravitaient autour du docteur Sun Yat-Sen étaient fondés à vouloir l'instauration d'une République en Chine et combien ils étaient désireux de voir la Chine devenir enfin une nation moderne. Pour te donner un exemple : lorsque Puyi, enfant, allait en palanquin, deux jeunes eunuques l'encadraient pour satisfaire le moindre de ses désirs. Derrière lui, un eunuque balançait un grand baldaquin en soie et, à sa suite, une ribambelle d'eunuques-valets de la "Présence impériale", attachés pour les uns au Bureau de Thé Impérial, pour les autres à la Pharmacie Impériale, sans compter les eunuques en charge de la chaise percée et du vase de nuit. La Chancellerie de la cour impériale employait plus de mille personnes hors la garde du palais, les eunuques, les serviteurs de derniers rangs et ceux qui, du fait de la mauvaise conduite de l'enfant, étaient obligés de subir les châtiments à sa place, l'empereur étant *intouchable*. Puyi rapporte que, tout jeune, il s'était habitué à faire fouetter les eunuques à la moindre occasion, parfois jusqu'à la mort. Enfin, pour ce qui touchait à son instruction, il était d'usage que ses précepteurs fassent chauffer une carapace de tortue pour en décrypter les fissures comme autant de présages…

«Nous avons beaucoup conversé, lui et moi, au cours de la rédaction de son autobiographie. À bien des égards, son destin est tragique. Il est question aussi de ses graves erreurs de jugement – il a cru que les Japonais lui rendraient son trône – pour lesquelles, cependant, et bien qu'il ait été condamné pour crimes de guerre, le président Mao a estimé qu'elles pouvaient être amnistiées. Cette autobiographie est le fruit d'une conversation avec Zhou Enlai qui avait encouragé Puyi à écrire. Le Premier ministre considérait que le témoignage de Puyi relevait ni plus ni moins de l'Histoire. Quand bien même Puyi a porté gravement atteinte à son pays, en acceptant notamment des Japonais de devenir l'empereur fictif de l'État fantoche du Mandchoukuo, le Premier ministre était enclin à considérer que les historiens tireraient profit de ce témoignage de première main et qu'il y avait tout lieu de suspendre tout élan de cruauté à l'endroit de qui n'était qu'un laissé-pour-compte de l'âge féodal.

« À cet égard, la République populaire de Chine ne se rendrait pas coupable de barbarie aux yeux de son peuple – comme l'Union soviétique en éliminant le Tsar Nicolas II et sa famille. En reconnaissant que sa personne symbolique n'avait cessé d'être manipulée, il y avait moyen pour Puyi de racheter une existence sur laquelle il n'avait jamais eu prise. Par ailleurs, les conversations avec Zhou Enlai, où il apparaît que Puyi n'aspirait qu'à se retrouver dans un environnement naturel, ont abouti à ce qu'il lui trouve un emploi de jardinier au jardin botanique de Pékin.

« C'est une personne qui a toujours eu des ennuis de santé, aggravés je suppose par des usages d'un autre temps comme celui d'avoir été, paraît-il, allaité jusqu'à l'âge de neuf ans. Le confinement dans lequel l'enfant était tenu dans la Cité interdite n'a pas été propice à un épanouissement physique ni intellectuel. Il en est résulté cette sorte de candeur que tu lui as vue, sans compter un sentiment de persécution. Il tient, selon lui, à ces intrigues assassines, à l'atmosphère de conspiration permanente de la vie de cour, tous ces complots qui ont conduit sa mère biologique, dont il était séparé depuis l'âge de trois ans, à se suicider. Sa première épouse ainsi que ses concubines, il ne les a pas choisies. Ses première et troisième concubines ont réclamé le divorce. La seconde est morte dans des conditions obscures. L'épouse impériale, Wanrong, est devenue opiomane. Cela fait beaucoup, tu ne trouves pas ? Mao Zedong lui a dit un jour : vous êtes encore jeune, et lui a fortement conseillé de se remarier. Il y a deux ans à peine, il a épousé celle que tu as vue à son bras, Li Shuxian. Ce n'est pas une princesse, elle est infirmière. Il s'est défait de l'obsession de son entourage à lui faire épouser de force une femme de lignée mandchoue comme lui.

«Aujourd'hui, Puyi habite une modeste petite cour carrée. Une *Dazayuan* surpeuplée où logent des dizaines de familles. Il passe le plus clair de son temps dans la cour, au milieu des enfants. Il joue avec eux comme s'il avait leur âge. Ce qu'il aime par-dessus tout, c'est cela, jouer avec eux. Autour de lui se forme constamment un attroupement d'enfants auxquels il distribue des bonbons. Il en a toujours dans sa poche. À un de ses petits camarades de jeu qui lui demandait l'autre jour si c'était vrai qu'il était "le petit empereur", il a répondu – c'est l'enfant qui me l'a rapporté – : "Moi, je n'ai pas eu une enfance heureuse comme toi". »

14

«Me faire contempler des prunes pour calmer la soif
ou me dessiner une galette pour calmer la faim.»

ADAGE CITÉ DANS *AU BORD DE L'EAU*
ATTRIBUÉ À SHI NAI'AN (XVIᵉ S.)

«On va d'abord chercher le salaire.» Il n'était pas toujours possible de sacrifier au rite annoncé par la phrase magique de mon grand-père. Le plus souvent, en fin de semaine ou à la veille de fêtes à la Résidence, la question de Yéyé à ma grand-mère était plutôt : «Est-ce qu'il nous reste encore un peu d'argent?» Mon grand-père avait beau être haut fonctionnaire, doté d'un traitement parmi les plus élevés pour les cadres de son époque, entre l'aide qu'il apportait à ses enfants et aux nombreux amis dans le besoin, l'argent semblait filer entre ses doigts.

Il n'y avait pas que cette question d'argent. Après la Libération, la Chine populaire avait instauré des tickets de rationnement, faute de quoi, du moins en ville, aucune denrée alimentaire ne pouvait être obtenue ou seulement en quantité limitée. Les unités qui employaient les parents distribuaient les «coupons de riz». Les rations étaient établies par familles en tenant compte du nombre d'enfants; elles concernaient autant les denrées de première nécessité, riz, farine, blé et huile, que les friandises et même le coton. L'achat d'un coupon de tissu ou d'un vêtement de confection exigeait la remise de ce fameux ticket de coton. Les parents dont les enfants étaient en pleine croissance – en particulier les garçons dont l'appétit était plus tyrannique – se lamentaient en fin de mois d'avoir épuisé leurs tickets de céréales. C'était à peine moins dur dans les campagnes parce qu'il n'y avait pas de terres privées et que le fruit des récoltes était contrôlé. Bien après la fin de la Révolution culturelle ce rationnement avait toujours cours; cela ne prit fin que très progressivement dans les années 90.

La question rituelle de Yéyé à Nainai n'était jamais formulée d'un ton plaintif, sombre ou préoccupé. La perspective joyeuse de voir la table rallongée pour asseoir, toutes générations confondues, les enfants et leurs conjoints, les petits-enfants, sans compter les amis et, cela, avec autant de générosité et de chaleur que possible, lui importait plus que la gêne financière en soi. En matière d'intendance, et pour reprendre l'expression de mon grand-père, le «ministre des Finances», c'était Nainai. Loin de se déclarer en faillite, Nainai avait toutes sortes d'astuces pour joindre les deux bouts.

Il aurait été insupportable pour Nainai d'assombrir l'humeur enjouée de mon grand-père avec ce qu'elle considérait comme de petits soucis passagers. Il ne manquerait plus qu'on l'empêche de perpétuer la tradition d'accueil dont on s'enorgueillissait « chez les Yan ». Et cette bonne vieille tradition de « Grande Tablée ouverte » n'allait pas sans éclats de rire, de propos vifs et passionnés, même si cela devait tourner en polémiques comme avec l'aîné de mes cousins qu'on appelait Da Pangzi *(Le Costaud)*, surnom qui le mettait en rage. Qu'à cela ne tienne puisque c'était avec lui que mon grand-père aimait discuter à propos des affaires du monde ou de ses études.

La cuisine bondée, l'ayi débordée, les bols fumant entre les mains ou sur la table, les matelas supplémentaires dans les chambres, tel était le tableau que Nainai aimait voir se dessiner chez elle. Parfois, un visiteur inattendu trouvait le moyen de se présenter à la porte en demandant si, par hasard, sans vouloir déranger, son compatriote du Nord-Est, Yan Baohang, qu'il n'avait jamais eu l'occasion de remercier de vive voix pour un service rendu, autrefois, n'aurait pas un petit moment à lui accorder : c'est cela que mes grands-parents adoraient. Mon grand-père, ma grand-mère ou les deux à la fois lui ouvraient déjà tout grand les bras avant de le faire entrer.

15

Mencius dit : «J'aime le poisson, mais j'aime aussi les pattes d'ours. Si je
ne peux avoir les deux, je laisse le poisson
et je prends les pattes d'ours. J'aime la vie, mais j'aime aussi
le sens moral. Si je ne peux avoir les deux,
je renonce à la vie pour garder le sens moral.»

ENTRETIENS, XV, 8 (380-289 AV. J.-C.)

Les Yan au complet, cela faisait du monde : Minsghi, ma
tante première, avait eu huit enfants. Ma tante deuxième,
Mingyin, en avait eu six. Mingguang, ma tante troisième,
en avait élevé sept! Dans les années 40, avant même l'avènement de la Chine populaire, elles avaient été sensibles au
discours volontariste de Mao Zedong en matière de natalité,
selon lequel une grande puissance devait se doter d'une
population nombreuse. Plus les Chinois seraient nombreux,
plus ils auraient de moyens de l'emporter sur l'impérialisme
américain. On était alors loin de la «politique de l'enfant
unique» qu'imposèrent les famines. La politique nataliste
prônée par Mao avait même bénéficié de mesures concrètes

d'encouragement, même si elles ne favorisaient que les cadres d'un certain niveau. Trois enfants donnaient droit à une nounou, deux nounous à partir de six enfants, ces dispositions n'étaient pas négligeables et elles produisirent vite leur effet.

Jusqu'au milieu des années 60, le grand rituel à la Résidence, c'étaient les raviolis. Pour les gens du Nord-Est, pas de fête sans raviolis, inscrits depuis toujours dans la tradition du Dongbei. C'est un rituel à la fois très codifié et très informel. Il ne s'agit pas de se contenter d'amener les raviolis tout prêts dans un plat qu'on déposerait sagement au centre de la table, quand tout le monde est assis et attend pour commencer que la maîtresse de maison soit servie. Non, il faut les confectionner tous ensemble, en parlant à tue-tête et tous en même temps. Des convives affairés, il en faut au minimum une vingtaine.

Chacun met la main à la pâte. Farine de blé, sel, eau. On s'occupe d'abord du petit chausson : on en confectionne de différentes formes et on lance la compétition pour désigner la ou le plus habile. Tantôt, on glisse un doigt dans la pâte pour tester la consistance de celle-ci ; tantôt on goûte la farce en portant un doigt à sa bouche. Tout cela est toléré, voire encouragé à mesure que l'eau bout et que le petit chausson repose avant d'y être plongé. Les raviolis sont disposés sur la table dans un alignement militaire. Les enfants tentent de déguster la première fournée dans la cuisine. On les mange en partie dans la cuisine, en partie dans la salle à manger, avec ou sans bol, avec cuillers ou avec baguettes. On peut picorer dans le bol du voisin, et je trouve que les raviolis y sont souvent meilleurs. On a le droit de les donner à la becquée, de les faire balancer au-dessus de son nez avant de les gober quitte à se marcher sur les pieds. L'idée n'est pas seulement de manger, c'est de manger en pétrissant, en cuisinant, en bavardant. La tradition admet de tenir un enfant sur ses genoux si l'on est grand, de grimper sur les genoux des grands si l'on est petit, de se vanter d'avoir préparé un meilleur ravioli que celui de son cousin, sa cousine, son frère, sa mère, son voisin et parfois bien meilleur que celui de tout le monde. Le ravioli fait office d'entrée, de plat de résistance et de dessert, on le déguste avec des sauces aigres-douces ou piquantes. Il peut se manger sans faim, brûlant, chaud, tiède ou froid. Quand minuit sonne, il faut les jeter d'un coup dans l'eau bouillante et se souhaiter la bonne année. Le premier ravioli de l'année réclame de faire un vœu. Et celui qui trouve le «ravioli surprise», dans lequel on a glissé un bonbon ou un centime, aura de la chance toute l'année. Plus on avance dans la nuit, plus goûteux est le ravioli. Il en faut de toutes les sortes et il faut toutes les goûter : aux légumes, à la viande, avec ou sans champignons parfumés, trempées ou non dans la sauce au vinaigre et soja. Toute assiette ou tout bol dont les raviolis ont été goulûment avalés donne droit au regard attendri de la maîtresse de maison.

Toute demande de rab donne droit à un grand et franc sourire. Les grands acrobates du ravioli sont les enfants, j'en sais quelque chose : on se poursuivait à travers l'appartement pour être les premiers à en manger et à trouver le «ravioli du bonheur». Je n'étais pas mauvaise à ce jeu-là.

Pour l'occasion, il arrivait que mes parents soient là tous les deux. Malgré leur statut de diplomate, ils ne roulaient pas sur l'or. Pour leurs missions à l'étranger, le ministère auquel ils étaient rattachés les défrayait avec un tout petit pécule. Mais maman trouvait toujours le moyen de me rapporter quelque chose de Paris, Genève ou Rome. Je me souviens du premier livre rapporté de Paris et de ma délectation à en tourner les pages. Comparé à ce qui existait en Chine, en ce temps-là, tout y était somptueux : la brillance du papier, son épaisseur, son exceptionnelle blancheur, la beauté des couleurs, leurs innombrables nuances et jusqu'au parfum que ces livres dégageaient, tout cela me procurait un plaisir supérieur encore à celui que j'aurais eu si j'avais su lire le français.

L'atmosphère de ces fêtes à la Résidence était nourrie des innombrables souvenirs partagés en famille, entre amis, entre partisans. Et c'était bien l'intensité de ces souvenirs qui communiquait à tous cette joie si particulière qu'il y avait à se retrouver et à ressusciter le temps passé.

Je n'étais pas bien sûre que les événements ainsi rapportés aient été aussi gais, drôles et dénués de tout danger qu'on voulait bien le dire. Ce qui me faisait en douter, c'était le silence de mon grand-père. Disons plutôt qu'il se bornait à corriger ici ou là un lieu, un nom, une date, rien de plus. Bien sûr, il écoutait et portait même une très grande attention à ce qui se racontait. Il opinait parfois légèrement de la tête pour approuver un propos. Mais quand de longs éclats de rire accompagnaient tel épisode fameux, il se contentait d'un sourire. Et pourtant c'était lui que ces récits mettaient en scène, lui, le personnage principal. La discrétion de mon grand-père à propos de son passé, sa grande pudeur m'incitaient à penser que telles étaient les conditions de tout héroïsme véritable.

Beaucoup de sous-entendus et de non-dits émaillaient ces récits. Pour l'essentiel, je comprenais que ces événements s'étaient déroulés du temps de la résistance à l'occupation japonaise. Or l'invasion japonaise, l'occupation japonaise, les exactions japonaises n'avaient cessé de s'amplifier en terre de Chine depuis les années 30 jusqu'à la Seconde Guerre mondiale et, au-delà, jusqu'à la Libération en 1949.

Pour moi, entre sept et neuf ans, il était clair que deux sortes de partisans avaient mené la lutte antijaponaise sur le sol chinois. D'un côté, ceux du Kuomintang, le parti nationaliste chinois fondé par Sun Yat-sen après le renversement de la dynastie Qing, en 1912. Il avait accédé au pouvoir sous la conduite du général Chiang Kai-shek, en 1928, et son gouvernement s'était installé à Nankin. De l'autre, les communistes. Ils n'étaient pas au pouvoir, loin s'en faut, mais étaient aussi patriotes que les premiers.

Mais entre mon grand-père et tous ceux qu'il estimait pouvoir être ses interlocuteurs il était suffisamment question du sort de la Chine contemporaine pour que je saisisse que la lutte fratricide entre le Kuomintang et le Parti communiste chinois s'était déclenchée très tôt. Une lutte féroce, intraitable, assassine malgré l'ennemi commun – l'empire japonais – habile à profiter de ces dissensions pour mieux conquérir, asservir, avilir, massacrer.

Aussi, dans la mesure où mon grand-père avait occupé et occupait toujours des fonctions importantes au sein du gouvernement de Zhou Enlai, présidé par Mao Zedong, et qu'il était donc communiste, j'avais un peu de mal à faire le lien avec ce propos rapporté par mon père ou l'une de ses sœurs : «Papa, de toute façon, il a toujours bénéficié de la protection de Soong May-Ling.» Or, qui était Soong May-Ling sinon Madame Chiang Kai-shek! Et sur quel ton on commentait cela! Les uns, stupéfaits comme devant le miracle de celui qui marche sur les braises sans se brûler; les autres admiratifs devant l'habileté suprême, mais aussi le courage, le sang-froid nécessaires à celui qui, non seulement, risque sa vie au nom de ses convictions mais aussi la vie de sa famille.

16

« Le Kuomintang est là. Nous ne l'avons pas fait. Il est là.
Et plus fort que nous provisoirement. Nous pouvons le conquérir
par la base en y introduisant tous les éléments communistes
dont nous disposons [...]. Nous démontrons que le KMT
peut être employé en l'employant. »

André Malraux, *La Condition humaine*, 1933

Après Nankin où les Yan avaient résidé, une autre adresse revenait souvent dans les réunions familiales, avec une émotion parfois entrecoupée d'éclats de rire : la villa n° 17 du Chongqing Village, à Chongqing, chef-lieu du Sichuan.

En novembre 1937, les Japonais engagent une guerre totale en Chine. Au Nord, toutes les grandes villes sont déjà tombées. Au Sud, Nankin, où siégeait jusqu'alors le gouvernement, est martyrisée six semaines durant à force de pillages, d'assassinats et de viols perpétrés sans relâche lors du Massacre de sinistre mémoire en décembre 1937. À Pékin, les Japonais infligent l'humiliation d'un «gouvernement provisoire» censé remplacer celui du Kuomintang. C'est pourquoi ce dernier opte pour un repli aussi éloigné que possible d'une atteinte nippone. Ce sera dans cette province de l'intérieur, le Sichuan, là où se trouve Chongqing. Il faut au moins cela – une «ville-montagne», comme on l'appelle – pour donner à ce qu'il reste de nation chinoise, sa capitale temporaire ainsi que le siège du gouvernement de Chiang Kai-shek. Un refuge en somme pour tous les dignitaires du pays. Ils sont là. Tous. Sans exception. À Chongqing, il faut aussi compter avec la présence des communistes. Les plus actifs sont clandestins. Car si, en apparence, nationalistes et communistes ont un ennemi commun – l'impérialisme japonais qui met la Chine à genoux – en réalité, partisans communistes et troupes de Chiang Kai-shek se livrent une guerre sans merci depuis que le front uni contre cet ennemi commun a volé en éclat. Raison supplémentaire, aux yeux des Japonais, pour faire de Chongqing une cible de choix.

À mes oreilles d'enfant, ces événements paraissaient très anciens. Il en allait de même pour certaines formules. Celles qui, de notoriété publique, désignaient tantôt la fameuse «Maison des Yan», tantôt «la Grande Tablée des Yan», sans parler de l'incomparable accueil «chez les Yan». Elles avaient beau avoir pris forme dans le Nord-Est, s'être renforcées lors du séjour de mes grands-parents à Nankin, c'était dans le climat de danger permanent de Chongqing que ces expressions avaient fini par acquérir une valeur magique et essentielle.

Parfois, disait ma tante Mingguang, il y avait jusqu'à dix matelas par terre dans le salon et, se tournant vers mon père : « Combien de fois Gaosu n'est-elle pas venue dans nos chambres respectives, à minuit passé, nous sortir du lit, pour y installer tel ou tel de ces drôles de visiteurs du soir ? »

Et Mingfu, mon père, d'enchaîner entre deux éclats de rire : « À Chongqing, je devais avoir dix ans, il y avait toujours beaucoup de visiteurs mais, à moi, on ne permettait pas de monter à l'étage. Or, à l'étage, il y avait une petite chambre sans fenêtre où j'aurais bien aimé jouer ! J'étais terriblement frustré parce que les seuls qui avaient le droit de monter dans cette petite chambre, c'était notre père, accompagné d'un "oncle" avec d'épais sourcils très noirs. Et que faisaient-ils, Yan Baohang et l'"oncle" Zhou Enlai, car c'était lui, dans cette toute petite chambre ? Eh bien, ils ne disaient rien. Pas un mot. On prétendait qu'ils jouaient au mah-jong. Et leurs parties de mah-jong duraient des après-midi entiers et, moi, toujours pas le droit d'entrer ! Mais ce qui était bizarre, c'est qu'une fois sortis, Gaosu se précipitait dans la pièce, vidait toutes les corbeilles à papier et se ruait dans les toilettes. Je me demandais ce que ma mère pouvait bien fabriquer dans les toilettes avec le contenu des corbeilles à papier ! »

Ma tante troisième, Mingguang, prenait le relais : « La manie qu'avait nos parents de recevoir quiconque dans le besoin et de lui offrir le gîte et le couvert au seul motif qu'on lui avait hautement recommandé la fameuse "Maisonnée des Yan" avait un petit inconvénient c'est que les espions, eux aussi, entraient chez nous comme dans un moulin! Je devais avoir dix ou douze ans, je me souviens d'un jeune homme qui s'était mêlé à nous dans le salon et sitôt que les parents avaient tourné le dos, il me bombardait de questions : Où sont tes frères? Que dit ton père? Que fait ta tante? Mais le plus drôle, c'était l'obstination de ce jeune homme à vouloir absolument monter à l'étage, précisément là où se trouvait la petite chambre sans fenêtre. Hélas pour lui, comme par un fait exprès, son obstination butait toujours contre celle de Gaosu. Et pourtant, malgré toutes les précautions de nos parents, bien plus tard, on a retrouvé dans les archives du Kuomintang des fiches d'information précises sur toute la famille! On a même retrouvé un plan de l'intérieur de la villa n° 17. Et au final, c'était assez drôle de voir ce relevé si minutieux, si rigoureusement précis, qui reproduisait avec une telle exactitude les différents espaces où nous avions vécu en toute intimité.». À ce moment-là, Mingguang avait l'habitude de suspendre son récit… « Surtout si l'on tient compte, reprenait-elle, qu'ils n'ont jamais trouvé, chez nous, la moindre trace de matériel de transmission! Aucune cellule clandestine! Rien qui atteste l'appartenance de Yan Baohang au Parti communiste!»

« Pourtant, reprenait mon père, le va-et-vient incessant des camarades à la maison ne pouvait pas ne pas éveiller les soupçons. Rappelle-toi ce jour ou trois policiers plus entreprenants que les autres sont entrés et ont déclaré de but en blanc : "On nous a signalé une salle de jeu clandestine, on vient perquisitionner !" Et, là, Baohang a sorti le grand jeu, c'est le cas de le dire, et de la poche de son veston une carte de visite. Ce bristol portait le nom de Dai Li, chef de la police secrète de Chiang Kai-shek avec quelques mots de sa main expressément adressés à Yan Baohang. Les policiers sont repartis sans demander leur reste.»

Parfois, l'une de mes tantes, l'un de mes oncles ou tel vieux partisan du Nord-Est faisait observer à mon grand-père, combien les Yan s'étaient souvent trouvés à deux doigts d'une catastrophe. Pour en tirer la conclusion que, malgré leur conviction d'avoir combattu «du bon côté», malgré le sentiment de justice et, partant, d'invulnérabilité, il y avait eu une part de chance pendant toutes ces années passées à Chongqing, ces années de coexistence à couteaux tirés entre le Kuomintang et les communistes, sans que l'on sache lequel de ces deux partis l'emporterait et sans que l'on soit assurés, jusqu'à la fin de la guerre du Pacifique, bien après la fin de la guerre en Europe, que le Japon ne finirait pas par l'emporter sur la Chine et imposer son joug sur la plus grande partie de l'Asie.

Je me rendais compte que mon père n'en était plus à égrener les souvenirs du petit garçon qu'il avait été. Peu à peu, c'est le regard averti du diplomate qui le conduisait à planter le décor de Chongqing, où tous les intérêts, les convictions, les stratégies les plus opposées coexistaient et s'imbriquaient. D'un côté, les contacts avec Chiang Kai-shek avaient lieu au vu et au su de tous, de l'autre, les rencontres avec Zhou Enlai étaient toujours tenues secrètes. Alors que Zhou lui-même avait officiellement intégré le gouvernement du Kuomintang, il avait demandé à Baohang de rejoindre clandestinement le PCC afin de pouvoir transmettre au Parti toute information utile que ce dernier obtiendrait dans le cadre de ses fonctions de membre du comité militaire et conseiller au département politique du Kuomintang.

«Le courage et la témérité n'étaient pas suffisants, disait mon père. Il était impératif que ce courage s'allie à l'intelligence, parfois même à une certaine ruse, afin que toutes les relations puissent servir la cause et servir à sauver des camarades en grand danger. Il fallait à la fois une capacité à évaluer au plus juste les risques encourus en même temps que des convictions suffisamment solides pour que le sens du sacrifice trouve une place qui ne soit pas celle d'une action irréfléchie et suicidaire.»

17

C'est dans ce contexte que la police politique du Kuomintang procéda à l'arrestation d'un agent communiste. Lorsque Mingfu entamait le récit de cet épisode, à chaque fois j'observais que mon grand-père pâlissait.

«À cette époque, avec une arrestation de cette nature, on savait que l'agent allait être torturé. On savait aussi que ce camarade connaissait l'appartenance secrète de Baohang au Parti. Et, bien sûr, moi, je ne me doutais de rien, j'avais onze ans mais je voyais bien que papa était contrarié. C'est bien plus tard que j'ai su le dilemme qui le taraudait. Quitter Chongqing immédiatement revenait à se dénoncer lui-même. Ne pas bouger supposait que l'agent ne parlerait pas. Comment savoir ? Dans tous les cas, la question du danger que cela pouvait représenter pour sa famille se posait.

« Cette nuit-là, à minuit, j'entends des bruits de pas tout près de la villa. Et ces bruits de pas ne sont pas ceux du secrétaire particulier de Zhou Enlai que je connais bien mais ceux de l'"oncle" lui-même, l'"oncle Zhou". Émergeant de mon lit et encore tout ensommeillé, je sors de ma chambre et j'entends mon père s'exclamer : "Il ne fallait pas venir! c'est trop dangereux!", avant de lui tomber dans les bras.

« À Chongqing, Zhou Enlai habitait une maison très proche de chez nous, chacune des deux maisons était accessible en toute discrétion par un chemin très peu fréquenté, à l'arrière des bâtiments. Les risques encourus rendaient Zhou très strict en matière de sécurité : il ne fallait jamais lui rendre visite, c'était la règle. Même en cas d'urgence, c'était lui, "l'oncle Zhou" qui se débrouillait pour venir jusqu'à nous. Ce jour-là, "l'oncle Zhou" a demandé à Baohang de partir, de se mettre à l'abri lui et sa famille et, malgré cela, il a décidé de rester. »

Du temps où mon grand-père était encore parmi nous, je me souviens qu'il était aussi beaucoup question d'un village, Beipei, non loin de Chongqing.

La famille aimait à se rappeler les paysages naturels environnants de Beipei, de toute beauté paraît-il, un relief accidenté, largement boisé, doté de lacs et de rivières avec des cascades, beaucoup de parcs et de jardins, des thermes et des sources chaudes qui, dès cette époque, faisaient de Beipei un lieu de villégiature très prisé.

Mes grands-parents s'y rendaient régulièrement avec leurs enfants. Il fallait prendre un petit bateau pour passer d'une rive à l'autre et, le temps de la traversée, à voir cet élégant couple décontracté, Gaosu, en chapeau cloche, Baohang, en polo sous la veste souple, à observer le soin avec lequel leurs plus jeunes enfants étaient gracieusement apprêtés, on aurait dit l'image emblématique d'une famille issue de la bonne bourgeoisie chinoise républicaine.

Mon grand-père tenait beaucoup à cette apparence, cette garde-robe impeccable constituait selon lui leur protection la plus sûre. De ce fait, il était hors de question, comme il s'en était expliqué avec Mingshi, qu'elle enlève ses escarpins pour courir tout à son aise et cesse ainsi d'afficher cette image lisse, destinée à éteindre le plus petit soupçon chez tous ceux qui ne manqueraient pas de les observer ou de les suivre.

Et tandis que, sitôt arrivés dans cette maison de Beipei, les plus jeunes se précipitaient dans le jardin pour jouer à cache-cache, Gaosu faisait le guet, le temps pour Mingshi de récupérer son poste émetteur dissimulé dans un seau de riz et, derrière le triple fond d'une armoire, de dégager sa machine à dactylographier et sa « bible » de transcription codée. La mission de Mingshi, au sein de la cellule secrète implantée par Yan Baohang qui comprenait un cousin de Gaosu et le couple formé par Li Zhengwen et sa femme, pouvait commencer.

Il valait mieux avoir le cœur bien accroché. Comme ce jour où, en pleine transmission, Li Zhengwen avait détecté des interférences révélant qu'une station toute proche devait être à l'affût. On savait bien que, dehors, les agents du Kuomintang, formés à l'américaine, patrouillaient pour intercepter toute communication clandestine. Alors, mon grand-père avait beau pester que «ça ne servait à rien d'avoir du renseignement si on n'avait pas de machine pour le communiquer», il arrivait quand même que, pour des raisons impératives de sécurité, la petite cellule doive ranger de toute urgence son matériel et s'interdise d'y toucher pendant trois ou quatre jours.

Il y avait eu aussi le jour où des «ouvriers» étaient venus, en l'absence de mes grands-parents, pour effectuer de prétendus travaux à l'extérieur de la maison. Les Yan venaient à peine d'arriver à Beipei lorsque leur voisine s'était précipitée pour leur dire que des «fils» courant sur la toiture et le long de la façade avaient malencontreusement été arrachés par les ouvriers et Nainai, affolée, de demander : «Des ouvriers? Quels ouvriers? Quels travaux? Il n'a jamais été question de travaux!» Ils avaient dû changer de maison en toute hâte…

Mais le plus grave, ma tante Mingguang attendait que je sois sortie de la pièce pour l'évoquer. Elle baissait la voix ce qui, naturellement, m'incitait à tendre l'oreille : le projet d'assassiner mon grand-père s'était secrètement formé au sein du Kuomintang!

Un des agents recruté pour préparer ce complot était présent lors d'une réunion où se trouvait Dai Li, le chef de la police secrète de Chiang Kai-shek. Il avait été surpris de voir Dai Li interrompre la réunion pour recevoir longuement et avec tous les égards Yan Baohang. L'agent en question avait jugé prudent de se renseigner. «Yan Baohang est un proche de Mme Chiang Kai-shek lui avait-on dit.» Effrayé, il s'était alors ingénié à laisser filtrer assez d'informations pour que le complot échoue.

18

« Une délectation infinie m'envahit quand j'éveille des souvenirs
Une délectation infinie l'envahit quand il éveille des souvenirs »

ADAGE CHINOIS

C'était en 1962, j'avais cinq ans, je passais des vacances avec mes parents à Beidaihe, dans le golfe du Bohai, province du Hebei, à l'invitation de Deng Xiaoping, n° 1 du Parti communiste chinois, au pouvoir depuis treize ans.

Beidaihe est la plage la plus proche de Pékin, à moins de 300 kilomètres vers l'est, non loin de l'endroit où la Grande Muraille rejoint le littoral. Une plage de sable fin, une conque de sable doré rehaussée de rochers d'ocre. Des dunes plantées de cyprès et de pins, colonisés par les oiseaux et par ceux qui viennent de loin pour les observer. L'endroit est réputé pour cela et pour être devenue une sorte de « capitale d'été ».

Avant de devenir la station balnéaire favorite des dirigeants chinois, ce village de pêcheurs avait été élu dans les années 1890 par les ingénieurs des chemins de fer britanniques

auxquels on doit les premières belles villas de plain-pied.
Bientôt suivies, dans les années 20, par celles des hommes
d'affaires et diplomates désireux d'échapper à la fournaise
de Pékin ou de Tianjin et tous friands, Chinois comme étrangers, des viennoiseries proposées par le salon de thé local
achalandé par Kiesling et Bader.

Cet été-là, il y avait un sujet à l'ordre du jour qui concer-
nait directement mon père : le retrait de l'aide économique
de l'Union soviétique avec laquelle la rupture était consom-
mée. Il fallait préparer des réunions, consulter des textes,
traduire des discours et autres allocutions. Liu Shaoqi, président de la Chine populaire depuis 1959 passait tous ses
étés à Beidaihe. Deng Xiaoping, le secrétaire général du
Parti y possédait une grande villa dissimulée sous les pins
parasols. Celle du maréchal Chen Yi n'était pas mal non
plus. L'homme qui avait parachevé la victoire communiste
en s'emparant avec ses troupes de Nankin et Shanghai
entre 1948 et 1949 était, depuis quatre ans, aux Affaires
étrangères. C'est avec ces trois dirigeants que papa travaillait. Un bâtiment neuf abritait des bureaux, des salles de
réunion, un cinéma et une salle de bal. Nos dirigeants aiment
bien danser ai-je toujours entendu dire.

Deng Xiaoping avait dit à mon père : «À Beidaihe, nous
aurons à travailler tout l'été. La maison est grande.» Ainsi
avait-il invité mon père, sa femme et sa fille.

Lorsque mon père en a parlé à ma mère, celle-ci a posé
une condition : «Si je viens, je dois m'occuper. Pourquoi ne

pas monter une petite *summer english school* pour les enfants?»
Aussitôt dit, aussitôt fait. La fine équipe se compose de
Rong, dont le surnom est Maomao, la troisième et la plus
jeune fille de Deng Xiaoping, Pingping, une des filles de Liu
Shaoqi, et Shan Shan, la fille de Chen Yi.

C'est ainsi que, tous les matins, maman dispensait une
leçon d'anglais aux filles.

En 1995, Maomao publiait une biographie de son illustre
père. Compte tenu de l'envergure exceptionnelle de l'homme
d'État à qui l'on doit l'ouverture de la Chine après la Révolution culturelle, elle s'attachait à retracer son itinéraire politique, qui s'identifie pour beaucoup à l'histoire de la Chine
contemporaine. Pour moi, non seulement Den Xiaoping est
un grand leader qui a changé le destin de la Chine, mais il
est aussi l'homme que j'ai côtoyé plusieurs semaines dans
une atmosphère de bonhomie et de grande tendresse familiale.

Maomao m'a souvent dit combien son père aimait avoir
autour de lui ses enfants, petits-enfants, neveux et nièces.
En effet, la maisonnée Deng abritait aussi la sœur de
Xiaoping, les enfants de sa sœur ainsi que leur propre belle-
mère – quatrième et dernière épouse de leur père – qu'ils
appelaient Grandma. On pouvait s'étonner de voir cet
homme, dont l'engagement politique remontait à l'adoles-
cence, revendiquer un mode de vie familial «à la chinoise»,
belle-famille comprise, un mode de vie parfaitement traditionnel de *quatre générations sous un même toit*, pour reprendre

le beau titre de Lao She. Et même cinq dans son cas! Qu'il ait maintenu cela jusqu'à la fin de sa vie me semble admirable mais on devine quel soutien cela a dû être dans les moments «difficiles».

Cet été-là, nous fûmes quelques-uns à apprendre à nager. Nous étions sept ou huit à se presser autour de Deng Xiaoping, chacun avec sa bouée, attendant au bord de l'eau les instructions d'un maître-nageur. Deng Xiaoping nous mettait au défi. Puis il était l'heure de rentrer à la villa pour le dîner dans une atmosphère très animée où chacun racontait sa journée tandis que Deng Xiaoping restait silencieux, tout heureux d'écouter nos récits enjoués.

À plus de cinquante ans de distance, j'ai été très émue d'entendre Deng Maomao rappeler, à l'occasion de la sortie de la biographie de mon père, la forte impression que lui avait fait ma mère : «Une très belle femme. Grande. Mince. Impressionnante.» D'autant plus, pensais-je, pour des petites filles qui l'avaient entendu parler en trois langues, l'anglais, le français et l'italien.

«Bien sûr, me disait Maomao, cela a compté dans le fait que Keliang était devenue notre idole. Mais, surtout, avant la Révolution culturelle, les épouses des fondateurs de la République populaire avaient coutume de s'habiller très simplement. Et ce qui nous subjuguait chez Wu Keliang, c'était son allure de "type occidental".»

Et dans cette rêverie dont le décor était moins celui de la station balnéaire de Beidaihe que celui d'un temps à jamais révolu, Maomao se souvenait d'un tailleur tout blanc qui avait ébloui non seulement les filles mais leurs mères et, plus encore, d'un tailleur jaune clair qui les avait rendues folles !

Maomao mettait pourtant un bémol à cette évocation en me rappelant l'intransigeance de ma mère à mon égard. J'avais fini par éclater de rire au récit d'un épisode : un soir à Beidaihe à l'heure de passer à table, il manquait un enfant et cet enfant, c'était moi. C'est alors que le professeur Wu Keliang, l'idole de ces jeunes filles, était tombée tout d'un coup de son piédestal après s'être exclamée :

« – Aïe, désolée, désolée ! J'ai complètement oublié de libérer Lan. Je l'ai enfermée cet après-midi dans la salle de bains pour la punir et je... et je... Je n'y ai plus pensé ! » Maomao et sa mère ayant rapporté l'anecdote à Deng Xiaoping, il s'était exclamé en riant : « C'est à croire que Keliang est pire qu'un Seigneur de guerre ! »

Mao Zedong, lui aussi, disposait d'une villa à Beidaihe. Il y passait presque tous les étés entre 1953 et 1965. La tradition de mêler repos et travail y était si bien établie qu'entre les mois de juillet et août nombre de rencontres, réunions, colloques et conférences y furent programmés.

Je me souviens qu'un soir nous étions tous allés assister à un spectacle de l'Opéra de Pékin dans la grande salle de théâtre affectée aux dirigeants. Les tout premiers rangs restaient inoccupés. Nous en comprîmes la raison lorsque Mao Zedong fit son apparition. Il s'avança, complimenta quelques personnes avant de prendre place. Le spectacle pouvait commencer. Mais ce soir-là, Mao Zedong a beau figurer à la place d'honneur, il s'est, en réalité, mis en retrait de la présidence. On pourrait interpréter cette mise à distance comme la décision d'un sage. Or, ce n'est pas tout à fait cela : ce congé opportun, au profit de Liu Shaoqi, survient après que Mao a été mis en minorité, il y a trois ans déjà, au Comité de direction du Parti à la suite du désastre du Grand Bond en avant et de ses millions de morts.

Mais tandis que Liu Shaoqi s'apprête à préconiser un retour à l'entreprise individuelle et Deng Xiaoping à défendre la production des vivres à tout prix, Mao, qui ne reconnaît pas l'échec du Grand Bond en avant, ouvre les hostilités à la fin de cet été à Bedaihe, en septembre 1962. Non content de minimiser la crise de production qui accable les campagnes, Mao Zedong en revient au dogme de la lutte des classes.

Devant la Dixième session plénière du VIIIe Comité central, il commencera par aborder la question de la jeunesse et de sa nécessaire formation révolutionnaire afin de sédimenter, explique-t-il, l'enracinement de la Chine dans la voie socialiste. Quant aux campagnes, il y dépeint l'irrépressible tendance de la paysannerie à se rêver propriétaire, à quoi s'ajoute l'immobilisme des cadres. Ces deux facteurs, analyse-t-il, présentent le risque de voir le projet socialiste étouffé dans l'œuf. Enfin, Mao aborde la question de la culture. Il estime que laisser cette prérogative aux intellectuels conduira forcément à la restauration d'un idéal de société capitaliste et bourgeoise.

À partir des trois thèmes de l'intervention du camarade Mao – Jeunesse, Campagne, Culture – personne, à cette époque, ne peut prévoir les événements qui vont suivre. Seul un regard rétrospectif éclaire d'une lumière crue les éléments de cette pensée. Il faudra le temps que cela mûrisse. Le temps de fondre ces trois thèmes dans un concept d'apparence inoffensif. Le temps aussi que les circonstances s'y prêtent. Puis cela explosera.

19

« Car je suis voleur de chevaux de mon état. »

AU BORD DE L'EAU,
ATTRIBUÉ À SHI NAI'AN
(XVIᵉ SIÈCLE)

Au tout début de la Révolution culturelle, mon grand-père reçut Gao Chong Min un soir à la Résidence. Il avait été avec Wang Huayi le plus proche collaborateur du général Zhang Xueliang avant d'être nommé vice-président du Parlement après la Nouvelle Chine.

Très vite, il fut question du fameux journal que Wang Huayi tenait depuis toujours. Il expliqua que les centaines de cahiers composant ce journal lui avaient été confiés peu avant la mort de leur auteur. Mais M. Gao semblait pressé, inquiet, nerveux. Il commença par raconter que, tout récemment, à Pékin, de jeunes gens et de moins jeunes, autoproclamés Gardes rouges, reconnaissables à un brassard portant cette inscription avaient procédé à des autodafés : journaux, livres et autres documents raflés dans les maisons et appartements de « suspects idéologiques », avaient été entassés dans la rue et brûlés.

Les milliers de pages de ce journal manuscrit lui avaient été remises par les propres enfants du défunt. M. Gao les avait lues de la première à la dernière ligne et il pouvait témoigner qu'il s'agissait d'un document historique à conserver précieusement. D'après lui, une partie de l'intérêt de ce document portait sur la manière de vivre en Chine entre la toute fin du XIXe siècle et le début du XXe, mais c'était surtout la dimension politique du témoignage des années 30 à la Libération de 1949 qu'il fallait avant tout préserver.

M. Gao avait insisté : la lecture attentive de ce journal lui permettait d'affirmer qu'au vu du climat actuel, ces documents étaient très compromettants pour qui les détenait et c'est pourquoi, compte tenu de la proximité de Yan Baohang avec le Premier ministre, Zhou Enlai, les descendants de Wang Huayi et lui-même, M. Gao, estimaient que le journal de leur père et ami ne serait nulle part plus en sécurité que chez lui, Yan Baohang.

Ce n'est qu'à présent que je peux dater les événements. Tant de choses se sont précipitées pour moi entre l'été et l'automne 1967 que mes émotions d'alors étaient restées figées hors du temps.

Au tout début de la Révolution culturelle, en 1966, le plus âgé de mes cousins, Da Pangzi, « le costaud », vingt ans, premier petit-fils de Nainai et Yéyé, commençait ses études à l'université, que mon grand-père finançait. En choisissant d'étudier l'histoire, la civilisation et la langue russe, mon cousin poursuivait une tradition familiale entamée par deux de ses oncles.

À cette époque, mes grands-parents étaient d'autant plus attentifs au sort de mon cousin que sa mère, ma tante Mingshi, avait été accusée de «droitisme» en 1957 et, à ce titre, envoyée au diable avec son ingénieur de mari et leurs huit enfants. Lieu de relégation : Anshan, bassin sidérurgique, province du Liaoning. Leur situation semblait si difficile que j'ai gardé le souvenir des consignes données à tous les membres de la famille pour qu'ils leur expédient un peu d'argent chaque mois et même des vêtements usagés.

Tous les mois, Da Pangzi venait à la Résidence et chaque fois mon grand-père avait si grand plaisir à parler avec lui que je prenais conscience que «le grand costaud» faisait désormais partie des «grandes personnes», à qui on reconnaissait un savoir et un jugement. Da Pangzi était considéré comme l'«autre chouchou» de mon grand-père.

Cependant, au fil des mois, tous s'apercevaient que Da Pangzi changeait. Tout du moins le ton entre le petit-fils et son grand-père n'avait plus la sérénité nécessaire à toute conversation. Il était même arrivé que mon cousin, au comble de l'irritation, quitte l'appartement sans nous saluer. Mon grand-père gardait son calme, tandis que Da Pangzi donnait le sentiment de chercher un coup d'éclat. Un jour, à peine arrivé et déjà hors de lui, il déclencha une discussion très vive dont je n'ai retenu que cette phrase : «Eh bien, puisque

c'est comme ça, je vais rejoindre illico les Gardes rouges!»
lança-t-il à mon grand-père d'un air menaçant.

Plusieurs mois passèrent sans qu'on le revoie à la Résidence. Il s'y présenta enfin, l'air goguenard, arborant le
fameux brassard rouge, après s'être assuré que mon grand-
père était absent. Ce jour-là, il invectiva tout le monde en
répétant qu'il revenait du Xinjiang, que son groupe de
Gardes rouges y avait «fait la révolution» et s'était doté de
la devise : Piller! Piller! Piller! Je revois la fureur de mon
cousin, méconnaissable, hystérique, hurlant ces trois mots
et je revois la sidération que ces mots provoquaient chez ma
grand-mère et chez ma mère.

Flanqué d'autres Gardes rouges, il avait réclamé qu'on
lui remette le fameux journal de Wang Huayi, sans qu'on
sache comment il avait été mis au courant. Comme on refusait de le lui remettre, arguant de l'importance historique
de ce document et de la nécessité de le confier aux Archives
nationales, Da Pangzi avait ordonné à ses comparses de
fouiller l'appartement. Cela ne se fit pas sans dégâts jusqu'à
ce que Da Pangzi mette la main sur les milliers de pages du
journal de Wang Huayi.

Yan Baohang fut arrêté dans la foulée.

20

*« Le peuple de l'ulcère, de la scoliose, de la famine, travaillant
seize heures par jour depuis l'enfance. »*

ANDRÉ MALRAUX,
LA CONDITION HUMAINE, 1933

Yan Baohang voit le jour au printemps 1895 dans le Fengtian – chef-lieu de la province du Liaoning. Il naît au sein d'une maisonnée pauvre du village de Xiaogaolifang ni plus ni moins pauvre que toutes les autres. Une bouche de plus à nourrir mais des bras supplémentaires. Un garçon, c'est déjà ça, toujours mieux qu'une fille. Quatrième d'une fratrie qui comptera six garçons et trois filles, il y a peu de chance qu'il profite des rares privilèges réservés à l'aîné. D'autant qu'il lui faudra marquer son respect aux frères et sœurs aînés, selon le code de l'éthique familiale qui dicte tous les usages et vient immédiatement après ce que l'Empire ordonne.

Le nom de sa mère est Dong. Hélas, le prénom de celle qui fut mon arrière-grand-mère paternelle n'est pas resté dans les mémoires. Du reste, dans une famille de plus de vingt membres, il est probable qu'on ne l'a jamais désignée que par son rang au sein des alliances successives et toujours «arrangées» : belle-sœur ou belle-fille troisième, belle-sœur ou belle-fille quatrième, etc. J'ignore même, si elle a au moins bénéficié de l'offrande réservée aux accouchées : des œufs, du sucre roux ou du millet.

Le nom du père de l'enfant est Yan Decheng. En Chine, comme on l'a dit, le patronyme vient toujours avant le prénom. Le prénom de l'enfant est Yuheng. Yuheng et non Baohang. Il faut dire qu'en Chine le prénom n'est pas fixé une fois pour toutes comme en Occident. On distingue le prénom d'enfance réservé à la seule famille et le prénom social, attribué en général quand l'enfant entre à l'école. Mais il existe encore toutes sortes de circonstances à l'origine d'un changement de prénom, comme pour marquer le passage à l'âge adulte, tel le «nom de courtoisie» ou quand on souhaite marquer un changement d'itinéraire personnel.

Pour avoir vu de ces masures de la petite paysannerie, je peux me représenter les rares fenêtres garnies de papier ou de gaze. J'imagine le *kang,* ce grand lit qui prend presque toute la place, qu'on trouve encore aujourd'hui dans la Chine du Nord, fait de briques chauffées avec des braises du foyer domestique, suffisamment grand pour que la mère qui vient d'accoucher puisse s'y tenir avec ses autres petits. L'une de ses belles-sœurs est peut-être à ses côtés, venue servir le bol d'eau bouillie à la parturiente.

Là on cultive le maïs et le sorgho. On élève aussi quelques cochons. Hommes ou femmes portent la tunique courte ordinaire des gens simples qui travaillent de leurs mains, doublée ou non de molleton, par-dessus la culotte plus ou moins longue ou le pantalon. Personne au village n'arbore la robe longue des notables ou lettrés, sauf le maître que les quelques familles les moins pauvres ont fait venir d'un plus gros village du district pour enseigner à l'aîné de leurs garçons.

En manière de salut, l'expression usuelle est : «Avez-vous mangé ?» Le dicton le plus commun : «Un ventre vide est la vérité qui compte le plus.» Ainsi voit-on bien de quoi cette vie est faite. Au moins la faim ou le froid prouvent-ils qu'on est vivant. Ce qui n'est plus le cas du troisième garçon chez les Yan, mort en bas âge.

En 1895, l'impératrice Cixi, soixante ans, règne sur la Chine depuis plus de trente ans et la dynastie des Qing depuis 1644. Partout dans le pays, on craint les changements de dynasties, et les changements tout court qui inéluctablement exposent les pauvres gens à plus de misère, aux massacres, aux pillages et aux viols. Ils ont assez à faire avec les aléas du climat, la sécheresse, les inondations, les vents violents, les sauterelles, les mauvaises saisons, les mauvaises récoltes… C'est déjà beaucoup si l'on n'est pas malade.

Jour faste ou néfaste que celui de la naissance de Yan Baohang ? On sait seulement que ce jour-là, on se bat dans les villages alentours. Des troupes nippones ont abattu des soldats à natte de l'Empire. Onze jours plus tard, le 17 avril 1895, le traité de Shimonoseki met fin à la guerre sino-japonaise commencée l'année précédente. Mais à quel prix ! La Chine cède Formose et les 90 îlots de l'archipel des Pescadores. Dans la province de Liaoning, elle cède la presqu'île du Liaodong, dont Port-Arthur. Elle reconnaît «l'indépendance» de la Corée, désormais sous protectorat japonais. Elle débourse 740 millions au titre d'une indemnité de guerre en faveur de l'Empire nippon et doit ouvrir sept de ses ports aux marchands japonais. Ce traité, parmi tant d'autres «traités inégaux», est appelé en Chine le traité «du déshonneur». Dans le même temps les puissances occidentales développent sur tout le continent des territoires érigés en concessions. En résumé, Yan Baohang naît dans un pays qui ne s'appartient plus, ou si peu.

Pire, l'Empire du Grand Qing qui brade ainsi la Chine ne parvient pas à s'extraire d'un État semi-féodal, majoritairement peuplé de paysans pauvres, peu alphabétisés.

Le sentiment d'humiliation de se voir ainsi colonisé accable les élites chinoises. Mais c'est moins la faiblesse d'un régime à bout de souffle qui affecte les pauvres gens que la famine qui dès l'année suivante frappe tout le nord de la Chine à la suite d'un dérèglement climatique d'une ampleur inhabituelle.

Yan Baohang est né un 6 avril sous le signe de la chèvre. Il n'est pas certain que ce soit un signe heureux. L'astrologie chinoise dit seulement que sa dominante est le yin. De tous les signes du zodiaque, c'est le plus généreux. Il aime à se rendre utile, il prend la défense des plus faibles, des miséreux, des opprimés. Son empathie est désintéressée.

21

« Le sot jacasse, le singe écoute. »

ADAGE CHINOIS

En attendant qu'il soit assez grand pour le travail aux champs, le Quatrième, douze ans, garde les cochons. Il tient l'enclos et la soue. À une époque où le cochon est symbole d'abondance et de prospérité, ça n'est pas rien d'être porcher à condition de ne pas en manger mais de l'engraisser pour le vendre. Et pour cela, il faut que les cochons soient en bonne santé, il faut veiller à ce qu'ils ne se mutilent pas en se battant, chasser les rats de la soue, tenir le verrat resserré, et la truie ; mettre à l'abri des grands froids, les porcelets de ce printemps encore à l'allaitement, les nourrir d'épluchures et de déchets de maïs, ramasser le lisier pour l'engrais du potager, conduire les porcelets sevrés et les jeunes à la glandée en prenant garde aux poulaillers.

Le Quatrième ne s'en tire pas trop mal, gaule en main, par les venelles de terre battue de Xiaogaolifang. En route vers la rivière, le Quatrième longe le petit pavillon où se tient le maître, robe longue et badine. Une salle. Six élèves. Fenêtre sans papier ni gaze par laquelle le Quatrième peut entendre et voir les chanceux qui récitent le *Sānzìjīng,* le Classique des trois caractères, et parmi les chanceux, il y a Ersuo, même âge que le Quatrième sauf que lui, ses parents ont assez d'argent pour payer le maître.

Ça n'est pas faute, pourtant, d'avoir demandé à pouvoir étudier et sans même connaître le proverbe chinois : «Tous les métiers sont vils, seule l'étude est noble.» Rien ne dit que la mère n'eût pas été d'accord avec le proverbe, la question n'est pas là. La mère a simplement dit qu'ils n'ont pas l'argent. Le peu qu'ils ont, le père a décidé que ce serait pour envoyer le Deuxième à l'école. Le Premier sera paysan, le Troisième est mort. Alors, toi, le Quatrième, tu es gardien des cochons.

Nulle injustice à cela, pense le Quatrième. La seule injustice c'est de voir, par la fenêtre de l'école, combien Ersuo s'ennuie. Combien il est pressé que la leçon finisse pour retrouver le Quatrième. Pressé de se rendre avec son ami à la rivière, trouvant plus amusant de prendre la gaule et guider les cochons, prendre la gaule et la ficher dans l'eau de la Taizi alors que, lui, le Quatrième, il est si désireux d'apprendre.

Ce jour-là, Maître Fan entame pour la énième fois le fameux *Sānzìjīng* de la dynastie Song.

La méthode de Maître Fan est toujours la même : «en manière de lancer des fruits aux singes», comme on dit, Maître Fan lance le premier vers d'une série de quatre, composés uniquement de trois caractères et il interroge un élève qui doit savoir la suite par cœur. L'auteur a été assez habile pour composer ce bréviaire de l'instruction élémentaire qui, en un peu plus de mille signes et 356 caractères, résume les connaissances générales indispensables touchant à la grammaire, à l'arithmétique, à la chronologie historique, aux classiques littéraires autant qu'à la morale inspirée de Confucius. De sorte que tout jeune Chinois, par cette récitation, s'est familiarisé avec les sinogrammes d'usage courant, leur déchiffrage et prononciation et, cela, jusqu'après le milieu du XXe siècle, autrement dit jusqu'à ce que la Révolution culturelle en bannisse le prétendu substrat idéologique féodal.

Pour en revenir à Maître Fan, le voilà qui récite : *rén zhī chū* « Les hommes à la naissance… » Et de la pointe de sa badine, il interroge Ersuo pour entendre la suite. Mais Ersuo, le nez en l'air, est dans la lune. Il n'a pas entendu, ne sait pas où on en est. Si, maintenant il le sait car un coup de baguette, aïe, vient de le ramener à sa place et, depuis la fenêtre, le Quatrième voit la marque vive, rouge, cuisante qu'il a tant de fois vue sur les mains enflées de son ami en rentrant de l'école. Alors, pris de pitié, il commence à souffler la réponse à son ami, en espérant qu'Ersuo l'entende et non Maître Fan :

– *xìng běn shàn* naturellement sont bons…
xìng xiāng jìn et naturellement tous semblables.
xí xiāng yuǎn ils diffèrent par les habitudes qu'ils contractent.

145

Ou bien Ersuo est sourd ou bien il est tout entier absorbé par la douleur, en tout cas, il ne dit rien, et voici que, aïe, de nouveaux coups de baguette pleuvent et Maître Fan lance une autre partie :

– *sān gāng zhě* Les Trois Règles sont…

Et le Quatrième aussitôt, un peu plus fort :

– *jūn chén yì* le devoir entre le souverain et le sujet

fù zǐ qīn l'affection entre le père et le fils

fū fù shùn l'harmonie entre le mari et la femme.

Alors, la badine reste suspendue et Maître Fan, se tournant vers la fenêtre :

Et toi, qui es-tu ?

22

« Il y a parmi vous des tigres et des dragons. »

Proverbe Chinois

« Je ne suis que le porcher de mon père », répond le Quatrième et, craignant que son intervention n'aggrave le sort d'Ersuo, le voici qui prend sa défense auprès de Maître Fan, expliquant que seule la crainte de la badine a empêché Ersuo de répondre car il connaît son texte : que de fois Ersuo l'a-t-il récité par cœur quand il vient à la rivière Taizi rejoindre son ami !

Maître Fan ne s'en laisse pas conter. Il commence par intimer au Quatrième l'ordre d'entrer dans la salle d'étude puis se lance dans une diatribe contre Ersuo, « dont le père se tue au travail pour permettre à un paresseux d'apprendre à lire et à écrire, au lieu de quoi Ersuo manque du respect élémentaire dû à un père comme il manque du respect élémentaire dû à un maître en n'apprenant rien ». Puis se tournant vers le Quatrième : « Et, toi, le porcher, que sais-tu encore du *Canon en Trois Caractères* que ton ami, lui, ne sait

147

pas?» Et le Quatrième de réciter les 44 vers rimés du premier chapitre sur la nature de l'homme, la nécessité de l'éducation, la piété filiale, s'appliquant à prononcer correctement la langue classique mandarinale, malgré le fort accent qui lui vient du dialecte en usage dans le Nord-Est. «Et la suite, la connais-tu? interroge le maître de plus en plus intrigué.» Et le Quatrième de débiter les 66 vers rimés de l'arithmétique et leçon de choses.

«Et que sais-tu au sujet des bons livres ?» demande encore le maître.

– Je ne les connais pas tous mais seulement quelques parties, répond le Quatrième.

– Bien. Commençons :

"Pour ceux qui étudient
il doit y avoir un commencement.
Après l'étude élémentaire des caractères
vient celle des Quatre Livres."»

Et le Quatrième d'enchaîner :

«Les Entretiens de Confucius
comprennent vingt chapitres
dans lesquels les disciples
ont transcrit ses bonnes paroles
Le Mencius comprend sept livres
qui traitent de la Voie et de la Vertu

et exposent les principes
de l'altruisme et de la justice.
L'Invariable Milieu
fut rédigé par Zisi.
Milieu est ce qui ne dévie pas.
Invariable est ce qui ne change pas.
Le Classique de la Piété Filiale su par cœur
et les Quatre Livres pénétrés
on passera aux Six Classiques
qu'on peut désormais aborder.
Le Livre des Odes
le Canon des Documents
le Livre des Mutations
les Mémoires sur les Rites
les Rites des Zhou
les Printemps et Automnes
sont les Six Classiques
qui doivent être expliqués et approfondis.»

«Mais, après, je ne suis plus très sûr», dit le Quatrième.

Le maître, assez ébahi, comprend que, de sa fenêtre, l'enfant a bien mieux profité des leçons que son camarade. Reste à savoir si le Quatrième sait écrire. Là-dessus, l'enfant doit admettre qu'il n'a l'usage ni de la plume ni du pinceau mais qu'à l'aide d'un bambou il lui est arrivé d'écrire sur le sable des berges de la rivière et, de l'index, il en fait aussitôt la démonstration avec les premiers sinogrammes du *Cent noms de famille,* le plus connu des textes anciens. Certes, Maître Fan relève quelques erreurs mais ce n'est pas de cela qu'il compte bien s'entretenir dès ce soir, en tête à tête avec le père du Quatrième.

Que Maître Fan, seul de Xiaogaolifang à porter la robe longue des lettrés, daigne rendre visite à un paysan, voilà qui a de quoi impressionner Yan Decheng. Mais le maître n'entre pas. Il cherche simplement à savoir quelles raisons empêchent le père du Quatrième de mettre son fils à l'école. Yan Decheng balbutie qu'il n'a pas d'argent. Alors, le Maître, lui coupant la parole, certifie que le Quatrième montre d'heureuses dispositions et comme c'est là un compliment agréable à entendre dans une vie où les occasions de se réjouir ne sont pas si fréquentes, le père laisse échapper : «Bon. Dans ce cas, on verra… on verra si on trouve l'argent pour le Quatrième.» Alors, le maître dit : «Écoute, le temps est venu pour ton Quatrième. Pour ce qui est de l'argent, tu n'auras rien à débourser pour ce fils-là.»

C'est ainsi que pendant deux ans à Xiaogaolifang, Yan Baohang suit l'enseignement de maître Fan et lui donne pleinement satisfaction. Nous sommes en 1909, Yan Baohang a quatorze ans. Maître Fan se résout à lui dire : «Voilà, je ne peux plus rien t'apprendre. Xiaogaolifang, pour toi, c'est fini. À présent, il te faut aller à Haicheng. Et de cela je vais m'entretenir avec tes parents.»

23

« Connaître sa nature, c'est connaître le Ciel. »

MENCIUS, LIVRE VII A,

SECTION I ET 4

(380-289 AV. J-C.)

Que Yan Baohang puisse se rendre à Haicheng, éloignée de son village natal d'environ 150 kilomètres, ses parents ne l'entendaient pas de cette oreille. Le Quatrième serait perdu pour la ferme, le lopin de terre et les cochons, autrement dit perdu pour eux. Sans jamais avoir étudié ni l'un ni l'autre, ils savaient pourtant, comme tout Chinois de cette époque, que trois choses sont contraires à la piété filiale : la première est d'encourager les parents à mal faire par des flatteries et une coupable complaisance ainsi que s'y était employé avec eux le Maître Fan. La seconde, de ne pas vouloir exercer une charge lucrative pour soulager l'indigence de ses vieux parents, ce qui à coup sûr adviendrait si d'aventure le Quatrième partait étudier à la ville. La troisième, de n'avoir ni femme ni enfants et de cesser ainsi les offrandes aux ancêtres.

Et de ces trois fautes, la plus impardonnable est de rester sans postérité dit le Mencius.

La première disposition prise par les parents de Yan Bao-hang fut donc de donner à leur garçon une épouse «pour lui lier le cœur». Du reste, il était temps : le Quatrième avait quatorze ans et, selon la coutume, la jeune fille était déjà désignée. L'usage était de marier entre eux des enfants qui se connaissaient parfaitement. Il arrivait que cet accord sur un mariage à venir soit conclu entre les familles sitôt que les mères étaient enceintes : «Si c'est un garçon, garde-le moi pour ma fille», se disaient compères et commères. Et si rien de tel ne s'était conclu, l'usage alors était de s'en rapporter à une marieuse ou un marieur. Il allait de soi qu'aucun sentiment n'était requis mais seulement l'accomplissement du devoir.

Le Quatrième eut beau protester qu'il ne voulait pas se marier, il n'y eut pas à transiger là-dessus. La mère du Qua-trième ordonna à son fils de mettre ses vêtements neufs pour accueillir son épouse.

Mais quand ils revinrent de chez les beaux-parents avec la fille, Yan Baohang avait disparu. C'est alors qu'au milieu de cette noce où personne ne manquait sauf le marié, Maître Fan entra en scène. Comme il n'avait pas l'intention de semer le trouble mais d'apaiser, il prit soin de faire en sorte qu'en ce jour faste, chacun put voir que la modeste demeure de Yan Decheng était infiniment honorée de la présence du seul porteur de robe à la ronde. Maître Fan demanda à parlementer.

D'homme à homme, on exposa la cause. Yan Decheng eut d'abord le dessus : «Les études sont terminées, le Quatrième doit se marier!» Maître Fan laissa tout le temps nécessaire à Yan Decheng pour exprimer sa volonté paternelle et il lui donna raison. Yan Decheng en soupira, d'aise si bien que le maître estima possible d'avancer que, si le fils s'acquittait du plus impérieux des devoirs de piété filiale, prendre femme, dès lors, le père pouvait bien consentir à ce que le fils poursuive des études pour lesquelles, lui, Maître Fan, affirmait que le Quatrième était particulièrement doué et que ce serait pitié de laisser perdre ce talent.

Yan Decheng resta un long moment sans voix. Puis, il considéra qu'après tout, avec la jeune mariée, sa propre femme gagnerait une aide supplémentaire; tout n'était pas perdu. Et puis, qui sait, avec un peu de chance, le Quatrième finirait par être admis aux examens mandarinaux de premier niveau. Au milieu de cette rêverie - car Yan Decheng ignorait que les examens mandarinaux avaient été supprimés depuis trois ans sur ordre de l'impératrice -, il repensa soudain à tous les invités qui attendaient dehors de savoir si la noce se ferait ou non. Il donna son accord.

Gaosu était une jeune paysanne de seize ans. Originaire d'un village voisin, elle en parlait le dialecte dont l'accent très prononcé ressurgirait bien plus tard quand elle ne s'exprimerait quasiment plus qu'en mandarin.

Née sous le signe du serpent, ses données astrales combinées avec sa planète, son élément et sa couleur ne montraient pas d'incompatibilité avec celles de son jeune mari. C'est du moins ce qu'avait argué le marieur et, le Ciel en fut témoin le jour même : Yan Baohang crut bon d'informer immédiatement Gaosu que, tout de suite après le mariage, il se rendrait à la ville pour étudier.

Très bien, répondit-elle.

De son côté, Gaosu avait aussi une requête : on lui avait bandé les pieds, elle voulait que cela cesse.

Très bien, répondit-il.

Ainsi se montrèrent-ils aussitôt contents l'un de l'autre.

24

« Et alors je pourrais souffrir encore plus pour avoir
voulu éviter la souffrance, et quand mon cœur
ne sera plus que souffrance, j'oublierai la souffrance. »

LAO SHE,
QUATRE GÉNÉRATIONS
SOUS UN MÊME TOIT, 1949

Il faut dire deux mots des pieds bandés.

Pendant plus de mille ans les femmes en Chine ont su ce que c'était. Sauf pour les ethnies mandchoues et mongoles et, plus généralement pour les nomades – les femmes montant à cheval –, pratiquement toutes les autres, notamment les Han, largement majoritaires en Chine, ont été soumises à cette mutilation.

C'est à la fin de la dynastie des Tang, au Xe siècle, qu'on situe la naissance de cette pratique. L'empereur taoïste, Tang Aidi aurait prié l'une de ses jeunes concubines de lui accorder cette faveur pour stimuler son désir pendant l'exécution de la danse du lotus.

Associée à la vie de cour et donc à l'idée de noblesse, cette coutume se serait répandue dès le siècle suivant dans les strates élevées de la société, les femmes n'étant guère occupées à des tâches exigeant une totale liberté de mouvement. Mais bientôt, ce critère s'impose à toutes les classes, à l'exception des plus déshéritées, si bien qu'un bon mariage pour la famille de l'épousée est inconcevable sans pieds dûment atrophiés. La pratique des pieds bandés qui était à l'origine un fétichisme devient une marque de distinction sociale – les travaux des champs étant impossibles avec un petit pied – autant qu'un critère esthétique. Tant et si bien qu'une fille dotée de «grands pieds», autrement dit de pieds normaux, ne trouve pas de mari.

On commençait à empêcher la croissance naturelle du pied vers l'âge de cinq ans, parfois moins. On repliait fermement les orteils, à l'exception du gros orteil, vers l'intérieur de la voûte plantaire sévèrement courbée sinon cassée, pour réduire sa longueur, puis on maintenait l'ensemble, nuit et jour, à l'aide d'une ligature très serrée. Enfin, on glissait le pied dans un ravissant chausson brodé, pointu, de plus en plus petit, jusqu'à obtenir la taille et la forme convenable censées figurer un bouton de lotus. Le cou-de-pied s'en trouvait exagérément cambré, le pouce seul pointant au bout de la petite forme effilée entravant considérablement la marche. Quant à la douleur, n'en parlons même pas.

Fractures, nécroses, congestion, œdèmes, et autres infections accompagnaient fatalement l'opération. Malgré l'impérieuse nécessité de changer ces bandes quotidiennement, d'appliquer des solutions antiseptiques, d'éliminer peaux mortes et ongles incarnés, les cas de septicémie n'étaient pas rares. Cette pratique imposait un quasi tabou du pied nu, qu'il était impossible d'exhiber hors les bandelettes et les chaussons.

La nécessité de travailler aux champs avait en partie, en partie seulement, épargné ma grand-mère. Puis elle avait eu le courage de dire à son jeune mari qu'elle désapprouvait cette tradition et Baohang avait été d'accord avec elle pour reconnaître qu'il s'agissait là de pratiques d'un autre âge et qu'il était bon qu'elle eût, comme on disait alors, «le pied libéré».

À cet égard, ils étaient en avance sur leur temps, car s'il est vrai que trois ans après leur mariage, le gouvernement de la République interdisait cet usage, on continuait d'y sacrifier clandestinement. Il fallut attendre 1949 pour voir enfin appliquer l'interdiction. Mais pour Gaosu, dont les parents avaient hésité entre l'utilité des pieds bandés pour lui trouver un mari et le besoin d'avoir une enfant valide aux champs, c'était en partie déjà trop tard.

Dans son cas, l'arrêt du protocole avait permis que ses pieds retrouvent un peu de leur forme naturelle bien que des fractures et nécroses irréversibles eurent déjà affecté ses métatarses. Bien sûr, ce que ma grand-mère chérie m'avait un jour montré, la pudeur lui faisant baisser délicatement les yeux, semblait avoir la consistance du caillé de soja et ressemblait à un ravioli trop cuit. Cela restait, disons-le, très étrange.

25

« Tiens ta vie au plus près puis avance sans regret ! »

WANG SENGDA,
EN SOUVENIR DU PRINCE DE LANGYE (423-458)

Il est des périodes de la vie où tout va plus vite. Ainsi pense Yan Baohang, quinze ans, lorsqu'il entame ses études secondaires à Haicheng.

Élève dans une école de campagne, il y apprenait par cœur le canon néo-confucéen car, depuis 1313, les sujets des examens impériaux étaient obligatoirement extraits de ces textes.

Or ces examens impériaux ont été abolis. Un ministère de l'Éducation a été instauré. Les premières écoles modernes d'enseignement, en partie occidentalisées, ont commencé à remplacer les académies traditionnelles.

Il n'y a pas si longtemps, seule la langue classique était employée par les fonctionnaires de l'Empire, dans les documents officiels et les livres d'Histoire. Et voici qu'on évoque la possibilité de s'exprimer en langue vernaculaire, autrement dit la «langue des tireurs de pousse-pousse et des vendeurs de lait de soja», comme l'appellent ses détracteurs avec dédain.

Il n'y a pas si longtemps, l'Empire semblait inébranlable et toujours d'actualité le «décret de tonsure» promulgué à l'avènement des Mandchous, instituant pour tous les hommes le port obligatoire de la natte. Et voici qu'un mouvement général en faveur d'une révolution nationaliste commence à voir le jour. Parmi les contestataires, il n'est question que de «Société pour le Renouvellement de la Chine»… Sans parler de la Société révolutionnaire, fondée à Tokyo en 1905 par un certain Sun Yat-Sen.

Hier encore, à l'occasion de son mariage, on avait prié le dieu du sol en vue d'obtenir bonheur et protection, on avait prié le dieu des fossés et des murailles contre les maladies, on avait honoré les esprits du Ciel et de la Terre. On ne s'était pas dressé contre le précepte confucéen qui veut que l'épousée quitte sa famille pour toujours et on avait dédommagé la belle-famille pour la force de travail qu'on venait de lui prendre. En revanche, on ne se privait pas de remarquer que l'époux, Yan Baohang, ayant admis l'arrêt de la pratique des pieds bandés, consentait par là même et contre la tradition à ce que sa femme puisse aller et venir librement, en dehors du strict espace domestique où cette coutume cantonnait les autres femmes. Au point que s'il n'avait été si bon garçon, on aurait pu craindre qu'il ne fût partisan des nouvelles mœurs au nom desquelles on avait tendance, paraît-il, à négliger la mère au profit de l'épouse.

La découverte par Yan Baohang de la vie citadine est remplie d'autres nouveautés non moins exaltantes : la volonté de modernisation exprimée à la toute fin du siècle par les réformistes des Cent jours, groupés autour de Kang Youwei et de son «parti moderne», commence à porter ses fruits. Au lieu des «Trois enseignements» issus du confucianisme, du taoïsme et du bouddhisme, «l'école étrangère», dont Yan Boahang est maintenant l'élève, prône les mérites du savoir scientifique. On y dresse la liste des manquements à l'hygiène et des obstacles au développement raisonné de l'agriculture induits par le taoïsme paysan. La consultation de *l'Almanach jaune* est décriée. Édicté par le palais impérial, cet almanach recensait les jours fastes, les interdits et les sacrifices qu'imposait chaque jour. On évoque à ce propos le mot de «superstition», inusité jusque-là. Il est question de progrès, de réformes, d'aspiration à une modernisation de la Chine. Pour un jeune homme, assoiffé de connaissance, désireux de s'accomplir, ces dix premières années du XXe siècle se montrent à lui riches de promesses.

Il a vu juste. En 1911, il a seize ans, les thèses jugées subversives de Kang Youwei sont explosées par l'insurrection victorieuse du 10 octobre de cette année-là. C'est la Révolution Xinhai, conduite par des organisations révolutionnaires, rassemblant intellectuels, étudiants et ouvriers. Bientôt, un soleil blanc sur fond bleu, emblème du Docteur Sun Yat-sen, est agité partout ou presque.

161

Quels principes cet emblème recouvre-t-il ? En premier lieu l'indépendance et l'éradication de l'impérialisme étranger. Car, souvenons-nous, depuis la naissance de Yan Baohang, en 1895, l'Empire a concédé, tant au Japon qu'aux puissances occidentales, des rétributions ruineuses et humiliantes, sans parler du régime des concessions. Enfin, ce que les insurgés exigent : la fin de la domination mandchoue.

L'événement est colossal. La République balaie l'Empire qui gouvernait ce pays-continent depuis plus de deux millénaires. Désormais, on célèbre le «Double Dix» (10 octobre), date anniversaire de la Révolution de 1911. Le dragon et soleil rouge de la Dynastie Qing s'effacent au profit du drapeau à cinq bandes de couleur horizontales symbolisant l'union des cinq ethnies chinoises et mettant fin à la seule domination des Manchous. Un roturier pénètre la Cité interdite. Le gouvernement s'installe à *Zhongnanhai*. On abandonne le vieux système de division des journées et des nuits en veilles, environ deux heures chacune, qui variaient selon la saison. Et, pour mieux fixer l'incroyable changement, à la manière de la Révolution française, non seulement l'ancien calendrier lunaire est abandonné le 1er janvier 1912, date de la prise de fonction de Sun Yat-sen en tant que président de la première République, mais le parti nationaliste, ou Kuomintang, fondé par ce nouveau président décrète que les années seront désormais comptabilisées à partir de l'ère nouvelle ouverte par cet incroyable chambardement.

L'année suivante, en 1913, Yan Baohang réussit le concours de l'École normale du Fengtian. Une ville plus grande encore que Haicheng où il brille par ses résultats.

Mais la situation politique demeure fragile. Dans une Chine dépourvue de traditions démocratiques, encore dominée par de riches seigneurs de guerre dotés de véritables armées, les aventuriers sont légion. Et l'empereur Taishō du Japon voit dans la faiblesse des institutions chinoises l'occasion d'accroître la mainmise économique et politique depuis la guerre russo-japonaise de 1904-1905, quand le vainqueur des Russes s'octroyait le Liaodong (Port-Arthur) et colonisait la Corée. En 1915, l'empereur nippon obtient donc facilement satisfaction à ses Vingt et une demandes. Moyennant quoi il avance un pion supplémentaire dans son projet de faire de la Chine rien moins qu'un protectorat.

Le sang de Yan Baohang ne fait qu'un tour. L'heure est à l'action. Tandis qu'il entame une licence qui le destine à l'enseignement, Baohang est de toutes les manifestations. Il commence à publier des articles dans les journaux et magazines, organise ses premiers meetings, prononce ses premiers discours où il en appelle à la naissance d'une conscience citoyenne nécessaire à la lutte antijaponaise. Il est ni plus ni moins en train de devenir un activiste, contestataire et progressiste, auquel on donne à présent le nom d'intellectuel.

26

«Comme disent les anciens : Le lettré qui revient au bout
de trois jours doit être considéré d'un autre œil.»

Lu Xun, *La Véritable histoire de Ah Q*, (1921)

À deux pas de l'École Normale du Fengtian, aujourd'hui Shenyang, se dresse un temple protestant. Rien d'étonnant à cela, vu que non loin se trouve le siège de la Young Men's Christian Association, plus connu sous l'acronyme YMCA. Cet organisme d'inspiration évangélique, créé à Londres au milieu du XIXe siècle, a essaimé un peu partout dans le monde. Mais à la différence des premiers missionnaires portugais, arrivés à l'aube du XVIe siècle, ou des premiers jésuites italiens à la fin de ce même siècle, les pasteurs protestants se tiennent prudemment à l'écart de tout prosélytisme, s'affirmant au contraire désireux d'accueillir tout le monde, garçons et filles, religieux ou non et surtout, observe Baohang.

Leurs vastes locaux sont ouverts sur la modernité. Mille raisons peuvent conduire à y entrer. Consulter en libre accès des livres à la bibliothèque, profiter du foyer fréquenté par des étudiants, assister à des conférences, des spectacles, des séminaires sur les sujets les plus divers et controversés, alimenter soi-même le débat, solliciter un bureau d'entraide ou d'assistance pour un problème de logement, de santé, de travail ou d'ordre familial. S'inscrire à des cours du soir, programmer des rencontres, prendre le thé tout en feuilletant la presse chinoise et anglo-saxonne… Mille activités y sont proposées, à caractère spirituel mais aussi convivial, intellectuel, artistique, social, ou même sportif dont le basket et le volley-ball.

Comme la plupart des Chinois du Nord-Est, Yan Baohang est grand. On ne tarde pas à le convaincre d'opter pour le basket et il se révèle bientôt l'un des piliers de l'équipe.

Baohang s'est renseigné. Il a appris ce qui a motivé le fondateur de la YMCA : la prise de conscience des conditions de travail misérables des jeunes ouvriers de Londres, leur détresse physique et morale, leur abandon spirituel.

Quand il ne s'agissait pas de l'organisation des compétitions sportives, les réunions organisées par la YMCA traitaient de la doctrine du christianisme social, l'idée que l'Église de la Réforme oblige tout fidèle à un engagement actif, personnel, de solidarité avec les plus démunis en vue de parvenir à une plus grande justice sociale.

Les valeurs d'entraide mises à l'honneur par ces pasteurs parlent d'autant plus à Baohang qu'il n'a pas oublié le soutien actif de son premier maître d'école. De sorte que commence à se dessiner dans son jeune esprit l'idée qu'il ne saurait rester seul dépositaire du profit qu'il a tiré de cette main tendue et qu'il lui faudra trouver à son tour les moyens de tendre la main à d'autres déshérités.

Semblable à tous les jeunes Chinois éduqués de son temps, il suit au jour le jour avec la plus grande attention le séisme provoqué par la chute de l'Empire comme les soubresauts qui en résultent. Il n'est pas si fréquent que l'Histoire de votre pays vous donne le sentiment d'être partie prenante des événements.

Les questions se bousculent : comment se fait-il que l'Empire, pourtant deux fois millénaire et plus, se soit effondré comme un jeu de cartes ? Pourquoi la Chine n'a-t-elle pas bénéficié de réformes telles que le Japon voisin, vieil empire lui aussi, a su les mettre en œuvre depuis le milieu du XIXe siècle ? Pour quelles raisons les sciences occidentales et la modernisation industrielle peinent-elles à pénétrer le monde chinois ? Pourquoi ce pays essentiellement agricole connaît-il des famines récurrentes, dont celles de 1907 à 1911 ? Comment expliquer qu'une des civilisations les plus anciennes et brillantes au monde en soit arrivée à ce point de décomposition qu'elle ait pu être pillée par les puissances occidentales en opposant si peu résistance ?

Dans les locaux de l'Association, entre les jeunes étudiants chinois, déjà diplômés ou en passe de l'être, ces thèmes sont débattus avec l'enthousiasme qu'on imagine. Les uns mettent en avant la corruption de l'ensemble du système. Les autres pointent les méfaits spécifiques du despotisme mandchou qui a livré le pays sans défense à l'agressivité des impérialismes occidentaux et japonais conduisant l'Empire à fermer sa porte et à se replier sur lui-même tandis que le monde occidental, lui, a déjà connu deux révolutions industrielles.

Mais tous s'accordent sur un point : le système des mandarins perpétué par l'Empire, autrement dit la production par l'Empire d'une élite formée à reproduire l'orthodoxie d'État en échange de charges civiles et militaires, est ce qui a conduit le pays à l'apathie. Et, un jour, Yan Baohang va plus loin : « Qu'est-ce que l'orthodoxie d'État, sinon l'enseignement hérité de Confucius et Mencius ? Pensée humaniste, certes, mais contenue dans les limites étroites de la pensée traditionnelle. À cette perpétuation d'une tradition où, tant la société que la famille sont structurées sur le modèle de l'Empire depuis le Ve siècle avant notre ère et jusqu'en ce début du XXe siècle, quelle autre définition donner sinon qu'elle est d'essence féodale ou semi-féodale ? Pour le dire autrement, quelle validité accorder à la première ligne du *Canon en Trois caractères* tel que nous l'avons tous appris : *« La nature humaine à l'origine est bonne »*, quand des millions de paysans, des millions de miséreux et des millions d'analphabètes sont laissés sur le bord du chemin ? »

Yan Baohang a parlé d'un trait. Son discours a porté. À son aisance, on devine qu'il a déjà beaucoup lu. Peut-être même a-t-il déjà consulté la fameuse revue *Nouvelle Jeunesse*, lancée à Shanghai en 1915, où les idées occidentales sont exposées, des idées libérales et marxistes. Yan Baohang ne cessera plus d'être ce brillant orateur, prenant soin de conclure son exposé sur une référence érudite, ne serait-ce que pour prouver que «ses classiques», il les connaît lui aussi. Il cite donc le premier vers du poème *La salle de l'encre ivre de Shi Cangshu,* de Su Dongpo, un auteur de la dynastie Song, qui a vécu entre le XIe et le XIIe siècle : *«C'est quand on apprend à lire que les ennuis commencent.»* Naturellement, en bon dialecticien, s'il cite ce vers, c'est pour mieux le retourner : *«C'est quand on commence à lire, que tout commence!»* conclut-il.

Il n'en faut pas davantage pour que le nouveau secrétaire général de la YMCA, le pasteur Joseph Platt, qui vient d'apprendre que Yan Baohang s'est converti, s'intéresse de plus près à ce jeune homme.

27

« *Les envahisseurs ont ravi le berceau de Chine*
L'homme d'esprit se noie désormais sous les larmes
Ne me prenez pas pour un de ces lettrés couards
Un cheval sous ma selle – Je frapperai l'ennemi! »

LU YOU, *UN LONG SOUPIR* (1125-1210)

En dehors de Joseph Platt, l'organigramme de la YMCA de Shenyang compte bon nombre de ressortissants anglais. Très vite, tous sont d'accord pour penser qu'il serait judicieux de ne pas laisser perdre les heureuses dispositions du jeune Yan Baohang et de l'envoyer approfondir ses études dans quelque bonne université du Royaume.

Seulement voilà, les mots d'ordre «émancipation», «libération», en tête de toutes les manifestations organisées par Yan Baohang, sont loin d'être pour lui des coquilles vides de sens. Ceux qui pensaient que son activisme politique, celui de ses années d'étudiant, laisserait place à de plus sages résolutions en vue d'une carrière d'enseignant, n'ont pas bien mesuré son ardeur à tout mener de front, tambour battant.

Désormais, il enseigne. Mais il n'a pas renoncé à la lutte contre les Japonais qui, depuis 1905, ont investi Shenyang à la place des Russes. Non seulement sa charge d'enseignant ne l'empêche pas de continuer à organiser meetings et manifestations, mais il entraîne ses propres élèves dans la résistance. Son idée est que seul un peuple éduqué pourra s'émanciper aussi bien de l'héritage féodal que du legs colonial ou néocolonial. Il expose donc à ses compatriotes que le renforcement de la présence des Japonais dans le Nord-Est se trouve facilité par le pouvoir accru des seigneurs de guerre depuis la chute de l'Empire. Sur ces sujets, il anime des groupes de réflexion. Il met en place des comités d'action. Et il voit naître sa première fille, Mingshi. C'est le printemps 1916, il n'a que vingt et un ans.

Dans ce contexte, le patron de la YMCA comprend bien que la suite du cursus universitaire de Yan Baohang en Angleterre n'est pas pour tout de suite. Mais outre ces raisons objectives Joseph Platt va s'apercevoir qu'il y a encore autre chose qui diffère ce projet.

Ce quelque chose tient à une constatation : sans la générosité fortuite d'un maître bienveillant, l'itinéraire de Yan Baohang, issu d'une famille pauvre, aurait été inconcevable. C'est pourquoi son projet est de créer des écoles gratuites destinées aux enfants dont les parents n'imaginent même pas qu'on puisse y entrer. Mais cette gratuité ne suffit pas. Encore faut-il pouvoir fournir le papier, l'encre, les pinceaux nécessaires aux élèves et les initier aux techniques qui leur permettront de gagner leur vie, leur donneront un métier, les sortiront de leur quasi-servage, les libéreront de l'aliénation résultant de leur naissance. Et, Yan Baohang s'avance encore un peu plus : la question du financement, quoique fondamentale, sera abordée plus tard mais pour ce qui est des locaux, il ose : «La salle où se tiennent vos cours du soir, dit-il à Joseph Platt, celle qui est installée dans l'ancien temple taoïste, vous êtes bien d'accord que l'Association n'en a pas l'usage dans la journée ? On pourrait bien imaginer y abriter cette école des enfants pauvres… En attendant mieux… Et sans inconvénient majeur…»

Cette salle, Joseph Platt la lui octroie pour y lancer ce projet fou d'une école destinée aux enfants pauvres de la province et il prend soin d'ajouter que le plan de Yan Baohang s'accorde en tout point aux valeurs les plus chères de la YMCA.

On ne peut pas dire que, cette nuit-là, Yan Baohang ait beaucoup dormi. Il s'est employé à réfléchir à la meilleure manière de faire connaître son école dans les quartiers pauvres de Shenyang. Et comme tout jeune idéaliste, il se figure qu'une fois ses annonces placardées, tout le monde va se présenter. Mais non. Il voit bien que c'est plus compliqué : il faut aux intéressés beaucoup de courage pour venir se renseigner. Demander par exemple pourquoi l'école est installée chez les pasteurs et pour quelles raisons des protestants accueilleraient-ils de jeunes élèves chinois si ce n'est pour obtenir leur conversion. Il faut s'assurer que c'est *vraiment* gratuit, surmonter la honte d'avoir à s'avouer pauvre et, la plupart du temps, analphabète.

De fait, ses premiers élèves, il devra aller les chercher lui-même dans les quartiers pauvres. Cela va lui prendre du temps. Mais au bout d'un mois, il a devant lui ses sept premiers jeunes élèves impatients d'apprendre et qui lui rappellent l'enfant qu'il était.

L'École des enfants pauvres du Fengtian ouvre en avril 1918. Au début, Yan Baohang assure tout : l'enseignement, l'intendance, l'approvisionnement, le ménage. Mais comment financer les achats indispensables ? Comment gagner sa vie ? Joseph Platt songe à des amis étrangers désireux d'apprendre le chinois. Baohang se lance donc dans des cours privés. Il se rend bientôt indispensable à cette communauté influente, par ailleurs sensible à ce qu'il a entrepris et assez aisée pour y contribuer. En outre, Gaosu, restée à la campagne, et devenue le pilier de sa belle-famille, ne manque pas de lui faire parvenir des provisions. Si bien que lors des premières fêtes de printemps célébrées dans «son» école, c'est le professeur Yan Baohang qui remet des étrennes à ses élèves : un kilo, deux kilos de riz ou de farine ou de soja. Cela semble peu de chose mais, dans les familles pauvres, ce n'est pas rien. Et cela fait tout à coup une publicité considérable à l'école.

Parmi ses anciens condisciples de l'École normale, certains sont intéressés par le projet pédagogique et social car ce n'est pas le traitement que Baohang peut leur offrir qui peut les attirer. La réputation de l'école grandissant, les dons permettent d'engager d'autres professeurs. À la fin de l'année, Yan Baohang est nommé officiellement répétiteur pour les élèves des Jeunesses protestantes du Fengtian : il est fonctionnaire. Autant dire un notable dans la Chine de l'époque. Et comme un bonheur n'arrive jamais seul, Gaosu lui donne une deuxième fille, Mingying, en 1919.

28

« Mencius dit : " Tout homme a un cœur qui réagit à l'intolérable." »

LIVRE *II A*, SECTION 6

(380-289 AV. J.-C.)

Au rang des donateurs importants de l'école, Yan Baohang peut compter sur le soutien de Zhang Xueliang. Le «Jeune maréchal», comme on l'appelle, accorde très largement à son ami Yan Baohang soutien moral et soutien spirituel, car Zhang Xueliang est pieux. Lui aussi, s'est converti. À cela s'ajoute son soutien financier non négligeable compte tenu de la fortune paternelle. Un soutien qui va croissant en raison de la sympathie qu'étonnamment ont l'un pour l'autre ce fils d'un paysan pauvre du Nord-Est et le fils, plus âgé d'à peine quatre ans, d'un riche Seigneur de guerre. Car Zhang Xueliang n'est autre que le fils du plus puissant seigneur de guerre, Zhang Zuolin, qui assure le contrôle militaire autonome de sa région d'origine, rien moins que les trois provinces qui composent la Mandchourie et forment tout le nord-est de la Chine.

Or le «Jeune maréchal» est natif du Liaoning, comme Baohang. Et du même district, celui de Haicheng. Cela crée des liens en un temps où les seuls adversaires militaires que les Japonais trouvent dans la région sont les riches et puissantes armées du chef incontesté Zhang Zuolin. Et bien que le «Jeune maréchal» qui, cette année-là, vient d'être nommé par son père chef de sa garde personnelle, ait bénéficié dans sa jeunesse de l'enseignement de précepteurs, c'est dans les locaux de la YMCA qu'il a choisi de parfaire son éducation.

Zhang Xueliang admire Yan Baohang. Car, foncièrement honnête, Zhang Xueliang sait que son prestige de «Jeune généralissime chrétien», il ne le doit qu'à sa naissance. Tandis que le prestige de son cadet, il l'a vu se construire pas à pas avec ce projet fou d'une école pour les pauvres. Et c'est pourquoi il éprouve tant de satisfaction quand il se trouve en situation de présenter nombre de figures de la haute société locale et des communautés étrangères à «son cher compatriote Yan Baohang».

Un événement va contribuer à les rapprocher encore plus étroitement. Muté à Pékin en tant que répétiteur général des Jeunesses protestantes du Fengtian, Baohang y arrive au moment où la ville s'embrase. L'indignation populaire qui s'empare des Pékinois et notamment des étudiants qui manifestent devant la porte Tian'anmen résulte du traité de Versailles que les Chinois ont refusé de signer. C'est le début des événements de 1919 que l'on appellera indistinctement Mouvement du 4-Mai ou Mouvement de la Nouvelle culture.

Au nombre des étudiants révoltés, un certain Zhou Enlai, vingt et un ans.

En effet, la jeune République de Chine a eu beau entrer dans la Grande Guerre aux côtés des Alliés, à la stupéfaction générale et, contrairement à ce que la Chine était en droit d'attendre, le Traité de Versailles ne lui restitue pas la souveraineté sur la péninsule du Shandong, dans le nord du pays, alors sous contrôle de l'Empire allemand. Qui plus est, les Japonais, qui sous couvert de leur intervention aux côtés des Alliés, en ont profité pour renforcer leurs positions sur le continent chinois, se voient attribuer ce même vaste territoire.

Pour la première fois, il n'est plus question de ce « complexe d'infériorité nationale » dont l'écrivain Lao She relèvera, plus tard, qu'il semblait caractériser la majorité de la population jusque-là. Car si ce sursaut nationaliste inédit est principalement dirigé contre les prétentions du Japon, Baohang observe aussi que le comportement des puissances occidentales est mis en cause avec une virulence inédite. Et ce ressentiment nouveau n'affecte pas seulement les nations occidentales hors de Chine, il touche maintenant les Européens des concessions et légations sur le territoire chinois. Ces mêmes nations, quand elles prétendaient défendre les Chinois contre l'agresseur japonais, se sont, dans les faits, rendues complices de la mise à sac d'un pays.

L'intellectuel et le guerrier, Yan Baohang et Zhang Xueliang, assistent à l'émergence d'une conscience patriotique dont on n'avait jusque-là vu aucun signe.

Outre le sursaut patriotique, s'exprime là une contestation radicale comme si la chape de plomb qui, sous le régime impérial, avait empêché toute revendication politique et sociale, venait d'être levée, comme si une force d'inertie avait maintenu cette chape malgré l'instauration de la République sept ans auparavant, et qu'il avait fallu toutes ces années pour que le peuple, à Pékin, mais aussi à Shanghai, s'aperçoive que le temps où l'on vidait les rues au passage de l'Empereur est bien révolu et que la rue désormais est à eux.

Mais ce qui les sidère et les grise, c'est d'entendre de jeunes intellectuels de leur génération, de jeunes professeurs dont les revendications rejoignent leurs propres aspirations. Depuis les Droits de l'homme jusqu'à la théorie matérialiste de l'évolution de Lamarck en passant par le socialisme de Babeuf, Saint-Simon et Fourrier sont mis à l'honneur. Que réclament-ils haut et fort ces jeunes progressistes dont les deux amis rejoignent les cortèges : qu'on en finisse avec le poids des traditions, le pouvoir des mandarins, l'oppression des femmes, l'ignorance et le féodalisme. Qu'on en finisse avec l'asphyxiante hiérarchie familiale. Ce qu'ils veulent à la place ? Le progrès, la science, la démocratie, l'égalité des hommes et des femmes. La fin des mariages arrangés, des femmes aux pieds bandés, des concubines, des femmes acculées au suicide pour des raisons de morale confucéenne. Que la Chine change. Une langue moderne à la place du chinois classique. Que la Chine s'ouvre. La possibilité d'apprendre de la culture occidentale, d'apprendre des autres cultures. Qu'une Chine nouvelle advienne enfin. Et que vive «l'esprit révolutionnaire du 4-Mai».

À partir de cette date, le mouvement iconoclaste qui se poursuit jusqu'en 1921, ébranle pour la première fois la «figure confucéenne du père» érigée en dogme depuis deux millénaires. Le symbole le plus accompli de ce «meurtre du père» tient tout entier dans la barbe arrachée aux statues du sacro-saint tutélaire par des hordes de manifestants.

Les idées circulent et les livres aussi : de Canton, l'un des collègues de Baohang a rapporté le *Manifeste du Parti communiste* de Marx et Engels, une biographie de Lénine et *Le rêve de la capitale rouge* de Qu Qiubai – dont le titre parodie le fameux *Rêve dans le pavillon rouge,* l'un des quatre chefs-d'œuvre de la littérature classique chinoise – où l'auteur vise moins à restituer la réalité soviétique qu'il ne souhaite cerner l'esprit et l'âme de ce nouveau monde en formation.

Forts de cet appétit pour tout ce qui est «nouveau» – le maître mot –, tous sont devenus insatiables. Baohang se procure toute la littérature possible en matière de sciences sociales. Il crée le premier groupe d'étude du socialisme du nord-est de la Chine, qui s'emploie à traduire ce qui ne l'est pas encore. Il lance lui-même un périodique, *Clarté.*

L'initiative qui conduit à fonder le Parti communiste chinois en 1921, découle en ligne directe de ces événements. Chen Duxiu en est, avec d'autres, à l'origine. Il est inévitable que cela intéresse Yan Baohang. Chen Duxiu est cet intellectuel dont il découvrait la revue pro-occidentale et francophile *Nouvelle jeunesse* où il avait remarqué d'autres signatures qui ne tarderaient pas à se rendre célèbres. À commencer par celle de Lu Xun. La même année, l'écrivain se faisait remarquer avec une nouvelle, *La Véritable histoire de Ah Q,* parue en feuilleton dans *Nouvelles du matin.* Une satire au vitriol de la société chinoise et, précisément, de la révolution inachevée de 1911. Qui plus est, le récit était écrit en baihua, la langue vernaculaire, autrement dit le chinois de tout le monde et de la Chine moderne.

Outre Lu Xun, Baohang avait aussi repéré un texte signé d'un certain Mao Zedong à propos de questions de mœurs. Mais, ce nom, il est encore trop tôt pour qu'il lui dise quelque chose. Ce n'est pourtant qu'à trois petites années de là, en 1924, que l'occasion de rencontrer pour la première fois un militant communiste se présentera pendant une exposition de peinture qui a judicieusement servi de couverture à Han Leran.

Celui que l'on affublera, bien plus tard, du surnom un peu approximatif de «Picasso chinois», impressionne moins Baohang par ses œuvres que par son engagement farouche dans la lutte antijaponaise. Il est aussi le premier artiste à avoir adhéré, l'année précédente, à vingt-cinq ans, au tout jeune Parti communiste chinois. Plus tard, Baohang apprendra qu'il a quitté la Chine pour l'Europe dès 1929. Pour l'heure, ce sont les communistes de Shanghai qui ont missionné Han Leran pour approcher des progressistes influents. Yan Baohang est de ceux-là. À partir de ce contact, les membres du groupe d'étude du socialisme créé par Yan Baohang à Shenyang se verront tous adresser l'ensemble des publications alors conçues par le Parti communiste. De quoi être bien informé.

29

« Les êtres humains ont la tristesse, la joie, la séparation
et la réunion. La lune a des moments de croissants et ronds.
Depuis l'Antiquité il est difficile de tout réunir en même temps. »

SU SHI ; DYNASTIE DES SONG DU NORD, « SHUI DIAO GE TAO »
IN *LIVRE DE POÈME DE SONG ET DE TANG*,
300 POÈMES DE LA DYNASTIE DE TANG ET SONG

L'agenda de Yan Baohang est chargé : la YMCA lui a confié la présidence de l'université d'été des Jeunesses chrétiennes qu'il doit planifier. De plus, dans un nouveau centre pour les familles ouvrières, il met en place un enseignement destiné aux enfants et propose du travail aux femmes. La question de l'émancipation des femmes d'ouvriers par le travail lui tient particulièrement à cœur, d'autant que vient d'ouvrir une usine de tissage permettant d'assurer l'autonomie financière de l'École des enfants pauvres. Tout se tient.

On ne peut pas dire que cela lui laisse beaucoup de temps pour Gaosu et les enfants, une petite tribu qui compte déjà deux filles et deux garçons, neuf, six et trois ans, et huit mois pour le petit Mingzhi, né en novembre dernier, venus le rejoindre à Shenyang.

C'est dans ce contexte qu'au printemps 1925 tombe la triste nouvelle : Sun Yat-sen, le père de la nation chinoise vient de mourir, emporté par le cancer à cinquante-neuf ans. Sachant que le temps lui était compté, Sun Yat-sen avait multiplié les initiatives pour l'avenir du pays. Il avait œuvré sans relâche à la renégociation des Traités avec les puissances occidentales, relancé sans cesse les pourparlers avec les seigneurs de guerre pour un retour à la paix dans les provinces. Ce dernier objectif n'était pas une mince affaire, or il en allait de l'avenir même de la Chine. Il fallait à tout prix éteindre les foyers de guerre civile dans les provinces où les seigneurs de guerre, par la richesse et la puissance de leurs armées personnelles, détenaient un pouvoir qui faisait défaut au gouvernement central, l'empêchant de réaliser l'unité du pays.

Yan Baohang s'interrogeait sur l'avenir du Kuomintang. Qu'adviendrait-il du programme du parti nationaliste défini par Sun Yat-sen, censé lutter contre l'impérialisme et le féodalisme ? On savait que le président sur son lit de mort avait laissé un message à la nation où il exprimait le souhait de voir le Kuomintang et le Parti communiste continuer d'œuvrer ensemble pour le bien de la Chine.

En dépit de la tristesse qu'il partage avec le reste de la population, Yan Baohang se dit qu'il a été bien inspiré d'avoir programmé dans son université d'été des séminaires consacrés aux mouvements étudiants dans leur rapport avec le socialisme mais aussi des exposés sur le marxisme-léninisme et la dialectique matérialiste. Ce programme s'accorde à la fois aux dernières volontés du président et à l'air du temps tel qu'il s'exprime alors chez tous les progressistes.

Sun Yat-sen laisse une veuve, Soong Qing-ling. Bien qu'issue d'une illustre famille farouchement pro-nationaliste et anti-communiste, l'épouse du premier président de la République de Chine pendant dix ans sera la seule de son clan à infléchir ses positions en faveur des communistes. Et elle le fera d'une façon si sincère et durable que, bien plus tard, en 1968, elle sera élue au titre suprême de vice-présidente de la République populaire de Chine – et ce jusqu'en 1972 – avant que celle qu'on n'appelle plus que Madame Sun Yat-sen accède au titre de présidente honoraire en 1981.

C'est à ce titre que Yan Baohang et Yan Mingfu, mon père, l'approcheront dans le cadre de leurs futures fonctions auprès des gouvernants communistes. Et puisque j'anticipe sur la suite, je dois dire que ma mère, elle aussi, côtoiera Soong Qing-ling dans le sillage de ses activités caritatives… Mais nous n'en sommes pas encore là.

La mort de Sun Yat-sen survient alors que Chiang Kai-shek fréquente depuis cinq ans la troisième des sœurs Soong – May-ling – vingt-trois ans à l'époque et la cadette de onze ans de Qing-ling.

Comme ses sœurs, May-ling a bénéficié d'un enseignement anglophone à Shanghai où elle est née, puis aux États-Unis pendant dix ans. De retour en Chine depuis trois ans, elle y témoigne de sa fidélité aux convictions chrétiennes de sa famille puisqu'elle est l'une des cadres de la Young Women Christian Association lorsqu'elle rencontre Chiang Kai-shek.

Faisant fi des dernières volontés de Sun Yat-sen, le très anti-communiste généralissime n'aura de cesse de s'arroger peu à peu la direction du parti nationaliste. Si bien qu'il prend bientôt les rênes des forces armées du Kuomintang et en devient le seul chef.

Lorsque Chiang Kai-shek et Soong May-ling se marient, le généralissime a déjà lancé l'expédition du Nord contre les seigneurs de guerre qui contrôlent toujours la plus grande partie du pays. Parmi ces derniers, le puissant chef de la «clique du Fengtian», Zhang Zuolin, règne sur Pékin. L'autre grand seigneur de guerre, Wang Jingwei, officie depuis Wuhan. Chiang Kai-shek, quant à lui, s'apprête à installer son gouvernement à Nankin.

C'est l'époque où Chiang s'alarme de la montée en puissance des communistes qui l'inquiètent infiniment plus que la menace japonaise pourtant bien réelle. Il lance alors un raid meurtrier contre des ouvriers et dirigeants communistes réunis à Shanghai. Le massacre est perpétré sans tenir compte du soutien que le Komintern soviétique a accordé aussi bien au Kuomintang qu'au jeune parti communiste chinois. Cette tragédie conduit à l'explosion du front uni qui avait jusque-là lié les deux formations autour d'un objectif commun : lutter contre les Japonais et contrer les seigneurs de guerre en vue d'unifier le pays.

Mais dans ce déchirement, c'est Chiang Kai-shek qui a la main. Une purge des communistes au sein du Kuomintang est décrétée. Et cette volonté de faire désormais cavalier seul s'affirme d'autant mieux que Wang Jingwei se rallie bientôt aux nationalistes. Dès lors, l'irrésistible ascension de Chiang Kai-shek est en marche.

La situation politique de la Chine au moment de la disparition de Sun Yat-sen en mars 1925, n'est pas le seul facteur qui va bouleverser l'existence de Yan Baohang.

Son ami et soutien, Zhang Xueliang lui ayant proposé de prendre en charge financièrement son voyage et son installation à l'étranger, il n'a plus aucune raison de reculer. Il lui appartient seulement de parler à son épouse et mère de ses quatre premiers enfants de ce projet d'aller étudier en Europe pendant deux ans.

30

Aux premiers temps de l'école des Enfants pauvres, avant que cette entreprise philanthropique ne bénéficiât de dons et donations privés, puis de la considération des édiles de Shenyang et au-delà, il avait fallu beaucoup d'ingéniosité à Gaosu pour trouver les moyens d'assurer la bonne marche de sa maisonnée.

Il y avait eu un, puis deux, puis trois, puis quatre enfants. Petite tribu de Yan à vêtir et nourrir sur la seule base de ce qu'il restait du traitement de Baohang une fois amputé de la somme destinée à l'École. Elle ne s'en était jamais plainte. Il était entendu entre eux que Baohang était celui qui imaginait, projetait, entreprenait, et Gaosu celle qui tenait les cordons de la bourse.

191

Il lui exposait ses idées, sa vision. Elle, elle écoutait. Sans jamais révéler quels stratagèmes elle emploierait pour subvenir aux besoins du ménage, elle en faisait son affaire, et approuvait toutes ses initiatives. Et c'était une prouesse car il n'était pas rare qu'on lui envoie tel compatriote du Nord-Est dans la détresse, telle famille touchée par une calamité, les uns comme les autres sachant que la porte de Gaosu leur serait toujours ouverte et quoiqu'elle pût offrir, c'était toujours avec grâce.

Il y avait maintenant plus de dix ans que la première École des Enfants pauvres avait été lancée. Et, en cette année 1927, une quatrième école venait d'ouvrir tandis que le projet d'une cinquième était programmé. Toutes ces écoles se trouvaient dans différents quartiers de Shenyang et fonctionnaient désormais avec le soutien du rectorat et de l'Association des professeurs de la région. Ce réseau couvrait la quasi-totalité de la ville.

Et voici que Baohang annonçait à Gaosu qu'il lui fallait partir. Pour lui, c'était le moment. Il était temps, oui, il était grand temps, d'aller voir là-bas, d'observer, de comparer et discuter sur place de la situation sociale des classes laborieuses, de leurs organisations, dans les ports, dans les mines, dans les bassins industriels, de voir à quoi ressemblait le fonctionnement des syndicats, les foyers de travailleurs, les coopératives...

Parce que, ajoutait-il, à partir d'un certain moment, les livres ne suffisent pas pour comprendre, même les photos ne sont pas suffisantes, même les journaux de là-bas dont, pourtant, il lisait les articles. Gaosu ne l'interrompait pas. Elle ne protestait pas. Elle ne demandait pas, affolée, à combien de milliers de *li* de Shenyang se trouvaient Londres, Édimbourg ou Copenhague. Elle s'efforçait seulement de retenir ces noms, tendait du papier à Baohang, demandait à voir tous ces noms écrits. Et lorsque Baohang après lui avoir calligraphié les caractères de sa belle écriture élégante et soignée et entendu Gaosu déchiffrer, il pouvait mesurer combien elle avait progressé depuis le temps où il avait entrepris de la guider dans ses premiers pas vers la lecture et l'écriture. Car cela n'avait rien d'extraordinaire qu'elle fût illettrée, toutes les filles de sa génération et de sa condition l'étaient. Non, ce qui, à ses yeux à elle, avait été extraordinaire, c'était que son mari ait eu à cœur de la convaincre que ce n'était pas une fatalité. De fait, elle s'était rendue aux cours du soir avec la petite Mingshi dans les bras.

Bien que Gaosu n'eût pas l'ambition de paraître une autre, de maquiller ses origines, elle s'enorgueillissait à l'idée que jamais son mari n'aurait honte d'elle, jamais il n'hésiterait à la présenter à aucune des hautes personnalités chinoises ou étrangères qui formaient le cercle de ses relations. Parce que Baohang avait vu les progrès considérables de Gaosu, il avait suggéré aussi qu'elle puisse mettre à profit son exil pour apprendre… l'anglais. Après tout, il ne leur manquait pas d'amis anglais à la YMCA disposés à lui enseigner cette langue. De sorte que pendant les deux années que Baohang

193

avait passées en Europe, Gaosu demandait à Mingshi qui avait alors onze ans de s'occuper des trois plus jeunes pendant qu'elle suivait ses cours d'anglais. Bien plus tard, Mingshi se souviendrait de la question de sa mère, entre inquiétude et malice : «Mingshi, crois-tu que ton père n'aura pas oublié le chinois quand il reviendra ?» Et lorsque Baohang était descendu du train qui le ramenait d'Europe à Shenyang, il avait été moins surpris de voir la foule de leurs amis venus l'accueillir à la gare, moins surpris de découvrir que sa petite dernière n'était désormais plus un bébé, que d'entendre sa femme s'adresser à lui en anglais.

Mais pour l'instant Gaosu en était à réconforter son mari. C'était lui qui partait mais c'était elle qui le consolait. Qu'il aille en paix, c'est ce qu'elle lui disait. Tout irait bien, il pouvait s'en aller en toute quiétude, il avait toute sa confiance. Et pour qu'il n'eût pas l'idée que ce qu'elle allait lui dire contenait un reproche, elle prenait soin de sourire en récitant ces vers de Zhongzhang Tong, dont elle avait étudié le poème *En conversant avec moi-même*, à l'école du soir :

«*Élève tes ambitions aux collines et à l'Ouest sauvage,*
Laisse ton esprit vagabond à l'est des mers.
Chevauche le souffle comme ta seule monture,
Navigue sur le courant de la Haute Pureté,
Réponds à l'appel, élégant et allègre !»

31

« Les cygnes volent leur vie entière deux à deux
Mais pour nous, hommes, qui ne pouvons nous envoler ensemble
Il n'y a que routes mornes aux destins séparés. »

AU LOIN DISPARU, SU WU (140-60 AV. J.-C)

L'amitié qui, depuis des années, liait Yan Baohang et le «Jeune général» ou le «Jeune maréchal» ainsi qu'on appelait Zhang Xueliang pour le différencier de son père, avait pris un tour plus intense en cette veille du départ de mon grand-père pour l'Europe.

Ce qui les rapprochait ne se limitait pas au fait que l'un, fortuné, avait financé le séjour de l'autre, désargenté, à Édimbourg, Copenhague puis Moscou, cela tenait aussi à la manière dont Zhang Xueliang s'y était pris pour que cette prodigalité soit acceptée sans embarras ni contraintes.

Oui, avait-il argumenté, une partie de lui-même – sa meilleure part – accompagnerait Baohang et s'aventurerait à ses côtés à la conquête des savoirs et connaissances que l'Occident ne manquerait pas de lui apporter. Leur fréquentation commune des Jeunesses chrétiennes leur avait ouvert toute grande une fenêtre sur d'autres savoirs, d'autres conceptions, d'autres lectures du monde que celles de la tradition chinoise et le seul fait que l'un d'entre eux saute le pas pour se confronter *in situ* avec les modes de pensée et les pratiques occidentales dont ils n'avaient qu'un aperçu théorique et livresque rejaillirait nécessairement sur celui des deux qui restait.

Cette manière de présenter les choses avait beaucoup ému mon grand-père. Dans les jours qui précédèrent la grande traversée, ils eurent de longues conversations en tête-à-tête et, de la part de Zhang Xueliang, il y eut de ces propos rares et de ces confidences qui donnent le sentiment, lorsque cela arrive, qu'il est des relations de fraternité qui durent toute la vie et même au-delà.

Au cours de l'un de ces entretiens, Zhang Xueliang avait dressé une sorte de bilan de leur évolution intellectuelle et sensible. «Nous connaissons bien à présent notre Auguste Comte et notre Émile Durkheim, nous avons bu à la source du courant positiviste, et c'est pourquoi nous sommes à même de pouvoir dire aujourd'hui, ce qu'est un "fait social" et aptes à définir le concept de conscience collective. La doctrine de Robert Owen et sa contribution à l'émergence du socialisme, nous l'avons étudiée pareillement et son *Book of the New Moral World* n'a plus guère de secrets pour nous. Nos bons maîtres nous ont guidés à travers les méandres de la pensée de Max Weber et les rapports qu'il a mis en lumière entre les valeurs spirituelles du protestantisme et leur investissement dans le réel, lesquels ont fourni l'un des moteurs de la Révolution industrielle. On nous a parlé de Marx et d'Engels et nous suivons avec passion les événements en cours depuis la Révolution d'Octobre chez nos voisins russes… On pourrait dire qu'à travers notre génération, les aspirations de notre République chinoise ont rencontré celles du monde occidental…»

«Mais encore, continuait-il, nous avons aussi pris soin de notre âme pour parler comme nos pasteurs. Nous avons fréquenté la Bible. Nous sommes allés au temple. Nos écoles de pensée, qui ont fait ce que nous sommes depuis les temps immémoriaux, se sont frottées à travers nous à cet autre Ciel du monde. Et quand il m'arrivait de peiner à comprendre certains passages de l'Ancien ou du Nouveau Testament, car, vois-tu, il est plus difficile au guerrier qu'à l'homme de paix de méditer, c'est toi qui me les rendais clairs, toi qui me faisais voir ce qu'il y a de proprement extraordinaire dans la Bible. Et tu me l'as si bien fait voir que je me dis parfois qu'ayant été si bien éclairé, peut-être parviendrai-je à faire de moi un bon protestant dans la deuxième moitié de ma vie! Qui sait?»

Là-dessus, Zhang Xueliang éclatait de rire comme si l'idée qu'il puisse devenir un «bon protestant» n'avait été qu'une boutade, et sans soupçonner le caractère prophétique de ce propos puisqu'en effet, détenu dix ans plus tard à Taïwan, sur ordre de Chiang Kai-shek, au cours d'une captivité qui ne durerait pas moins d'un demi-siècle, l'ancien guerrier deviendrait assez pieux pour se rendre chaque jour à l'office.

À mille lieues d'imaginer une telle chose, ils conversaient à bâtons rompus, Yan Baohang insistant sur l'idée qu'en effet on pouvait considérer la Bible comme un livre extraordinaire de même qu'on pouvait estimer tout aussi admirable la figure de Jésus-Christ. Alors, Zhang Xueliang redevenait grave. Yan Baohang était-il en mesure de lui dire s'il accordait foi à l'enseignement du Christ, tel qu'il semblait en avoir si bien pénétré la substance ?

À quoi Baohang répondait que la Bible exigeait une étude bien plus approfondie que celle qu'il avait accomplie jusque-là pour pouvoir lui répondre. Ce qui lui semblait admirable dans la sagesse du Nouveau Testament c'était cette figure du Christ, Sauveur de l'humanité. Il est vrai, ajoutait-il, que le bouddhisme tel que la Chine l'a depuis si longtemps assimilé, affirme lui aussi sa vocation à sauver tous les êtres. Mais ce qui force l'admiration c'est l'idée que le Christ ait accepté son propre sacrifice pour le Salut de l'humanité. C'est aussi que le Christ ait choisi le camp des pauvres, non le camp des puissants. D'une certaine manière, il ne lui semblait pas qu'il y ait tant de contradictions entre les éléments de savoir qui leur avaient été donnés pour comprendre le monde, et le transformer en un monde meilleur, et le message d'espérance porté par les pasteurs au nom du Christ.

Dans cet échange, on voyait se dessiner deux tempéraments distincts. On devinait chez mon grand-père le pragmatisme qui le portait à ne rien écarter, ni la doctrine sociale prônée par les protestants ni la théorie marxiste-léniniste. Chez Zhang Xueliang, on pouvait deviner l'amertume quand il confiait à son ami que, lui aussi, dans ses toutes jeunes années, il avait rêvé de pouvoir se rendre utile. Mais le fils de Zhang Zuoling, le fils d'un seigneur de guerre, chef de la «Clique du Fengtian» pouvait-il embrasser une autre voie que celle des armes? «En somme, moi qui voulais étudier pour sauver les hommes, j'ai été formé pour les tuer».

32

« L'opium n'enseigne qu'une chose,
c'est que, hors de la souffrance physique, il n'y a pas de réel. »

ANDRÉ MALRAUX, *LA CONDITION HUMAINE*, 1933

Un autre ami de Baohang embarquait avec lui pour la Grande-Bretagne, Ning Encheng, lui aussi redevable au « Jeune général ». Ainsi, les deux comparses s'étaient-ils retrouvés à Londres où les attendait un autre « ancien » de l'École normale, Lao She, qui enseignait le chinois depuis trois ans à l'École des études orientales et africaines.

S'il n'avait encore rien publié, Lao She passait tout son temps libre dans les bibliothèques ou les librairies, en quête de nouveaux auteurs européens et américains, bien que selon lui aucun ne puisse se hisser, ne serait-ce qu'à la cheville de Charles Dickens, son écrivain préféré. De fait, l'influence du prestigieux aîné se ferait encore sentir, lorsque de retour en Chine au début des années 30, paraîtraient ses tout premiers romans. À ce moment-là Lao She afficherait toujours la même hostilité vis-à-vis du gouvernement de

Chiang Kai-shek. Si bien qu'en 1946, il se déciderait à quitter de nouveau la Chine pour les États-Unis, avant de revenir au moment de la victoire du communisme dont, entre-temps, il avait épousé la cause.

Tandis que Baohang suivait des cours de philosophie et de géopolitique tout en préparant son doctorat de sciences sociales à Édimbourg, chaque fois que possible les trois amis se retrouvaient à Londres.

Là, Baohang en profitait pour enquêter sur le fonctionnement des coopératives et le système éducatif, deux sujets d'étude pour lesquels il se rendrait aussi au Danemark. Cet agenda bien rempli n'empêchait pas Baohang d'accorder du temps à ses amis.

C'était alors des soirées à n'en plus finir. Surtout s'ils avaient pu se procurer des *Hatamen,* ces fameuses cigarettes extra-longues qui inondaient la Chine depuis le début du siècle car, hélas, ils ne pouvaient pas espérer une fondue pékinoise ni même un petit *baozi* vapeur à la viande ou aux légumes pour faire taire le mal du pays.

Ning Encheng était arrivé un jour avec le numéro de février 1927 du *Literary Digest,* avec en couverture deux jeunes Chinoises à chapeau cloche et robes printanières. L'une portait un chemisier à manches courtes et une jupe blanche, l'autre, tout sourire, une robe à carreaux et manches ballon, les deux jeunes femmes étaient en train de pique-niquer au soleil. Et cette illustration d'une Chine moderne et radieuse prenait les airs d'un programme au titre prémonitoire : *The New Life Movement for Young China.*

Certes, ils avaient tous les trois le désir d'y croire à cette «Jeune Chine» tournée vers la modernité. Mais, en vérité, les nouvelles qui leur parvenaient de Pékin, où Zhang Zuolin avait son quartier général, et de Nankin, où Chiang Kai-shek avait établi le sien, montraient une situation beaucoup plus instable et fragile. Car personne ne pouvait affirmer à cette date que les intentions des troupes nationalistes de Chiang Kai-shek, autant que celles du seigneur de guerre Zhang Zuolin, étaient de privilégier la lutte antijaponaise, en dépit de ce que chacun d'eux proclamait. Il y avait tout lieu de craindre, au contraire, que sous couvert de combattre la menace nippone, les troupes de l'un comme les troupes de l'autre se livraient à un combat sino-chinois aux conséquences peut-être suicidaires. D'autant que ce mot de suicide pouvait aussi s'appliquer à ce dont Baohang avait été récemment informé, à savoir un retour en force de la circulation de l'opium en Chine. Sur ce thème, inutile de beaucoup se creuser la cervelle pour comprendre le phénomène. L'opium était un moyen commode d'asservissement. Ce stratagème n'avait pas échappé aux Japonais qui ravitaillaient les fumeries ayant vu dans l'intoxication de la population un autre moyen de faire la guerre.

Au printemps 1928, dans une lettre à Yan Baohang, Zhang Xueliang annonçait la mort de son père. Le fils héritait du commandement de la faction armée que l'attentat perpétré par les Japonais venait de décapiter. L'influence soviétique exercée en sous-main sur le Parti communiste chinois, avec l'appui du Komintern, et l'Armée rouge stationnée aux portes de sa Mandchourie natale lui déplaisaient si fort qu'il entreprit d'annexer l'ensemble du réseau des chemins de fer de l'Est chinois. À l'inverse, l'influence avérée des États-Unis sur le Kuomintang lui paraissait un moindre mal. Fin 1928, Zhang Xueliang informa Yan Baohang que lui et ses troupes venaient de se rallier au gouvernement de Chiang Kai-shek.

Il insistait sur le fait qu'en pareilles circonstances, il serait bon que tous les patriotes du Nord-Est et particulièrement Yan Baohang répondent à l'appel.

De son côté, par le biais de relations communes, Chiang Kai-shek laissait entendre à mon grand-père qu'il ne pensait pas autrement. Joseph Platt lui aussi le pressait d'abréger son séjour. Le pasteur américano-danois lui indiquait que son prochain départ à la tête de la YMCA lui serait d'autant plus facile qu'un successeur semblait tout désigné et qu'il espérait que Baohang serait heureux de lui succéder.

À toutes ces bonnes raisons de rentrer s'en ajoutait une autre qui faisait sur mon grand-père l'effet d'un poison : Zhang Xueliang, disait-on, était devenu opiomane. Son père, l'avait été, tout le monde le savait. Mais cette addiction n'avait jamais affaibli sa détermination à en découdre avec les Japonais. Avec Zhang Xueliang, c'était une autre affaire. Il ne jouissait pas de la même réputation de férocité qui s'était attachée à son père et, le chagrin de sa disparition aidant, il n'était pas à exclure que la stratégie qui avait échoué avec le «Grand maréchal» puisse réussir avec son fils.

Tant et si bien qu'au printemps 1929, après un passage par Moscou, Baohang était de retour à Shenyang.

33

«Je suis prêt à mourir si c'est pour défendre les intérêts de l'État.
Je ne m'enfuirai pas parce qu'il y a du danger.»

LIN ZEXU, *DYNASTIE DE TING* (1785)

Le Tout-Shenyang se presse sur le quai de la gare pour accueillir mon grand-père en ce jour printanier de 1929 qui restera dans bien des esprits «l'année Yan Baohang». Le nouveau directeur, bien décidé à ne pas perdre de temps, instaure d'emblée le principe de l'égalité entre les sexes dans toutes les activités, sans exception, de la YMCA. Il y développe encore davantage la pratique du sport et ouvre de nouveaux départements en sciences humaines. Mais, depuis qu'il a décidé d'anticiper son retour, c'est l'éradication du fléau de l'opium qui le mobilise entièrement.

Ce n'est pas la première fois qu'un Chinois se lance dans pareille entreprise. Ne serait-ce que parce qu'en Chine, c'est une vieille histoire. Dès la première guerre de l'opium, orchestrée par l'Angleterre entre 1839 et 1842, la Chine avait pu mesurer son impuissance. La seconde guerre de l'opium, en 1856, où ce n'était plus seulement l'Angleterre mais aussi la France, épaulées par l'Amérique et la Russie qui déclenchaient les hostilités, avait encore aggravé la dépendance de la Chine : le peu de restrictions qui jusque-là s'étaient opposées à ce commerce crapuleux se trouvaient levées – l'Angleterre obtenait de nouveaux territoires et l'ouverture de nouveaux ports...

Depuis la chute de l'Empire et le délitement du pouvoir central, les seigneurs de guerre n'ont eu de cesse de s'appuyer sur le trafic de drogue pour financer leurs actions militaires et le contrôle de leurs territoires. Outre le profit recherché, il était inévitable que, parmi eux, certains soient devenus notoirement opiomanes.

Yan Baohang sait que le Kuomintang lui-même a dû en passer par là pour financer l'expédition du Nord lancée trois ans plus tôt. Après une réunification aussi fragile qu'incomplète du continent chinois, le gouvernement de Nankin, établi en 1927 a donc hérité d'un pays gangrené par ce fléau dont il est avéré que les Japonais l'ont habilement entretenu, notamment dans le Nord-Est tant convoité. À la fin de l'année 1928, une conférence nationale consacrée à la question de l'opium a amplement rendu compte de cet état de fait.

C'est alors que, s'appuyant sur un réseau de lettrés du Nord, intellectuels et artistes, peintres, poètes et écrivains de ses amis, Yan Baohang lance l'Association du Liaoning pour la lutte contre les stupéfiants. Son objectif : empêcher le commerce de toute drogue, au premier chef l'opium et l'héroïne, en s'attaquant à l'ensemble du circuit de la drogue : culture, fabrication, consommation.

Les langues se délient. Au cours d'une partie de tennis avec Ba Lidi, le responsable des Postes de la province du Liaoning, sûr de n'être entendu et compris que du seul Baohang, rapporte à son partenaire de jeu, qu'il vient d'être « approché » par un affairiste japonais, qui lui a glissé une enveloppe bien remplie pour s'assurer la réception de colis de contrebande. Baohang décide d'intensifier les saisies et que toutes les tentatives de chantage, extorsion, racket et corruption doivent faire l'objet de rapports circonstanciés à destination du gouvernement.

Il n'en faut pas davantage pour que, bientôt, les colis suspects qui transitent par là s'accompagnent de lettres à l'intention de Yan Baohang qui ne souffrent aucune ambiguïté quant aux intentions des expéditeurs. Sur l'une d'elle : le dessin d'un pistolet agrémenté de plusieurs balles.

Près de cinq cent sacs d'héroïne et presque autant d'opium, d'une valeur avoisinant le million de tales d'argent sont interceptés. Mais ce n'est pas tout : Yan Baohang décide de donner le plus grand retentissement symbolique à la destruction des substances illicites au cours d'une cérémonie publique. Il convie les plus hautes autorités de la province et les représentants du gouvernement à assister à cet autodafé où il faudra plus de quatre heures pour réduire en cendres la masse des stupéfiants. Il a aussi eu l'idée d'inviter dans l'enceinte du stade public de Shenyang les consuls de

Grande-Bretagne, de France et des États-Unis. Et même le consul japonais…

Dans l'idée de marquer les esprits, il a fixé la date de l'événement cent ans jour pour jour après qu'un bûcher comparable avait détruit plus de mille tonnes de drogue pour que la reine Victoria soit informée que la consommation d'opium étant désormais interdite en Chine, elle en fasse cesser le trafic.

Et comme cette date anniversaire est dans toutes les mémoires, le sens de cette commémoration ne passe pas inaperçu. En outre, il n'a échappé à personne que, parmi les invités, seul le consul japonais manque à l'appel.

34

« Les nuages précèdent l'apparition des dragons,
le vent annonce l'apparition des tigres. »

ADAGE CHINOIS

À cette époque, la convoitise japonaise constituait la menace la plus grave.

Or, c'était de cela, du caractère toujours plus pressant de cette convoitise, que Zhang Xueliang voulait s'entretenir au plus vite avec Yan Baohang. Leur Association de la Diplomatie populaire du Liaoning était invitée à rejoindre la délégation de Chine au Japon dans le cadre de la IIIᵉ Conférence de l'Institut des Relations Internationales du Pacifique. L'objectif de ces travaux visait à favoriser les échanges partout où, dans la zone Pacifique, des tensions géopolitiques surgissaient.

Parmi les domaines d'études de Yan Baohang, la géopolitique n'avait pas compté pour rien. Quant au militaire Zhang Xueliang, il y ajoutait le regard du stratège. Voilà pourquoi ils prévoyaient tous deux que les Japonais

211

n'hésiteraient pas à mettre à profit cette réunion de Kyoto pour légitimer leur politique expansionniste, faisant valoir le bénéfice que le nord-est de la Chine tirerait de l'influence nippone dans la région.

L'avis de Yan Baohang et Zhang Xueliang était qu'une fois sur place, il convenait de renoncer à une riposte purement défensive portant sur les exactions dont les Japonais s'étaient déjà rendus coupables et de privilégier tous les arguments permettant de mettre en lumière l'objectif réel des incursions nippones, qui n'était autre que de coloniser la Mandchourie. Et de le faire savoir à tous les participants.

Or de bonnes sources permettaient d'attester de l'existence d'un document secret, soumis deux ans auparavant, en 1927, à l'approbation du 124e empereur du Japon, Hirohito. Il était allégué que ce document établissait la planification de la conquête de la Mandchourie. Et de la Mongolie. Sans exclure l'éventualité d'une annexion complète de la Chine.

L'énormité de ce qui était dit là ne pouvait être exploitée qu'à la condition de vérifier les sources et d'établir les preuves. D'autant que le nom de l'auteur de ce document était, semble-t-il, celui du chef du gouvernement japonais, Tanaka Giichi, qui cumulait le titre de Premier ministre avec les portefeuilles des Affaires étrangères et des Affaires coloniales.

Longtemps donné comme un faux, ce document est aujourd'hui reconnu comme authentique à la suite du témoignage de celui qui le procura à Zhang Xueliang. Lequel devait le confier à Yan Baohang pour qu'il en fasse bon usage. L'Histoire l'a retenu sous le nom de «Mémorandum Tanaka».

Mais à l'époque, faute de preuves incontestables et quelles qu'ait été la fiabilité de leurs sources, il faut avoir à l'esprit que Zhang Xueliang et Yan Baohang n'en sont qu'à formuler des hypothèses. Leur principale interrogation porte sur la question de savoir s'il est plausible que le numéro Un du gouvernement japonais soit l'auteur de ce document.

Âgé de soixante-trois ans en 1927, Tanaka Giichi est, avant tout, un militaire aguerri, issu d'une famille de samouraïs, général de l'armée impériale. Vétéran de la guerre sino-japonaise de 1894-1895, il a combattu lors de la guerre russo-japonaise de 1904-1905. Promu général en 1920, il est ministre de la Guerre dans deux gouvernements successifs, où l'on note alors une politique d'augmentation constante des moyens militaires. Anti-libéral et anti-communiste notoire, il est l'artisan principal de la politique interventionniste agressive à l'endroit de la Chine, en Mandchourie et Mongolie où il a déjà personnellement combattu.

Oui, il est tout à fait plausible que Tanaka ait concocté un plan. Reste à mettre la main dessus. Et, si possible, avant la réunion internationale qui doit se tenir à Kyoto à la fin de l'année. À propos, a-t-on des nouvelles récentes de Cai Zhikan?

Cai Zhikan est le Chinois le plus fortuné du Japon, où il vit depuis l'âge de onze ans. Il n'en est pas moins patriote et représente la source d'information la plus fréquemment sollicitée par l'Association.

Cai Zhikan étant d'origine taïwanaise, il a été convenu que le meilleur moyen de communiquer avec lui serait de lui envoyer des colis de spécialités de Taïwan. En cherchant bien dans l'enchevêtrement des fils de vermicelles de riz sec ou en rompant les «galettes solaires», Cai Zhikan peut entretenir une correspondance, tantôt informative, tantôt en quête d'informations, sans éveiller de soupçon. Il adresse en retour des présents du même genre, la pâte de haricot rouge ou la génoise vapeur étant propres à renfermer les messages.

Ainsi a-t-on acquis la quasi-certitude que, non seulement le fameux «Mémorandum Tanaka» existe bien, non seulement il renferme tous les éléments destinés à planifier l'invasion de la Mandchourie, de la Mongolie puis de toute la Chine, mais on est assuré que ce document a été soumis à Hirohito il y a de cela deux ans.

– Oui, mais comment le sait-on de manière certaine ?

– Parce que Cai Zhikan affirme disposer d'une copie.

– Oui, mais, que vaut cette copie ?

– La parole d'honneur de Cai Zhikan qui assure l'avoir établie d'après l'original.

– Comment est-ce possible ?

La stratégie de Cai Zhikan aurait d'abord consisté à utiliser la très virulente opposition au parti politique dont Tanaka est le président. Il va de soi que cette «approche» des membres les plus radicaux de cette opposition n'aurait pas été possible sans les moyens financiers de Zhang Xueliang et Cai Zhikan, sans l'entregent de la plus grosse fortune chinoise de l'archipel, sans quelques moyens de pression ou le goût pour de très grands vins – des raretés – sans compter celui de l'opium, tout cela en sus du profond désir de nuire au parti de gouvernement en place.

On ne sait trop comment plusieurs politiciens corrompus et corrupteurs auraient fini par procurer à Cai Zhikan le moyen de pénétrer dans le saint des saints de l'ancienne Bibliothèque des Shôgun, à Ueno, au nord-est de Tokyo.

La difficulté de cette incursion tenait à ce qu'elle ne pouvait avoir lieu qu'une fois Cai Zhikan introduit au titre de spécialiste dans la restauration de documents anciens sur soie. À partir de là, il aurait été mis en présence assez vite du «bon» document. Puis, laissé seul, il aurait passé la nuit du 20 juin 1928 à le recopier, avant d'être reconduit au même titre.

À quelques semaines de l'ouverture du IIIe Forum de l'Institut des Relations Internationales du Pacifique à Kyoto, la copie du «Mémorandum Tanaka» est remise au secrétaire des Affaires étrangères de Zhang Xueliang en main propre. Il est aussitôt traduit en chinois et en anglais. À peine Yan Baohang en prend-il connaissance qu'il perçoit que ce document fera l'effet d'une bombe.

Dans ce mémorandum, l'objectif expansionniste est si clairement affiché qu'on y découvre un plan de conquête par étapes sur le modèle de la politique du fait accompli : la Mandchourie d'abord, puis la Mongolie, puis la Chine, puis le Sud-Est asiatique…

Et ce qu'on voit se dessiner là, dès 1927, ne vient pas seulement confirmer la politique belliciste engagée avant même le début de l'ère Shōwa, avec l'annexion de la Corée en 1910, cela préfigure aussi tous les événements qui surviendront dans à peine moins de quatre ans : invasion de la Mandchourie en 1931, puis des provinces du Nord. Création de l'État fantoche du Mandchoukouo, de 1932 jusqu'à la fin de la Seconde Guerre mondiale, un prétendu État entièrement sous le contrôle de l'Empire du Japon et pour la création duquel Puyi se laissera manipuler...

Cela préfigure aussi l'invasion de la Chine dix ans plus tard, en 1937, le bombardement de Shanghai, de Canton et l'ignominieux Massacre de Nankin par l'armée impériale japonaise. Et, s'agissant de ce massacre dont l'écrasement du Kuomintang n'est pas la moindre des conséquences, d'aucuns avancent que, sans les Japonais, le Parti communiste ne se serait jamais imposé en Chine...

Et cela préfigure, enfin, entre 1937 et 1942, l'occupation de la Birmanie, la Thaïlande, Hong Kong, Singapour, l'Indonésie, la Nouvelle Guinée, l'Indochine française et l'essentiel des îles du Pacifique... Autant de territoires regroupés sous l'appellation de «Sphère de coprospérité de la grande Asie orientale» pour servir en réalité de réservoir de matières premières, de main-d'œuvre asservie et, comme pour l'Allemagne nazie, de nouvel «espace vital»...

Quand vient le moment pour Yan Baohang de prendre la parole devant les délégations réunies, il a déjà fait en sorte que tous les participants aient pu avoir entre les mains le fameux document élaboré par le Premier ministre Tanaka à l'intention de l'Empereur Hirohito ; document traduit en mandarin. Une fois à la tribune, il ne lui reste plus qu'à se livrer à un exercice de «commentaire de texte» à destination de l'assemblée.

Comme on pouvait s'y attendre, la révélation de ce plan et son commentaire provoquent un tollé général. Premier représentant pour la délégation japonaise, Yōsuke Matsuoka, menace de quitter l'assistance. C'est bien le moins. Ce politicien et diplomate n'a pas encore acquis l'assurance pas plus que la notoriété que lui vaudra, quatre ans plus tard, en 1933, l'annonce, faite par lui, de la sortie du Japon de la Société des Nations.

Ministre des Affaires étrangères du gouvernement de Fumimaro Konoe durant la Deuxième Guerre mondiale, c'est à lui qu'on doit d'avoir entraîné le Japon dans l'Axe Rome-Berlin-Tokyo dès 1940. Après l'invasion de l'Union soviétique par l'Allemagne nazie, c'est encore à lui qu'Hitler demande d'épauler cette attaque par une participation des troupes nippones. Assigné comme criminel de guerre devant le Tribunal de Tokyo, il meurt en prison avant d'être jugé.

Quant au patriote chinois Cai Zhikan, découvert ou trahi, il est aussitôt incarcéré au Japon et sa fortune immédiatement saisie. Il ne sera libéré qu'à la victoire des Alliés. De retour à Taïwan dans le plus grand dénuement, il sera considéré comme un héros et pris en charge par le Kuomintang, alors déjà replié sur la seule Taïwan.

Les jours qui suivent cette révélation à l'Institut des Relations du Pacifique de Kyoto, la tête de Yan Baohang est mise à prix. Des placards affichent les sommes promises pour son arrestation ainsi que pour l'arrestation de sa famille. Des graffitis apparaissent sur les murs promettant qu'il sera immolé, lui et sa famille, de la même manière qu'il a jeté des cargaisons entières d'opium au bûcher.

Mais comme on l'imagine, Yan Baohang est déjà en sécurité.

35

« L'ennemi est sous les murs de la ville. »

ADAGE CHINOIS

Puis il y eut ce qu'on a appelé « l'Incident de Mukden ». Mukden étant le nom mandchou de Shenyang.

L'Incident de Mukden est un événement cousu de fil blanc. Le 18 septembre 1931, une section de voie ferrée appartenant à la société japonaise des Chemins de fer de la Mandchourie du Sud est sabotée. Les autorités japonaises imputent aux Chinois la responsabilité de l'attentat, ce qui leur donne un prétexte à une intervention militaire. En réalité, les Japonais, convaincus que Chiang Kai-shek avec son armée du Kuomintang est en passe de réaliser l'unification du pays, doivent mettre un pied en Chine au plus vite, sinon leur stratégie impérialiste échouera. Moyennant quoi, des troupes japonaises à cheval prennent aussitôt possession de Shenyang.

Dès le lendemain, 19 septembre 1931, une délégation de plusieurs représentants de la ville dont Yan Baohang se rend au consulat du Royaume-Uni et des États-Unis. Ils veulent faire savoir ce qu'il en est *vraiment* des intentions japonaises car il ne s'agit pas, comme les Japonais le prétendent, d'un «événement strictement local». «L'Incident de Mandchourie» préfigure une action de plus ample envergure. Peine perdue, aucune réaction de la part des diplomates anglais et américains.

Mais dans la nuit, les choses s'accélèrent : les militaires japonais couvrent les murs de Shenyang d'avis de recherche. Les têtes de Yan Baohang et des membres de la délégation sont mises à prix. 5 000 yuans sont promis à toute personne qui permettra leur arrestation. Ils ont à peine le temps de fuir vers Pékin que les trois provinces du Nord-Est passent sous la botte nippone.

Du côté des nations occidentales, on se contente de protester du bout des lèvres. La Chine est un immense pays mais il est jugé *faible*. Le Japon est un petit territoire, mais il est jugé surpuissant. Les Japonais ont les mains libres pour créer dans la région un nouvel État prétendument indépendant, le Mandchoukouo.

La fuite précipitée de Yan Baohang a laissé Gaosu et les cinq enfants à l'arrière. C'est tout juste si mon grand-père a eu le temps de donner des instructions pour que sa famille puisse être conduite à la gare pour prendre le dernier train, direction Pékin.

Il y a là ma grand-mère, trente-huit ans, enceinte de sept mois de celui qui deviendra mon père, Mingfu, l'aînée, Mingshi, quinze ans, Mingyin, douze ans, Daxin, l'aîné des garçons, neuf ans, Mingzhi, sept ans, et la petite dernière, Mingguang, quatre ans.

Ils ne sont pas les seuls à s'enfuir. Tous se tiennent par la main pour ne pas se perdre dans la foule. Les quais débordent de monde. Quelqu'un reconnaît alors ma grand-mère : « Regardez, c'est Madame Yan ! » Suivi d'un autre : « C'est la femme de Yan Baohang ! »

Aussitôt la foule s'ouvre en deux pour permettre à ma grand-mère et ses cinq enfants de se frayer un passage jusqu'à un wagon. Des années après, ma grand-mère se souvenait encore avec une émotion profonde d'avoir été comme portée par la foule, bien que ce départ forcé ait été un déchirement.

Malgré la chaleur et la sincérité des nombreux témoignages adressés à mes grands-parents, il n'en restait pas moins que leur départ sonnait la fin d'une entreprise dans laquelle ils avaient mis toute leur énergie et leur espoir. Et tandis que ce train bondé roulait vers Pékin, fuyant l'agresseur, la fermeture de toutes les écoles de Yan Baohang était décrétée, après quatorze années de bons et loyaux services et la formation de près d'un millier d'élèves.

De son côté, à peine débarqué à Pékin, Yan Baohang, secondé par une poignée de camarades exilés, s'employait déjà à unifier plusieurs cercles antijaponais en une seule organisation sous la bannière d'Union patriotique de lutte antijaponaise du Peuple du Dongbei. Une fois les bases de l'organisation posées à Pékin, il entame des allers et retours avec Shanghai afin de récolter des fonds.

Une première assemblée de 400 personnes se réunit, dès le 27 septembre, autrement dit moins de dix jours après l'agression japonaise. Zhang Xueliang autorise ses officiers à y participer. «Lutter contre l'invasion japonaise, récupérer les territoires occupés, protéger l'intégrité territoriale», tel est le mot d'ordre.

Depuis trois ans, le pouvoir a déserté Pékin puisque Chiang Kai-shek a installé son gouvernement à Nankin. Et comme Zhang Xueliang a fini par se rallier au gouvernement nationaliste et qu'il est engagé avec ses troupes dans la guérilla antijaponaise, Pékin devient peu à peu une ville fantôme. C'est dans cette ville qui ne s'appartient plus que Mingfu, mon père, voit le jour le 11 novembre 1931.

36

« J'ai servi l'impératrice
douairière dans le palais d'Orient. »

À L'OMBRE DES PINS ET DES CYPRÈS,
BANB JIEYN (1ᵉʳ SIÈCLE AV. J.-C.)

Chiang Kai-shek s'obstine à considérer que l'avancée des troupes nippones est, tout compte fait, moins dommageable que la pénétration des idées communistes dans le pays. La priorité est donc pour lui de garantir et renforcer l'influence du parti nationaliste.

Il est en passe, à cette date, de devenir l'homme fort du pays. Il a réussi à évincer nombre d'adversaires dans son propre camp et, non content d'avoir pris la tête du Kuomintang, c'est bien lui qui *de facto* détient l'autorité centrale chinoise. Un même désir d'en découdre anime la vie du généralissime dans tous les domaines : militaire, politique et sentimental.

Lors de son mariage à Shanghai où sa femme May-ling est née il y a vingt-cinq ans, l'un des témoins n'est autre que le secrétaire général de la YMCA, un proche de Yan Baohang. Aussi, lorsque Chiang Kai-shek, pour des raisons politico-stratégiques, estime qu'il serait bon d'approcher Zhang Xueliang, l'intermédiaire est tout trouvé : Yan Baohang. Ce dernier connaît déjà énormément de monde au sein du Kuomintang et ailleurs, et il a le bon goût d'être protestant ce qui le fait apprécier de May-ling qui l'est également. Pas de doute, un tel homme, il faut l'avoir dans son camp.

Madame Chiang Kai-shek expose donc à Yan Baohang son intention de lui confier le «Mouvement de la vie nouvelle» qu'elle s'apprête à lancer. Car Soong May-Ling, loin de se confiner au rôle d'épouse de Chiang Kai-shek, a entrepris une carrière politique.

Elle exerce une fonction de conseillère auprès de son mari, une fonction déterminante, notamment sur le plan des relations sino-américaines, compte tenu de sa parfaite connaissance des États-Unis où elle a vécu. Sa familiarité avec les us et coutumes occidentaux, son charisme, son entregent et ses talents oratoires font d'elle le porte-parole officiel du Kuomintang, si bien qu'un journaliste n'hésitera pas à la qualifier de «plus grand homme d'Asie»!

Ainsi Yan Baohang doit-il prendre avec beaucoup de sérieux l'invitation de Madame Chiang et donc de Chiang Kai-shek lui-même, même s'il s'en trouve un peu embarrassé.

Car au fond de quoi est-il question avec ce Mouvement de la vie nouvelle?

Il s'agit d'une entreprise de moralisation faite de recommandations relevant du confucianisme le plus traditionnel. Concrètement, il s'agit ni plus ni moins que de promouvoir des valeurs de politesse et de droiture, de discipline et de morale, des usages vestimentaires, comportementaux. Sans craindre de paraître trivial, Chiang Kai-shek énumère quelques exemples : ne pas s'exhiber torse nu, ne pas cracher par terre, ne pas uriner sur la voie publique, ne pas proférer de jurons, marcher droit, observer une pause pour déjeuner, ne pas manger dans la rue, ôter son chapeau et se lever quand retentit l'hymne national, observer l'interdiction de fumer, l'interdiction des jeux d'argent, de la prostitution... et le leader du Kuomintang insiste sur la nature anticapitaliste de ce Mouvement.

Compte tenu de l'importance que semblait prendre un mouvement déjà annoncé dans la presse, compte tenu de l'honneur qui était fait à Yan Baohang et compte tenu enfin de la connivence qui existait entre Madame Chiang et Yan Boahang du fait de leurs séjours à l'étranger, mon grand-père avait dû exprimer ses réserves avec beaucoup de précautions et de diplomatie.

Il avait avancé que, selon lui, l'urgence était la lutte contre les Japonais, ce à quoi il souhaitait se consacrer en priorité. Chiang Kai-shek lui avait rétorqué que le Mouvement de la vie nouvelle comportait aussi une dimension politique et sociale en vue de combattre les Japonais et que ce mouvement ambitionnait de réformer la Chine en opérant une modernisation des valeurs traditionnelles de sorte à toucher la jeunesse. Mon grand-père avait dû se résoudre à demander ne serait-ce qu'un temps de réflexion avant de se décider.

À la suite de quoi, il avait écrit à Zhang Xueliang pour lui exposer son dilemme.

Zhang Xueliang lui fait savoir qu'il est hors de question de refuser.

Très pragmatique son argument était qu'il ne se trouvait pas tant de compatriotes du Nord-Est à occuper des postes importants au gouvernement central. Toutes les réunions que Baohang aurait nécessairement à conduire dans le cadre de ses fonctions, tous les contacts nouveaux qu'il pourrait établir serviraient la cause du Dongbei. Il ne fallait pas laisser passer une telle occasion. « En plus, si j'ai bien compris, c'est Madame Chiang qui vous a invité ! Pourquoi refuser ? », concluait-il.

À considérer le lien très fort qui unissait Zhang Xueliang et Yan Boahang depuis toujours et qui n'était pas de nature idéologique mais patriotique, l'argumentation était imparable.

Mon grand-père accepta le poste et toute la famille déménagea à Nankin. Au sein du Kuomintang, Yan Boahang devint bientôt une personnalité incontournable de la vie politique, multipliant les réunions, les séminaires, les interventions publiques, les conférences auprès de la jeunesse. Tous ceux, nombreux à cette époque, qui souhaitaient d'une manière ou d'une autre approcher Soong May-ling savaient qu'ils ne pourraient le faire que par l'intermédiaire de mon grand-père en qui la première dame de Chine avait toute confiance.

Cependant, cette habile construction politico-mondaine abritait un secret.

Le secret, c'était que mon grand-père était déjà un communiste convaincu.

37

« *Comment un si beau morceau d'agneau*
a-t-il pu tomber dans la gueule d'un chien ? »

AU BORD DE L'EAU,
ATTRIBUÉ À SHI NAI'AN, (XVIᵉ SIÈCLE)

Tout bien considéré, ces années trente apparaissent sur le plan idéologique aussi troubles en Asie qu'en Europe. Chiang Kai-shek ne semble pas seulement soucieux de juguler la montée en puissance des idées communistes mais on le soupçonne d'être au bord de rompre les relations avec l'Europe et les États-Unis au profit d'un rapprochement avec… les Japonais.

Il est vrai que Chiang Kai-shek a de bonnes raisons de craindre pour son pouvoir, à en juger par l'irrésistible progression de la Longue Marche, un périple de 12 000 kilomètres, sous la conduite de l'Armée rouge. Depuis 1934, son immense cortège comprend à la fois la cohorte des partisans mais aussi une partie des dirigeants du parti communiste chinois traqués par l'Armée nationale du Kuomintang.

Plus d'une année durant sur les routes de Chine, ces combattants marcheurs minés par la guerre civile et la famine qui en résultent vont peu à peu constituer un vivier de légende. Dans la suite de l'histoire de ce pays, le fait d'avoir été de la Longue Marche ou non, le fait d'avoir compté ou non parmi les rescapés d'une terrible hécatombe, le fait surtout de s'être hissé au rang des braves qui entouraient alors le jeune Mao Zedong, d'avoir contribué à façonner son image de leader, de s'être trouvé dans sa proximité, d'avoir surmonté des difficultés hors du commun, d'avoir vu naître l'étoffe d'un héros : de tous ces éléments il sera tenu compte au moment de nommer tel ou tel aux plus hautes fonctions de l'État quand sonnera l'heure de la victoire des communistes moins de quinze ans plus tard, en 1949.

C'est au cours de la Longue Marche, entre 1934 et 1935, que de source sûre, Yan Baohang est informé du rapprochement de plus en plus sensible entre Chiang Kai-shek et les Japonais.

Dans ce contexte, mon grand-père s'efforce de démontrer à Zhang Xueliang pourquoi ses réticences à l'endroit des communistes, doivent être surmontées et pourquoi il est impératif que son armée cesse de vouloir exterminer les communistes, car ce combat ne sert qu'à renforcer les intérêts de l'Empire nippon.

Zhang Xueliang écoute. Il médite les propos de mon grand-père qui finissent par l'ébranler. Mais le général est de tempérament sentimental. Chez lui, les émotions l'emportent toujours sur la raison. Ce que Yan Baohang lui rapporte de l'ambiguïté des positions de Chiang Kai-shek, le déçoit et cette déception est d'autant plus vive qu'il se forgeait de Chiang Kai-shek une image de patriote incorruptible. De la déception à la colère, il n'y a qu'un pas et Zhang Xueliang se livre tout entier à cette colère contre le chef du Kuomintang à qui le général ne pardonne pas de vouloir faire le jeu des Japonais. C'est ainsi que Zhang Xueliang fomente en secret une manœuvre qu'il appellera lui-même son «coup d'État».

Ce «coup d'État», perpétré par Zhang Xueliang, l'Histoire le retiendra sous le nom « d'incident de Xi'an ». Il a lieu le 12 décembre 1936. Profitant d'une visite officielle de Chiang Kai-shek à Xi'an, le généralissime Zhang Xueliang enlève le chef du Kuomintang et le prend en otage.

En pleine guerre civile, il entreprend de dicter ses conditions. Il ne relâchera pas son prisonnier tant que Chiang Kai-shek ne se sera pas engagé à mettre fin à la guerre civile, tant qu'il ne renoncera pas à combattre les communistes, tant qu'il ne consentira pas à établir avec eux un front commun de lutte contre l'envahisseur.

À propos de cette affaire, mon grand-père dira plus tard que si Zhang Xueliang était très habile en matière de stratégie, il était aussi très naïf en matière politique. Preuve en est qu'après plusieurs jours d'impasse, Zhang Xueliang ne soupçonne aucun traquenard lorsque Chiang Kai-shek propose de discuter de toutes ces questions à Nankin, son quartier général.

Cette ruse est si manifeste que Zhou Enlai en personne conseille à Zhang Xueliang de ne pas accompagner Chiang Kai-shek à Nankin. Peine perdue. Zhang Xueliang s'indigne, il croit à la parole donnée, la parole d'honneur, et jure qu'il ne peut rien lui arriver…

Et comme il fallait s'y attendre, à peine débarqué à Nankin, le leader nationaliste ordonne l'arrestation du général.

Yan Baohang se précipite au siège du gouvernement. Soong May-ling le charge alors d'une mission : obtenir de Zhang Xueliang la restitution d'une dizaine d'avions de chasse au gouvernement de Nankin, en échange de quoi, il sera libéré.

Yan Baohang demande alors à s'entretenir avec le prisonnier : «Dois-je retourner à Xi'an? Les avions doivent-ils être restitués?» À ces deux questions, le général répond par l'affirmative. Il ajoute : «Nous en avons discuté avec Chiang Kai-shek et nous sommes tombés d'accord. Une fois les avions restitués, je serais autorisé à retourner à Xi'an, libre de mes mouvements.»

Cependant, une fois l'opération accomplie, loin d'être libéré, Zhang Xueliang est condamné à perpétuité. Yan Baohang est sidéré par cette nouvelle. Le sentiment d'une trahison inqualifiable tétanise mon grand-père. Une fois ressaisi, il se démène pour voir Chiang Kai-shek au plus vite et obtenir un entretien avec Soong May-ling. Après de longs mois, quand il est enfin reçu par le chef du Kuomin-tang celui-ci reste sourd aux supplications de mon grand-père. La seule faveur qui lui est consentie, rencontrer le prisonnier qui, d'après ce qu'on lui dit, sera placé en rési-dence surveillée jusqu'à la fin de ses jours à Fenghua, pro-vince du Zhejiang, dans l'enceinte du temple Xuedou de Xikou.

La rencontre entre mon grand-père et Zhang Xueliang a lieu en février 1937. À ce temple bouddhiste, l'un des favo-ris de la dynastie Song, on donne parfois le nom de «Grotte des Neiges» à cause de sa situation d'isolement sur les som-mets glacés du Mont Xuedou. En cette période de l'année, la neige est loin d'être fondue. Le froid est pénétrant, la lumière faible et sinistre à l'heure du crépuscule. Sitôt entré à l'intérieur du temple, je me sentais affreusement seul, affreusement triste avait dit mon grand-père.

On l'avait conduit jusqu'à une petite cellule. Zhang Xue-liang se taisait, l'air anormalement craintif pour quelqu'un qui avait démontré qu'il ne craignait rien. Mon grand-père avait fini par prendre la parole mais Zhang Xueliang lui avait fait signe de se taire en indiquant du menton les hautes fenêtres, suggérant que leur conversation était épiée…

Et mon grand-père s'était résigné à dire adieu à Zhang Xueliang n'imaginant pas un instant que son ami lui survi-vrait aussi longtemps. Car Zhang Xueliang resterait détenu plus d'un demi-siècle!

La rancune de Chiang Kai-shek à son égard était à ce point tenace qu'une fois lui-même déchu, il prendrait la peine de ramener cette «prise de guerre» à Taïwan, dans l'exil forcé auquel ses ennemis communistes au pouvoir l'avaient contraint. Et, dans le cas où Zhang Xueliang lui survivrait, ce qui fut le cas, Chiang Kai-shek avait voulu perpétuer cette vengeance. Avant de mourir en 1975, il avait légué à son fils la garde du prisonnier. C'est ainsi que Zhang Xueliang ne recouvrirait la liberté qu'après la mort de ce fils, en 1990!

De sorte qu'il avait fallu attendre 1991 pour que ma tante troisième, Mingguang, puisse s'envoler vers New York pour rendre visite à cet homme libre après plus de cinquante ans de captivité. Puis, mes parents eux-mêmes avaient fait le voyage pour retrouver à Hawaï l'ami le plus proche de mon grand-père.

La première question du vieil homme aux visiteurs avait été : «Dites-moi et, surtout, ne me dissimulez rien, je vous en prie, dans quelles circonstances et comment votre père est-il décédé?»

Malgré cette épreuve d'une détention de plus d'un demi-siècle, Zhang Xueliang, mort en 2001, à l'âge vénérable de cent un ans, avait survécu plus de trente ans à mon grand-père.

38

« Les nôtres n'oublieront plus qu'ils souffrent à cause d'autres hommes,
et non de leurs vies antérieures. (…) Ceux qui ont donné conscience de
leur révolte à trois cents millions de misérables n'étaient pas des ombres,
comme les hommes qui passent
– même battus, même suppliciés, même morts. »

ANDRÉ MALRAUX, *LA CONDITION HUMAINE*, 1933

Moins d'un an plus tard, sous un prétexte bénin, l'armée impériale japonaise déborde les territoires du Nord-Est, franchit le pont Marco-Polo (ou pont de Lugou) le 7 juillet 1937 et, sur instruction de l'empereur Hirohito, entreprend l'invasion totale de la Chine. Tel est le premier acte de la longue guerre sino-japonaise pour laquelle on avance aujourd'hui le chiffre de plus de vingt millions de morts. Quittant sa forme larvée, ce conflit, parmi les plus sanguinaires de l'histoire de l'Asie, entraînera avec lui le monde entier. C'est de ce chaos que la Chine, telle que nous la connaissons aujourd'hui, va émerger, soudée pour la première fois par le ferment nationaliste.

Peu après cette offensive, Zhou Enlai est officiellement chargé des négociations avec le gouvernement de Nankin en vue de consolider le front uni contre les Japonais. Il met en place et dirige le bureau de liaison KMT-PCC – autrement dit Kuomintang-Parti communiste. Le 13 août 1937, lorsque les Japonais envahissent Shanghai, Zhou Enlai se rend chez Yan Baohang.

De longues conversations entre les deux hommes s'ensuivent. Il y est question de la guerre, bien sûr, mais aussi de l'avenir et de la volonté des communistes de sortir la Chine du vieux féodalisme toujours en vigueur. On évoque les origines paysannes de Mao Zedong qui le mettent de plain-pied avec la composante majoritaire de la population, de plain-pied avec un pays qui, à l'inverse de l'Occident, n'a pas connu de révolution industrielle. On parle du Kuomintang, de son irrésistible dérive vers la dictature et de la corruption qui ronge ce parti au pouvoir depuis près de dix ans.

Et comme à peu près tous les sujets sont abordés, Yan Baohang parle très librement de sa propre adhésion au christianisme dans ses jeunes années. Zhou Enlai lui répond que l'Église, a été capable de former nombre de penseurs – Copernic, Giordano Bruno, Galilée… – qui ont su faire avancer l'humanité. Elle aussi, avait l'objectif d'aider les plus pauvres et les plus démunis pour construire un monde meilleur, plus égalitaire. Ces valeurs, enchaîne Zhou, devraient inciter Yan Baohang à renforcer sa position au sein du camp communiste, qui pourrait ainsi bénéficier du très précieux réseau que Yan Baohang entretient depuis si longtemps au sein du Kuomintang.

Personne, en effet, ne pourrait soupçonner un double jeu de la part d'un dignitaire partageant les bureaux de Chiang Kai-shek depuis que lui ont été confiées les rênes du Mouvement de la vie nouvelle. Et qui se méfierait de cet intime de Soong May-ling, réputé pour être affable, charmant et, qui plus est, l'indispensable invité polyglotte de toutes les réceptions du régime aussi bien que des réceptions privées de Zhou Enlai?

Cette discussion tombe très à propos : la guerre embrase maintenant tout le territoire chinois et, plus largement, tout le Sud-Est asiatique où se répandent les troupes japonaises. Cette nouvelle configuration réclame une autre forme d'engagement.

Il est clair que les alliances sont en train de changer, que bientôt le Kuomintang aura vite fait de céder aux sirènes allemandes et japonaises qui prônent un rapprochement avec la Chine contre le camp soviétique. Profondément nationaliste, Yan Baohang cherche les soutiens de tous ceux qui sont prêts à chasser l'envahisseur japonais. Est profondément touché par la détermination du Parti communiste à lutter contre les Japonais.

C'est dans ce contexte que mon grand-père rejoint secrètement le Parti communiste en septembre 1937. Activité clandestine, cela va de soi. Et périlleuse du fait de la traque de la police secrète du Kuomintang terriblement efficace. Tout au long des années qui suivront, le chef de cette police secrète n'aura d'ailleurs de cesse d'essayer de confondre mon grand-père, sans succès faute de preuves.

Ainsi, Zhou reste partie prenante du gouvernement nationaliste. Mon grand-père continue d'être chargé de mission par ce même gouvernement en tant que conseiller au département politique et membre du comité militaire. D'une part, cela leur permet d'obtenir la libération de prisonniers politiques communistes détenus par le Kuomintang. D'autre part, cela permet d'asseoir l'influence communiste au sein de l'administration.

Dès 1938, les instances gouvernementales sont contraintes de se replier vers l'intérieur des terres du Sichuan, à Chongqing, pour se mettre à l'abri. Yan Baohang rend compte des manœuvres de séduction de plus en plus insistantes des diplomates allemands qui expliquent au Kuomintang qu'il ne pourra bientôt plus compter sur les Alliés. Les attachés militaires qui tournent autour de Chiang Kai-shek ne ménagent pas leurs efforts pour le convaincre de se rapprocher des Japonais. Une fois liés, lui soufflent-ils, l'écrasement des communistes est envisageable, non seulement chez le voisin soviétique mais encore en Chine même. Et c'est, bien sûr à cela que Chiang Kai-shek aspire : le pouvoir sans partage sur la totalité de la Chine…

Il fallut attendre des années avant qu'on découvre l'importance historique du travail de renseignement mené par Yan Baohang. Son fruit le plus précieux fut récolté en 1941 lors d'une réception mondaine au siège du gouvernement nationaliste à Chongqing. Elle compta parmi les plus huppées que donnèrent les hauts dirigeants du Kuomintang.

Parmi les opérations d'agent double que Yan Baohang eut à conduire, le danger attaché à celle-ci tenait à ce qu'il agissait non dans le secret de la clandestinité qui, en un sens, protège, mais en pleine lumière, au vu et au su de tous, en queue-de-pie et *white tie* ainsi que l'imposait le protocole. En cas de problème, il lui serait impossible de prétendre qu'il ne s'y était pas trouvé. Mais ce genre de réception n'autorisait que la présence de convives «sûrs» aux parcours et aux identités dûment vérifiés...

Dans le récit que mon grand-père fit de ces événements, puis dans celui de mon père, on apprend qu'au début du mois de mai 1941, l'attaché militaire chinois en poste à Berlin adressa un télégramme secret à Chiang Kai-shek pour l'informer qu'Hitler avait d'ores et déjà planifié l'attaque de l'URSS aux alentours du 20 juin suivant.

Cette nouvelle fut accueillie dans l'enthousiasme par les dirigeants nationalistes. Une fois l'URSS écrasée par les troupes du Reich – pronostic qui ne faisait aucun doute à leurs yeux – les forces de l'Empire nippon auront alors les mains libres pour écraser les communistes chinois privés de leur soutien soviétique.

Tout cela semble de si bon augure que, dans l'euphorie générale, une réception est organisée. À peine arrivé, Yan Baohang note une ambiance festive inhabituelle. Les convives se bousculent pour porter des toasts. Tantôt ils honorent Chiang Kai-shek, tantôt Soong May-Ling, tantôt le Kuomintang ou les trois à la fois. Surpris, mon grand-père interroge Sun Ke, le fils de Sun Yat-sen, sur les raisons d'une si grande allégresse. Celui-ci lui révèle la teneur de l'information secrète.

Mon grand-père prend soin d'affecter une certaine indifférence à ce que Sun Ke lui chuchote à l'oreille. Mais s'empresse d'essayer de recouper l'information. Il y arrive au cours de la même soirée, auprès du président du Sénat : Yu Yuoren lui confirme l'information et affirme même qu'il la tient de la bouche même de Chiang Kai-shek.

Yan Baohang feint alors une indisposition et quitte l'assemblée. Il lui est impossible de se rendre directement chez Zhou Enlai : il risquerait de les compromettre tous les deux. Par chance, Li Zhengwen, qui appartient à la cellule d'information clandestine, passe la soirée chez les Yan. Lui, il peut sans risque parler à Zhou qui n'aura plus qu'à relayer l'information au quartier général de Mao Zedong qui la transmettra immédiatement à Staline. Nous sommes le 16 juin 1941.

Certes, ce n'était un secret pour personne que l'Allemagne projetait d'attaquer l'Union soviétique malgré le fameux pacte de non-agression. Mais il restait à connaître la date.

La question était cruciale car Staline s'inquiétait du niveau de préparation de ses troupes. À peine en possession de l'information, le leader soviétique s'empressa d'ailleurs de remercier «le camarade chinois qui avait pu l'intercepter».

En 1962, lors une réunion au Grand Hall du Peuple à Pékin, Zhou Enlai s'est exprimé sur les soutiens réciproques entre la Chine et l'Union soviétique. «Ce n'est pas seulement l'Union soviétique qui a apporté de l'aide à la Chine, mais aussi la Chine qui a donné de bonnes informations sur l'attaque d'Hitler», expliqua-t-il, avant de confier : «Je ne me souviens pas exactement qui m'a donné cette information.» La phrase fit sursauter mon grand-père qui assistait à la réunion. Tout de suite après, il rédigea un rapport détaillé sur ses activités de renseignement liées cet épisode, et l'envoya à Zhou Enlai. C'est ainsi que, vingt et un ans après les faits, Zhou Enlai sut comment cette information lui était parvenue.

Il est des faits historiques assez remarquables pour qu'on les célèbre après la mort des protagonistes et par-delà même les systèmes politiques qui leur étaient contemporains. En 1995, soit un demi-siècle après la victoire des Alliés sur l'Allemagne nazie, Boris Eltsine décerna trois décorations au nom du peuple russe. La première médaille venait «en reconnaissance de la contribution de Yan Baohang à la Victoire des Alliés lors de la Seconde Guerre mondiale». Daxin, mon oncle premier, fut en tant que fils aîné le récipiendaire de cette décoration posthume de mon grand-père, aux côtés de sa femme Shuti – ma tante qui avait été tondue par ses élèves pendant la Révolution culturelle. À Mingshi, ma tante première, fut remise solennellement la deuxième décoration, pour récompense de son action auprès de mon grand-père. Elle ne pouvait être présente en personne à cette cérémonie pour des raisons de santé. C'est Mingfu, mon père, qui la reçut pour elle, Wu Keliang, ma mère, à ses côtés. La troisième décoration fut remise à Li Zhengwen, l'agent que mon grand-père avait chargé de transmettre à Zhou Enlai la bonne date d'exécution du plan Barbarossa.

Autre grand fait d'arme de mon grand-père : en 1944, il donna aux Soviétiques des informations décisives sur l'armée japonaise du Guandong, stationnée sur l'ancien territoire de Mandchourie.

Pour comprendre l'importance stratégique de ce contingent d'un million d'hommes, doté du meilleur matériel militaire de l'époque, il suffit de préciser que la vocation de cette armée était de rester secrète jusqu'à son déploiement prévu sur tout le territoire chinois. L'État-major nippon optait pour l'envoi de n'importe quel autre contingent sur le théâtre des opérations en cours, plutôt que d'entamer l'effectif de cette armée de réserve. Il était d'autant plus important de la ménager que ces corps d'élite avaient aussi pour mission de parer à une intervention américaine au Japon.

Lorsque l'Armée rouge décida de l'attaquer, les Soviétiques disposaient de tous les détails sur le dispositif et l'intendance de cette armée conçue pour être autosuffisante. Ils ont des cartes avec les emplacements des aéroports et des armes, et connaissent jusqu'au nom de chaque général, de chaque maréchal ! Les informations divulguées par Yan Baohang depuis Chongqing permettent aux Soviétiques de défaire le plus important et le plus prestigieux corps de l'armée japonaise le 9 août 1945, soit une semaine avant la date prévue pour l'invasion de la Chine. L'intervention soviétique écarta ce péril et mit fin à l'État fantoche du Mandchoukouo.

Enfin, mon grand-père fut l'homme qui informa les communistes que le Japon planifiait une attaque sur la base navale de Pearl Harbour, à Hawaï. En novembre 1941, Chi Buzhou, un brillant mathématicien formé au Japon, travaillant au bureau d'information militaire du Kuomintang, contact de mon grand-père, décrypta des informations relatives à ce plan d'attaque de la plus importante flotte stationnée dans le Pacifique. Les Japonais étaient coutumiers des stratégies de désinformation, mais ces données coïncidaient avec une effervescence notable d'échanges entre la capitale nippone et ses services consulaires à Hawaï où il était question du dispositif d'amarrage de l'US Navy sur l'île d'Oahu, également dans l'archipel d'Hawaï, et de mouvements de l'aéronavale japonaise. La concordance de ces renseignements est immédiatement rapportée à Yan Baohang qui les transmet à Zhou Enlai.

Dans cette affaire le rôle de l'espionnage est tel que les états-majors chinois, soviétiques et américains furent informés quasi en même temps de ce projet d'attaque. Chacun réagit à sa façon : côté soviétique, Staline mesura aussitôt la détermination japonaise à entrer en guerre contre les États-Unis. Roosevelt, quant à lui, pourtant doublement informé, et par Staline et par Dai Li, le patron des services d'information du Kuomintang, n'attacha pas autant de crédit à ces renseignements...

39

« Quand deux ennemis se rencontrent,
leurs yeux brillent extraordinairement. »

AU BORD DE L'EAU,
ATTRIBUÉ À SHI NAI'AN (XVIᵉ S.)

Né le 11 novembre 1931, mon père, Mingfu, est un enfant de la guerre. Elle avait éclaté un mois avant sa naissance avec l'invasion de la Mandchourie par l'armée japonaise du Guandong. Ce qui explique qu'au sinogramme propre à sa génération – «Ming» – on lui ait accolé ce «fu» qui signifie «récupérer la patrie». Il est l'enfant d'une guerre qui ne cessera de s'amplifier avant d'embraser l'Occident, de se répandre comme une traînée de poudre sur toute l'Asie-Pacifique en 1941 et qui, en Chine, durera quinze ans. Quand il naît, sa sœur aînée, Mingshi, a quinze ans, son autre sœur, Mingguang, quatre ans. Quant au plus jeune des garçons, Mingzhi, il a sept ans, et c'est de lui dont il sera le plus proche jusqu'à sa mort, à l'âge de cinquante et un ans, victime de la Révolution culturelle.

La guerre, il est facile d'imaginer à quel point elle a dû marquer ce petit garçon car c'est lui, Mingfu, qui avait ouvert la porte au jeune soldat apparemment aveugle et en piteux état qui un jour s'était présenté chez eux. Sa mère, Gaosu, avait secouru ce jeune combattant du Nord-Est et tandis qu'il récupérait lentement, elle avait expliqué à Mingfu, huit ans, que ce jeune soldat était l'une des malheureuses victimes des armes bactériologiques utilisées par les Japonais.

De ce paysan-soldat ayant perdu toute sa famille et qui ne recouvrirait certainement plus la vue, Mingfu avait de bonnes raisons de se souvenir, Gaosu ayant prévu pour sa réinsertion de l'initier à la cuisine ! De sorte que Mingfu ne craindrait pas d'avouer plus tard avoir regretté que l'apprentissage du paysan-soldat ait duré si longtemps, la bienveillance de sa mère leur ayant infligé à tous quantité de raviolis sans sel ou trop salés, trop cuits ou pas assez.

De ses jeunes années, Mingfu se souvient encore que tel tableau offert par un artiste renommé avait soudain disparu. De même telle montre ou telle bague qui ornait la main de Gaosu avait été vendue pour pouvoir acheter de la pénicilline, hors de prix à cette époque, aux parents Wang dont la fille d'à peine un mois avait attrapé une pneumonie.

La guerre est finie en Europe mais pas la guerre civile en Chine. Avec la nomination de Yan Baohang en août 1946 gouverneur du Liaobey, le Kuomintang trouve une bonne raison de chercher et d'arrêter sa famille – pour leur échapper, Gaosu quitte donc précipitamment Ghongquing avec

Mingfu et Mingghuang et deux petites filles de Mingying. Quatre mois de périple en bateau, en train, en chariot, déguisés en riches cadres du Kuomintang pour rejoindre Harbin en Mandchourie! Mingfu y entame, en 1947, ses études supérieures à l'Institut des langues étrangères de Harbin. C'est l'occasion pour elle de rendre visite à son autre fils, Mingzhi, vingt-trois ans, qui enseigne déjà le russe à l'université Jiamusi de Harbin.

Deux ans après la fin de la guerre en Europe, la Chine regarde l'URSS comme la grande nation voisine qui a fait le sacrifice de vingt millions de morts pour combattre l'hydre nazie, puissance de l'Axe dont le Japon faisait partie et qui a tant coûté au peuple chinois. Quant à ceux, déjà très nombreux, acquis à l'idéal communiste, ils regardent l'URSS comme le grand frère idéologique et, par conséquent, de toutes les langues étrangères, c'est évidemment le russe qui a toutes les faveurs.

Diplômé en 1949, à dix-neuf ans, Mingfu est affecté huit ans durant à la Fédération nationale des syndicats de Chine où il accompagne précisément les experts soviétiques venus former les Chinois à l'organisation syndicale. Accompagner est un faible mot car Mingfu ne les quitte pas du matin au soir, allant dit-il, jusqu'à partager avec eux la vodka et, mine de rien, il fait ainsi d'énormes progrès en vocabulaire.

Pendant ce temps Mao Zedong, est dans le train qui le conduit à Moscou, en compagnie d'une petite délégation de quatre personnes. Nous sommes deux mois après la proclamation de la Nouvelle Chine en octobre 1949. Le voyage jusqu'à Moscou, qui dure dix jours en ce temps-là, a été programmé pour une première rencontre avec Joseph Staline. Ce sera la seule.

Ces dix jours de voyage à travers les plaines russes ne sont pas de trop pour digérer un affront parmi d'autres : au beau milieu de l'année 1945, les Soviétiques – coupables comme les Américains d'avoir parié sur une victoire des nationalistes – ont consenti cyniquement un Traité «d'alliance et d'amitié» avec Chiang Kai-shek, autant dire un coup de poignard dans le dos de tout militant communiste chinois!

La suite, on la connaît : après avoir contraint les derniers partisans de Chiang Kai-shek et Chiang Kai-shek lui-même à quitter le continent pour Taïwan, Mao proclamait l'avènement de la République populaire de Chine au nez et à la barbe des Soviétiques comme du reste du monde.

Ce premier (et dernier) contact avec Staline est désastreux. Ce n'est pourtant pas faute d'avoir mis Mao à la place d'honneur pour la célébration du soixante-dixième anniversaire de son homologue soviétique. Ce n'est pas faute que la foule ait longuement scandé le nom des deux leaders. Si toutes les apparences d'une cérémonie chaleureuse et fraternelle sont sauves, Mao Zedong affiche un air sérieux, sinon grave. Mieux, il fait savoir au représentant de l'Union soviétique en Chine (à charge pour ce dernier de faire passer le message) que lui, Mao Zedong, n'est pas venu jusqu'à Moscou seulement pour fêter l'anniversaire de Staline mais qu'il aimerait aussi... «travailler un peu»!

Deux mois de séjour à Moscou, il n'en faudra pas moins pour qu'au terme de négociations serrées, les tensions entre les deux leaders s'apaisent. Cet apaisement, on le doit notamment à la signature d'un traité d'assistance qui prévoit le plus grand transfert de technologie jamais réalisé : experts et ingénieurs soviétiques sont en charge de mettre sur pied les bases d'un développement de la Chine à marche forcée où la priorité, dans un pays à 90 % rural, sera donnée à l'industrie.

40

*« Connais en toi le masculin
Adhère au féminin. »*

LE LIVRE DE LA VOIE ET DE SA VERTU,
LAOZI (VERS 590 AV. J-C.)

Les Yan au grand complet viennent de fêter le prochain départ de Mingzhi en Union soviétique. Belle promotion puisque mon oncle doit rejoindre les effectifs de l'ambassade de Chine à Moscou avant d'intégrer, à Pékin, le ministère des Affaires étrangères. C'est dans ce climat de liesse familiale que tombe la nouvelle : Joseph Staline vient de mourir. Tous les regards se tournent vers Moscou. On cherche à décrypter le moindre signe susceptible de révéler qui va sortir du lot dans la course au Kremlin. Comme toujours en pareil cas, c'est à peine si on considère les outsiders. À en croire le *New York Times,* Nikita Khrouchtchev semble à ce point disqualifié que ses chances sont loin derrière celles de Malenkov et Beria !

C'était sans compter avec ce détail : dès la mort officielle de Staline, Khrouchtchev prend soin de dépêcher à Pékin son plus proche soutien en la personne d'Anastase Mikoyan. Lequel Mikoyan s'était déjà rendu secrètement à Pékin peu avant la proclamation de la République populaire...

Cette habileté de Khrouchtchev à faire «campagne» auprès de Mao porte ses fruits. C'est à celui dont la cote est au plus bas que le plein soutien de la Chine est accordé. En retour, Khrouchtchev ne manquera pas de faire le voyage à Pékin, dès 1954, pour témoigner de vive voix toute sa reconnaissance. Celle-ci prend une forme concrète et non négligeable : plus d'une centaine de programmes d'assistance technique sont lancés dont certains concernent l'armement. Sans oublier la complète modernisation de la prison spéciale de Qincheng à Pékin, un détail qui me frappe. Le tout, assorti d'une invitation à la Conférence de Moscou qui doit se tenir en novembre 1957.

En 1956, mon père est approché pour intégrer le gouvernement central, les meilleurs interprètes du moment étant tous à la Fédération nationale des syndicats de Chine. Il aura à former les membres d'une équipe et à conduire le staff composé par messieurs Zhu et Zhao dès janvier 1957.

Sur la photo qui immortalise le départ de Mingzhi pour Moscou on note la présence de deux nouveaux visages : Cao Jiu, que Mingshi a rencontrée aux Beaux-Arts où elle s'était inscrite après son passage par Yan'an et qu'il a épousée. L'autre visage, mais on devrait plutôt parler de joli minois tant les traits de cette jeune fille sont fins et délicats, c'est celui de ma mère, Wu Keliang, porcelaine de vingt-deux ans

252

qui en paraît seize. L'esquisse de son sourire pourrait trahir de la timidité si elle n'était aussitôt démentie par un regard franc.

Mes futurs parents se sont rencontrés l'année précédente. La jeune fille étudie le français à l'université de Pékin lorsqu'ils se croisent pour la première fois, en mai 1952. Une trentaine de délégations étrangères sont conviées par la Fédération des syndicats de Chine à l'occasion du 1er mai, fête internationale des travailleurs. Les interprètes disponibles étant en nombre insuffisant, on fait appel aux étudiants, parmi les meilleurs de la Nouvelle Chine. Wu Keliang se voit ainsi chargée d'accueillir la délégation algérienne. De son côté, Mingfu traduit le russe. Un des discours officiels s'éternise, la jeune fille oublie une partie de ce qui a été dit, Mingfu vient à son aide. Le jeune interprète lui paraît bien talentueux !

Ils auront une autre occasion de se croiser dans des circonstances similaires. Désormais, ils se connaissent un peu mieux. Ils se saluent. Ils se sourient. Jusqu'au jour où une nouvelle mission les réunit à Hangzhou. C'est au cours de ce déplacement que mademoiselle Keliang, souffrante, remarque que ce garçon l'entoure de beaucoup de d'attentions délicates et, à n'en pas douter, lui fait la cour. Parfaitement, ce garçon fait librement sa cour à une jeune fille. Une jeune fille qui ne lui a pas été présentée par sa famille et dont il ne sait rien, à une époque où la règle chez les familles «convenables» reste celle des unions arrangées en dépit d'un régime qui, dans tous les domaines, prône l'émancipation.

Il est de notoriété publique que ce Yan Mingfu est issu d'une famille identifiée comme révolutionnaire. Très proche du régime en place. Très engagée. «Très rouge» comme on disait alors. Rien à voir avec le jeune prétendant qui a déjà été officiellement présenté à Keliang. Issu d'une famille de notables de Hangzhou, il a commencé ses études en Amérique avant d'intégrer l'armée de l'air du Kuomintang en tant que pilote. Puis il a repris son cursus d'ingénieur aux États-Unis et il enseigne à présent à l'université de Tianjin, rien de moins.

La perspective de cette union programmée sous les meilleurs auspices a tout pour satisfaire les parents de Keliang. Il est vrai que dans cette famille, on n'est pas franchement favorable à la révolution. C'est le moins qu'on puisse dire !

Et Wu Keliang, qu'en pense-t-elle ?

Pour tout dire, ce prétendant de Hangzhou qui a eu le bon goût de lui offrir un très joli collier de perles japonaises d'Akoya, elle le trouve un peu ennuyeux, un peu trop sage, pas assez curieux des idées progressistes qui se répandent et se discutent partout en Chine et qui, elle, la passionnent...

Keliang a fait la connaissance de jeunes gens qui brassent des idées neuves, organisent des meetings, donnent des cours aux enfants d'ouvriers et mettent tout leur enthousiasme dans l'édification d'une société de progrès, une société meilleure et plus juste. Cet enthousiasme devient le sien. Le collier de perles d'Akoya ne fait pas le poids. Keliang décide de rompre : non seulement elle épousera Yan Mingfu, mais elle le fera sans prévenir ses parents.

Le plus cruel pour eux ne tenait pas tant dans un choix qu'ils auraient pu mettre sur le compte de la passion, non, le plus cruel c'était qu'en choisissant d'épouser Mingfu, elle choisissait d'épouser la cause révolutionnaire. Cette cause dont ils savaient qu'elle les condamnait à disparaître, du moins dans le cœur de leur fille. Et avec eux tout ce qu'ils représentaient.

41

« Quand j'étais jeune,
j'ai moi aussi fait beaucoup de rêves. »

Lu Xun, Cris, 1922

Ma mère est née en 1931 à Shenyang, la même année que mon père, dans une famille de la bourgeoisie typique de Shanghai. Dans les rares occasions où enfant il me fut donné de rencontrer cette partie de la famille, je me souviens qu'ils parlaient cette langue, le shanghaïen, que je ne comprenais pas, et que personne du côté de ma famille paternelle ne comprenait.

Mon grand-père maternel, Wu Zongjie, avait brillamment intégré la prestigieuse université Tsinghua qui formait pour l'essentiel des ingénieurs. Grâce à une aide américaine à la scolarité – la «Boxer indemnity» – il put compléter ses études aux États-Unis, en passant quatre ans au Massachusetts Institute of Technology (MIT) où il obtint son diplôme d'ingénierie textile. Tombé très amoureux d'une princesse coréenne, il décida de prolonger son séjour et d'entreprendre une formation de trois années à la non moins prestigieuse Julliard Music School de New York. Il resta à New York jusqu'en 1929.

Wu Zongjie était musicien et le violon son instrument. Jamais il ne renoncera à sa passion pour la musique. Ma mère qui était l'aînée de ses filles racontait qu'il leur demandait de l'accompagner au piano et que son jeu était si beau que les gens s'arrêtaient dans la rue pour l'écouter. Ses quatre enfants – deux filles et deux garçons – ainsi que sa femme, constituaient son auditoire de prédilection lorsqu'il leur jouait, en solo, de cet instrument ancien à deux cordes – bien plus ancien en vérité que le violon –, le *erhu*, conçu en Chine il y a plus de mille ans.

Malgré ses années passées en Occident, mon grand-père se considérait toujours comme un héritier direct de la tradition chinoise des lettrés antiques vieille de plusieurs millénaires. Un héritage qui suppose de s'initier aussi bien au jeu de go qu'à la calligraphie et à la peinture. Au vu de son itinéraire intellectuel, entre musique et sciences, cela revenait à actualiser la vieille recommandation confucéenne selon laquelle le rite devait comprendre à la fois la pratique des arts tels que musique, tir à l'arc, conduite des chars, calcul, poésie, peinture et calligraphie, et celle des techniques, médecine, astronomie, géomancie, divination...

Maman se rappelait qu'il organisait, à la manière des familles musiciennes allemandes, de petites chorales où les camarades de ses enfants étaient conviés à venir chanter à la maison. Une fois par mois, il réunissait des amis pour chanter ensemble cette forme d'opéra chinois très ancienne qu'on appelle le *Kunqu*, dont les thèmes littéraires donnent lieu à de longs développements inspirés de l'Histoire ou de la mythologie chinoise.

Entre mes grands-parents maternels, les présentations avaient été faites selon les règles du temps et du milieu social. Les familles respectives les avaient mis en rapport dès le retour de mon grand-père des États-Unis. Cette union ne souffrant aucune contestation, ils se marièrent l'année suivante, en 1930.

Ma grand-mère, Zhou Lixing, venait de Jiading, aujourd'hui un quartier de Shanghai. Elle appartenait à une très ancienne famille remontant à la dynastie des Song. Parmi leurs ancêtres, ils n'étaient pas peu fiers de compter le philosophe et cosmologue néo-confucéen, Zhou Dunyi qui vécut au XIᵉ siècle. Il était l'auteur d'un long texte sur le lotus dont ma mère me récitait ce passage que j'avais appris et qu'on cite encore de nos jours pour illustrer la noblesse d'un caractère : «Malgré le limon dont elle est issue, la fleur de lotus reste pure. Et malgré l'eau claire qui la baigne, elle n'est jamais coquette…» Concernant cet ancêtre très illustre, maman avait lu un jour dans une revue qu'il leur était commun à Zhou Enlai et à l'écrivain Lu Xun et que, par conséquent, ils étaient de lointains parents.

Ma grand-mère maternelle avait été élevée de manière très libérale. Elle avait été, à Pékin, l'élève du peintre Xu

Beihong. Né en 1895, l'artiste qu'on rencontre plus souvent sous le nom de Jupéon en France, est considéré comme l'un des plus grands peintres du xxe siècle chinois, aussi connu en Chine, sinon plus, que Zao Wou-ki. Portraitiste réputé, célèbre aussi pour ses peintures de chevaux, il avait fait ses classes à Tokyo et Paris dans les années 20.

À en croire maman, ma grand-mère une fois mariée renonça à la plupart de ses devoirs domestiques, passant le plus clair de son temps à jouer au mah-jong. En tant qu'aînée, maman dès l'âge de quinze ans avait la responsabilité des trois autres. Elle en avait développé un esprit très protecteur, n'hésitant pas à se battre comme un garçon pour défendre sa plus jeune sœur et ses deux petits frères.

Ses études secondaires terminées au temps de la Nouvelle Chine, ma mère se souvenait de la prise de Tianjin par l'Armée populaire de libération en 1949. En dépit de ses origines sociales, elle avait adhéré de tout cœur à cet idéal de nouvelle société, elle ne songeait qu'à s'extraire de son milieu familial et n'aspirait plus qu'à vivre loin de ces gens perçus soudain comme affreusement bourgeois. Elle n'était pas la seule à penser de la sorte. Avec un groupe de ses amis aussi convaincus qu'elle, ils décidèrent de passer leurs examens afin de poursuivre leurs études à Pékin.

Sa petite sœur, dont Keliang était très proche, avait suivi le même itinéraire, pressée d'emboîter le pas de l'aînée. Elle aussi avait intégré Tsinghua mais opté pour la filière ingénieur. Elle finirait première de sa promotion en obtenant son diplôme vers la fin des années 50. C'était l'époque où le parti encourageait les jeunes intellectuels à contribuer au développement de la nouvelle Chine, en allant s'installer dans des régions pauvres et arriérées.

Elle partit pour Lanzhou, nichée dans l'étroite langue de terre de Gansu, une province étranglée entre le plateau de Mongolie et les contreforts tibétains, très pauvre et, depuis toujours, secouée par de fréquents séismes. À Lanzhou, le Comité central avait décidé d'établir le premier centre industriel du Nord-Ouest. Un vaste ensemble voué à la pétrochimie, métallurgie, matières plastiques, production de machines-outils mais, aussi, à partir des années 60, à l'enrichissement de l'uranium à des fins civiles et militaires…

Pour Keliang, une autre raison rendait poignant le souvenir de cette petite sœur : elle n'était pas sûre que sa cadette en décidant de partir sur la foi de la propagande de l'époque, se soit rendu compte qu'elle passerait le restant de ses jours dans ce bout du monde des confins de la Chine.

Sans espoir de retour.

42

« Maudire le sophora en montrant le mûrier.
Maudire le chien en montrant le cochon. »

Dicton chinois

Son diplôme d'interprète et traductrice à peine obtenu, on informe Wu Keliang que ses excellents résultats lui ouvrent d'emblée les portes du Comité central. Plus précisément, elle est affectée au Département des Liaisons Internationales qui dépend directement du Parti et non du ministère des Affaires étrangères. Mais, compte tenu de ses origines bourgeoises, ce «privilège» implique un sacrifice : intégrer l'administration du Comité central suppose de tirer un trait sur son passé, de rompre physiquement et sentimentalement avec sa famille.

Ce Département est en charge des relations avec les partis communistes européens, ce qui n'est pas une mince affaire en ces temps de «guerre froide» qui résultent de la Conférence de Yalta.

Les représentants français comme italiens relèvent de la compétence de Keliang. Ma mère n'a pas appris l'italien mais elle a fait du latin ce qui devrait lui permettre de se lancer dans l'aventure. Il lui faut simplement se procurer quelques livres, de ceux qu'on trouve parfois, en cherchant bien, dans *Liulichang*, la rue des antiquaires de Pékin. De fait, elle finit par dénicher un bon vieux gros dictionnaire italien-latin-chinois conçu par un missionnaire. Elle décide d'en faire son premier maître car, pour apprendre n'importe quelle langue, maman a une méthode et cette méthode, la voici telle qu'elle me l'a exposée :

« C'est très simple, Lan, écoute-moi bien : chaque jour tu t'obliges à apprendre par cœur vingt nouveaux mots de vocabulaire, pas un de moins. Pour les retenir, il n'y a pas trente-six solutions, il faut les répéter au minimum une centaine de fois. À partir de là, tu verras que tu ne peux plus les oublier. »

Une fois exposée la méthode, elle abordait « sa » théorie :

« Les mots, Lan, imagine que ce sont des briques. Avant de songer à construire quoi que ce soit, tu dois impérativement en accumuler beaucoup. Ensuite vient la grammaire, autrement dit la technologie. Acquiers la grammaire exactement comme tu pourrais acquérir n'importe quelle autre technique… »

Dans cette recette artisanale, le seul ingrédient dont maman ne parlait pas, c'était la persévérance. Et pour cause, elle en était si largement dotée qu'à ses yeux tout un chacun en était aussi bien pourvu. La chance s'en mêle : dans le cadre de ses fonctions d'interprète, elle rencontre un expert italien qu'elle doit accompagner dans ses missions en Chine. Il lui propose de parfaire ses connaissances avec l'aide de son épouse qui est enseignante. Il en sera ainsi pendant deux ans. Même si maman a toujours prétendu que sa maîtrise de la langue de Dante n'était sûrement pas la meilleure de Chine elle avait quoi qu'il en soit réussi à devenir la première interprète et traductrice en italien de la Nouvelle Chine.

En 1955, Keliang et Mingfu décident de se marier. Ils ont déjà arrêté la date de la cérémonie, préparé tous les documents nécessaires quand tombe la nouvelle d'une mission à laquelle Keliang ne peut se dérober : une réunion internationale prévue à Moscou, puis à Vienne, où l'Association des juristes chinois doit se rendre. Les juristes doivent être accompagnés de deux interprètes, un pour le russe, un autre pour le français.

À son retour, c'est à Mingfu d'avoir à se rendre en Yougoslavie...

Un samedi de juin, alors que Keliang est à son bureau en train de potasser les dossiers restés en attente pendant la semaine le téléphone sonne. C'est Mingfu, il vient d'arriver à Pékin, il appelle de l'aéroport, un de ses collègues a bien voulu lui prêter son petit appartement et, si elle est d'accord, ils se marient « ce soir ».

Le mariage est improvisé en un tour de main. La voici qui prépare le petit logement pour recevoir leurs invités, la chambre pour leur nuit de noces tandis que lui se charge d'appeler ses parents et amis, d'acheter quelques friandises qui tiendront lieu de buffet. Cette manière de faire si peu solennelle était conforme aux valeurs de l'époque lorsqu'on était un jeune couple révolutionnaire soucieux de bannir toute manifestation réputée bourgeoise. On se devait de rester simple et modeste jusque dans ces réjouissances privées ainsi qu'il avait été prôné à Yan'an.

Ce même soir, Keliang adresse une lettre à ses parents, restés à Tianjin, pour les informer de ce mariage. Par retour de courrier, sa mère s'empresse de lui envoyer 100 yuans qui valent pour une bénédiction. Mais cet argent dont Keliang sait qu'il est inspiré par de bons sentiments, elle ne peut l'accepter sans trahir ses engagements. Ce billet, elle ne peut pas, non plus, le renvoyer en expliquant à ses parents que leur origine sociale de *Chushen Buhao* – culture bourgeoise + capital, une « mauvaise origine » donc –, les condamne et que le Parti veille à ce que leur fille tire un trait sur les liens entretenus jusqu'alors. La seule chose que la jeune femme espère c'est que ses parents comprennent entre les lignes lorsque, par retour de courrier, elle se résout finalement à renvoyer les 100 yuans en expliquant qu'elle «n'ose pas» disposer de cet argent qui, par ailleurs, ne lui est pas nécessaire.

Hélas, si pour Keliang, la situation est très délicate à expliquer, il est encore plus difficile pour sa mère de comprendre le refus de sa fille. Elle en conçoit de la colère et reprochera très longtemps à Keliang son comportement.

Dès le début des années 50, la Nouvelle Chine avait commencé à poser des principes très stricts concernant ces questions d'appartenance sociale, mais cela allait à l'encontre d'une tradition féodale millénaire, relayée par le confucianisme et perpétuée de génération en génération. Elle stipulait qu'on ne pouvait sans trahir changer de rang social, déterminé à la naissance. C'était vrai pour l'empereur comme pour le paysan. Or, en voulant faire table rase de l'idée d'un héritage social, la Nouvelle Chine l'avait encore plus rigidifié : quels que soient ses engagements, son mode de vie, ses convictions politiques, un arrière-petit-fils de bourgeois est condamné à rester un bourgeois. Idem pour un arrière-petit-fils de paysan : qu'il soit réactionnaire ou acquis aux nouvelles idées, il restera un paysan.

À cela s'ajoutait un renversement tout aussi rigide de l'ordre hiérarchique : la «bonne origine» devenait la plus basse possible de la hiérarchie d'autrefois. Ce qui restait d'actualité c'est qu'on ne pouvait en changer sans trahir : elle se transmettait par héritage. À partir de 1958, les différentes appartenances de classe ont été tranchées sans nuance. «Rouge» était la bonne catégorie, celle des ouvriers, des paysans pauvres, des martyrs de la Révolution, des soldats révolutionnaires. «Noire», la catégorie à combattre : les propriétaires terriens, les paysans riches, les contre-révolutionnaires, les criminels, les droitistes.

Voilà pourquoi il fallait rompre tout lien avec sa famille si l'on était issu d'une catégorie «noire». Outre les mises à l'épreuve que les camarades vous infligeaient, il fallait compter avec toutes celles qu'on s'infligeait soi-même à cause du soupçon permanent de contamination et de trahison.

Dans le cadre de son travail, très vite, on a fait sentir à ma mère la faute et la honte de ses origines. Très vite on lui a fait comprendre que, malgré ses convictions progressistes, il lui serait quasi impossible de s'amender. Cette suspicion à l'égard des «origines noires» ne cessera de s'aggraver jusqu'au lancement de la Grande Révolution culturelle prolétarienne.

Sur ce thème, en 1966, avait paru le livre d'un étudiant de vingt-quatre ans, Yu Luoke, qui prétendait discuter cette «théorie de la lignée» ainsi que le «culte» unique de la classe des «ouvriers-paysans-soldats». Son texte, qui s'était répandu comme une traînée de poudre, allait rencontrer un succès considérable. Yu Luoke y démontrait en substance l'injustice et l'arbitraire de cette théorie, allant jusqu'à affirmer qu'elle n'avait pour objectif que de légitimer les nouveaux privilèges. Accusé de droitisme et d'avoir cherché à organiser un mouvement politique, Yu Luoke fut arrêté puis exécuté par l'armée en 1970. Il avait vingt-sept ans.

Dès que maman a intégré le Département des Liaisons Internationales, elle a été mise à l'isolement pendant six mois, installée à demeure dans une résidence du ministère, pour y être soumise à un examen complet de ses origines familiales.

Les moins bien notés de ses anciens condisciples se voyaient confier les tâches les plus gratifiantes, les missions à l'étranger les plus exaltantes tandis qu'on lui demandait de rester vissée à son bureau pour traduire des documents concernant la France et le Vietnam. La raison en était que ma mère ne pouvait se réclamer ne serait-ce que d'un grand-oncle paysan, d'un cousin ouvrier ou simple soldat.

Au sein du ministère, des séances de critiques et d'auto-critiques collectives avaient été instaurées. Dès la première séance, maman exposa qu'elle trouvait injuste qu'on lui confie systématiquement des tâches mineures alors que ses résultats universitaires étaient parmi les meilleurs. Elle estimait discutable qu'on privilégie les origines sociales au détriment des compétences. Pareille déclaration suscitait instantanément des critiques. Cette première séance fut suivie de nombreuses autres. Elles finirent par rythmer l'emploi du temps de tous les fonctionnaires du ministère.

Chez ces jeunes gens débutant leur carrière peu après la Libération, il devint clair que si l'on souhaitait progresser il fallait couper net le lien familial, et d'autant plus si la famille comptait des propriétaires terriens, des bourgeois, capitalistes ou des membres du Kuomintang. Ne pas le faire, c'était au mieux stagner dans la hiérarchie et être exposé à de constantes vexations. Et c'est ce que fit ma mère. Comment le lui reprocher ?

Quand pour la première fois, elle fut envoyée par son ministère en mission à l'étranger, on lui indiqua le service en charge de fournir les vêtements nécessaires pour les délégations. À Vienne où elle devait se rendre, c'était l'hiver. Elle ne trouvait pas de manteau dans ce fameux service. Qu'à cela ne tienne se dit-elle, les manteaux ne manquent pas chez moi. Il lui suffirait d'écrire à ses parents pour leur demander de les lui envoyer. Elle prit bien soin, dans sa lettre, de ne préciser ni la nature de sa mission ni le lieu de ce déplacement. Comme tous les autres, elle reproduisait déjà le culte tacite du secret, la règle de la confidentialité. Ainsi en avait usé son propre chef en ne lui révélant pas tout de suite la destination de son voyage.

Une fois l'épisode du manteau rendu public, une violente séance de critiques eut lieu. Ce qui motiva cette séance tient à la fois au vêtement, perçu comme signe extérieur de richesse et à la réticence de ma mère à rompre clairement avec les usages de sa famille bourgeoise.

Voilà pourquoi j'ai si peu vu mes grands-parents maternels pendant mon enfance. Je me souviens seulement que nous sommes allés une fois, à Tianjin, ma mère, mon père et moi. Nous y avons passé peu de temps, quelques heures à peine et cependant assez pour que je prenne conscience que la très jolie maison qu'ils habitaient s'accordait au statut de mon grand-père. Bien que son usine textile ne lui appartienne plus depuis sa nationalisation en 1949, les mêmes autorités qui l'avaient dépossédé de son bien lui avaient demandé de continuer à la gérer en tant qu'ingénieur en chef du fait de sa connaissance théorique autant que pratique de ses propres moyens de production.

La dernière fois qu'on avait eu de leurs nouvelles, c'était en pleine Révolution culturelle.

Ils comptaient parmi les cibles des attaques les plus virulentes des Gardes rouges, ceux qu'on désignait du nom infamant de capitalistes. La déchéance de mes grands-parents maternels avait commencé. Leur jolie maison familiale de Tianjin avait été pillée. Ainsi disparut son violon tant aimé, un violon du XVIIe construit pas un luthier italien. On a même dit que c'était un Stradivarius. On leur laissait seulement un grand lit nu. Puis les Gardes rouges avaient donné à mon grand-père maternel l'ordre de balayer sa rue. Une fois la rue balayée, ils l'avaient affublé d'une banderole qu'il devait tendre entre ses bras sur laquelle on pouvait lire :

«Je suis mauvais. Je suis méchant. Je suis capitaliste.»

CHEZ LES YAN, EN FAMILLE

1929. *En partant de la gauche : Mingzhi, l'oncle deuxième - Gaosu, la grand-mère, assise sur un fauteuil - Mingshi, la tante première - Mingying, la tante deuxième - Mingghuang, la tante troisième - Mingfu, le père de Lan, assis sur un tabouret - Baohang, le grand-père - Daxin, l'oncle premier.*

1935. *En partant de la gauche : Daxin, l'oncle premier - Mingzhi, l'oncle deuxième - Yan Decheng, l'arrière-grand-père - Baohang, le grand-père - Mingfu, le père - Gaosu, la grand-mère - Mingghuang, la tante troisième.*

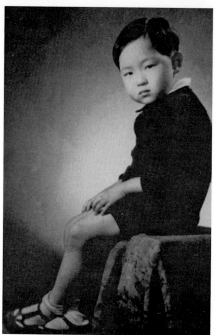

1936. Mingfu, le père
de Lan, à 5 ans

1955. Mariage de Mingfu et de Keliang, les parents de Lan

1947. Baohang et son épouse. Le grand-père de Lan vient d'être nommé gouverneur de la province de LiaoBei

1966. Dernière photo des grands-parents de Lan, avant que Baohang ne soit jeté en prison où il mourut quelques mois plus tard

1965. Yan Lan, à 8 ans, avec ses parents

1975. Yan Lan avec ses parents. Photo des retrouvailles
après les sept ans et demi de détention de Mingfu

CHEZ LES YAN,
AU CŒUR D'UN SIÈCLE D'HISTOIRE

1927. Baohang, le grand-père de Lan, à Londres
avec le poète Lao She et Ning En Cheng

1928. La foule accueille Baohang, héros de la guerre, à son retour d'Angleterre

1934. Baohang
avec Chiang Kai-shek et son épouse

1929. 50 000 personnes manifestent à Shanghai contre la guerre civile

1949. Mao Zedong salue Baohang

1959. Mingfu, le père de Lan, accompagne Mao Zedong à Moscou
pour un hommage à Lénine sur la place Rouge

7 décembre 1960. Mingfu, avec Léonid Brejnev et Liu Shaoqi à Moscou

1965. Mingfu auprès de Mao Zedong, Liu Shaoqi et Alexis Kossyguine

43

« Attirer le serpent hors du trou pour mieux le tuer. »

MAO ZEDONG,

PENDANT LA CAMPAGNE DES CENT FLEURS

À vingt-six ans, mon père est traducteur-interprète en chef de l'équipe attachée au gouvernement central. En juin 1957, l'ambassadeur soviétique en poste à Pékin l'informe que des événements viennent de se produire à Moscou suffisamment graves pour demander une audience en urgence.

Ni Mao Zedong ni Zhou Enlai ne sont présents à Pékin. C'est donc Liu Shaoqi et Peng Dehuai – l'un des chefs historiques de l'Armée populaire de libération – qui, les premiers, sont informés de la crise que le Soviet suprême vient de traverser : une conspiration visant à destituer Khrouchtchev a été déjouée, les auteurs principaux de cette tentative de putsch sont neutralisés, leur groupe anti-parti démantelé.

Jusqu'à cette date, la moindre recomposition au sein des instances dirigeantes de l'Union soviétique donnait lieu à l'expression du soutien de tous les partis frères, de sorte que cette approbation puisse être relayée par les différents organes de presse du parti moscovite. Or, voilà que pour la première fois Liu Shaoqi ne prononce pas un mot. Ni dans un sens, ni dans l'autre, il ne dit rien. Quant à Peng Dehuai, il n'exprime rien d'autre que sa perplexité.

L'ambassadeur soviétique quitte *Zhongnanhai* sans avoir obtenu de déclaration de soutien : une première dans les annales des relations sino-soviétiques ! Moscou aussitôt informé, Khrouchtchev dépêche son émissaire personnel à Pékin.

C'est ainsi qu'en ce début juillet 1957, mon père est chargé d'accueillir le vice-premier ministre, Anastase Mikoyan, puis de l'accompagner à Hangzou où se trouvent alors Mao ainsi qu'un bon nombre de dirigeants chinois.

Cette fois, les Chinois n'ont pas eu à insister sur leur souhait d'être aidés dans leur développement de la technologie nucléaire : c'est Khrouchtchev lui-même, en même temps qu'il se réjouit du renforcement des relations entre les deux pays, qui en fixe les modalités. Au passage, il se félicite de la perspective de la Conférence des partis communistes du mois de novembre suivant à Moscou où il ne manquera pas d'accueillir lui-même son homologue chinois.

En tout et pour tout, Mao Zedong n'aura quitté que deux fois la Chine. Et chaque fois, c'était pour se rendre à Moscou.

Khrouchtchev a parfaitement conscience de ce que la froideur, la distance et la suffisance de Staline ont pu avoir de blessant pour Mao lors de son premier voyage en URSS, et à travers lui, pour tout le peuple chinois. Il sait que Staline a grossièrement vanté la supériorité des bolcheviques sur les communistes chinois. Khrouchtchev est tout aussi conscient du profit politique personnel qu'il peut tirer d'un réchauffement des relations sino-soviétiques. De cette évolution, mon père sera le témoin direct, notant que l'un des atouts majeurs du successeur de Staline tient à sa manière apparemment franche, directe, sans fioritures.

Pour autant Mao n'est pas dupe. Assez vite, avec le chef du Kremlin, il passera de relations d'apparence fraternelles à des relations dont la vraie nature, dira Mao, «sont celles du chat avec la souris».

Lors du second séjour de Mao à Moscou, en octobre et novembre 1957, mon père est, cette fois, du voyage. Ce n'est pas son premier déplacement dans la capitale soviétique.

Dans l'avion, se souvient-il, Soong Qing-ling occupe le siège face à Mao. Sa présence se justifie par le fait qu'ayant vécu à Moscou autour des années 30 – elle venait alors de rompre avec le Kuomintang – elle est toute désignée pour présider l'Association pour l'amitié sino-soviétique.

Au cours de ce vol Pékin-Moscou, le président désigne Mingfu à l'attention de Soong Qing-ling, et demande si, par extraordinaire, elle sait de qui ce jeune homme est le fils? Et Soong Qing-ling répond qu'en effet, elle connaît bien

Yan Baohang et se réjouit d'apprendre que le fils d'«une si bonne personne» accompagne leur délégation à Moscou. Quant à Mingfu, il se dit *in petto* que le «jeune homme» en question non seulement est marié mais déjà père de famille depuis janvier de cette année. Et comme vous l'avez deviné, je suis cette petite fille de dix mois...

Cette conférence mondiale, à laquelle sont conviées les 68 délégations du mouvement communiste international, doit se conclure par une déclaration commune. Le texte de cette déclaration ne sera pas facile à établir compte tenu des crises que le communisme international traverse depuis la mort de Staline, en 1953.

À l'origine de ce qui trouble les uns et crispe les autres chez les communistes du monde entier, il y a, bien sûr, les conséquences du fameux «rapport Khrouchtchev» qui, en février 1956, a dénoncé les crimes de Staline en suscitant un immense désarroi chez les militants. Dans un premier temps Mao s'abstient de condamner le rapport. Son principal motif d'inquiétude est de savoir si, vu les circonstances, l'Union soviétique est disposée à maintenir sa politique économique en faveur du développement de la Chine. Sur ce point, Khrouchtchev le rassure et même au-delà. Mais les événements de nature à troubler les communistes dans ces années-là ne manquent pas et inquiètent Mao.

Quelques mois après le rapport Khrouchtchev, c'est le soulèvement ouvrier de Poznań, en Pologne au printemps 1956. Les Soviétiques sont alors contraints d'accepter l'arrivée de Wladyslaw Gomulka, prétendu réformiste, à la tête du pays.

À la fin de l'année, c'est l'insurrection de Budapest : la population de la capitale hongroise, puis de tout le pays, se dresse comme un seul homme contre un gouvernement dont elle n'accepte plus la soumission aux diktats de Moscou. Par son ampleur et surtout par la répression sanglante qui s'ensuit, cet événement, lui aussi, met à mal bien des engagements et des convictions sincères, suscitant chez les militants un profond malaise et de douloureuses prises de conscience.

À cet égard, mon père a toujours pensé que le contexte d'extrême tension idéologique au sein du mouvement communiste international dans ces années-là, est ce qui a fourni les ingrédients à la bombe qui explosera dix ans plus tard sous le nom de Révolution culturelle.

Au printemps 1957, Mingfu accompagne Kliment Vorochilov, président du præsidium du Soviet suprême, qui avait fait le voyage à Pékin pour préparer la Conférence de Moscou. Tout au long du séjour de Vorochilov, les événements de Budapest hantent tous les échanges. Et cela, d'autant plus que, depuis le mois de février, Mao vient de lancer une « campagne de rectification » sous le nom de « Campagne des Cent fleurs ». Il s'agissait ni plus ni moins que d'octroyer à la population et, tout spécialement aux intellectuels, l'autorisation de critiquer le parti. Cette initiative suscite une certaine inquiétude chez Vorochilov qui s'adresse directement à Mao, pour déclarer que, dans un pays socialiste, on ne peut pas autoriser ce genre de critiques parce qu'elles mettent en cause la nature même du socialisme. On voudrait forger une opinion publique et encourager le mécontentement du peuple qu'on ne s'y prendrait pas autrement, ajoute-t-il. Et c'est à peine si mon père a le temps de traduire que le Soviétique assène : voilà exactement le genre d'incitation à l'expression de la pensée bourgeoise qu'on a vu se produire en Hongrie !

Mao lui-même répond avec calme. Les camarades soviétiques doivent être rassurés, dit-il, la Chine n'est pas la Hongrie. L'estime dans laquelle le peuple chinois tient son président, de même, la haute idée que le peuple chinois se fait de son parti, ne sont en rien comparables à ce qu'on a vu s'exprimer en Hongrie. Ici, il n'y a pas lieu de craindre les débordements observés là-bas. À telle enseigne, qu'une fois Vorochilov reparti au Vietnam et en Indonésie, le gouvernement central chinois s'empresse d'émettre une nouvelle directive en vue d'encourager le «mouvement de rectification» présenté comme salutaire pour le parti, et invitant à nouveau les intellectuels à rendre publiques leurs critiques dans un cadre désormais intitulé «Parler ouvertement»…

Pourtant, en quelques semaines à peine, Mao infléchissait sa position. Le 15 mai 1957 paraissait un nouvel article à usage interne au parti, sous le titre éloquent : «Les choses sont en train de changer.» Mao y mettait en garde ceux qu'il appelait «les droitistes». C'était la première fois que ce mot était employé.

Qui étaient donc ces gens qualifiés soudain de «droitistes»? Des éléments anti-parti, dénonçait Mao. Des imposteurs qui font semblant de soutenir le parti, qui feignent l'adhésion à l'idéal communiste et qu'il faut écarter. Insensiblement, la Campagne des Cent fleurs opérait une volte-face : le projet d'amendement du parti fondé sur l'expression libre de la critique se refermait comme un piège. Malheur à ceux qui y avaient cru, malheur à ceux qui avaient «joué le jeu».

De fait, dès le début de l'été 1957, après que les accusations anti-droitistes sont encore montées d'un cran, voilà que, brutalement, la Campagne des Cent fleurs est stoppée net. Le gouvernement central s'en explique : la politique de «rectification» validée par le parti en vue d'améliorer ses performances a été prise comme prétexte pour une tentative de coup d'État. Ce mot de «coup d'État» retentit comme un coup de canon. Nombre de ces intellectuels putschistes, contre-révolutionnaires notoires, sont mis hors d'état de nuire.

L'analyse que fait mon père de ce retournement diabolique est que l'Union soviétique a indéniablement pesé dans ce processus. Il était inévitable, selon lui, que les soubresauts idéologiques du grand voisin communiste se répercutent en Chine. Contrairement à ce qu'il avait affirmé à Vorochilov, Mao s'était interrogé sur la question de savoir si les événements de Hongrie auraient pu avoir lieu en Chine. La transformation de la Campagne des Cent fleurs en cabale anti-droitistes pouvait paraître comme la réponse indirecte de Mao aux questions posées par Vorochilov.

À la suite de la Campagne des Cent fleurs, plus de trois millions de personnes sont condamnées en tant que « droitistes ». La plupart sont déportées à des fins de rééducation. Parmi eux, ma tante aînée Mingshi. Pourquoi ?

En 1957, Mingshi, quarante et un ans, est l'un des piliers de la rédaction du magazine *China Women*. Elle occupe ce poste depuis 1951. Rappelons que Mingshi avait été la première de la fratrie des Yan à rejoindre les rangs de Yan'an, à l'invitation de « l'oncle Zhou Enlai », après que son engagement personnel dans la lutte antijaponaise eut été remarqué. Mingshi adhère au parti à vingt-deux ans. Plus tard, eu égard à son expérience de militante révolutionnaire, elle apporte une aide ô combien précieuse à son père, Baohang, et le seconde dans son travail de renseignement clandestin au bénéfice du Parti. En dépit de ses états de service, il n'est pas tenu compte de cet engagement lorsque la campagne anti-droitiste vient s'immiscer jusque dans la rédaction, pourtant supposée éclairée, de *China Women*.

Sa première mise en cause pour « comportement droitiste » éclate en conférence de rédaction. À la stupéfaction générale, elle prend ouvertement fait et cause pour l'un des membres de son unité accusé à tort. Et elle en appelle à l'esprit de Yan'an, la base arrière du Parti où les cadres mettaient un point d'honneur à ce que justice soit rendue. L'accusation de droitisme fuse aussitôt et lui vaut une première mise à l'écart.

Elle ne s'en tient pas là. Lorsqu'elle est informée d'une directive officielle exigeant de chaque entreprise la condamnation pour droitisme d'un quota minimum de 5 % des effectifs, elle s'insurge contre l'arbitraire d'une telle mesure et s'y emploie avec une telle franchise qu'elle est immédiatement exclue du Parti, condamnée à quitter Pékin pour se rééduquer à la campagne où elle est expédiée avec son mari et leurs huit enfants pendant plus de vingt ans.

Là, au fin fond de la Chine, à Anshan, dans le Liaoning, Mingshi est placée comme ouvrière dans une usine de sidérurgie où on emploie aussi son mari en tant qu'ingénieur. À partir de ce moment, la situation économique de cette famille de huit enfants, devient extrêmement difficile.

44

« Comme on dit, moi qui ai pourtant des yeux,
Je n'ai pas su reconnaître le mont Tai. »

AU BORD DE L'EAU,
ATTRIBUÉ À SHI NAI'AN (XVIᵉ S.)

Lors du second voyage de Mao à Moscou, l'intendance n'a plus rien de commun avec celle du premier voyage.

Le staff qui l'accompagne est pléthorique : il y a le garde du corps de Mao (qui semble plus petit que Mao car Mao est un géant), le secrétariat de Mao, le cuisinier de Mao, l'infirmière de Mao et le médecin personnel de Mao…

C'est peu dire que, cette fois, on lui déroule le tapis rouge. On peut même parler d'un souci constant de lui exprimer la plus grande déférence : les podiums, les égards, les banderoles, la foule en liesse… Un vrai « sommet de lune de miel », pour reprendre la formule de mon père.

Après le défilé sur la Place Rouge en présence de tout le Soviet suprême, après le pèlerinage au mausolée de Lénine, Mao n'a pas à se transporter bien loin : c'est dans l'enceinte même du Kremlin qu'on lui a réservé rien de moins que l'immense lit de la chambre à coucher de la Grande Catherine qui, du haut du troisième étage, surplombe la Moskova.

Mao trouve la chambre trop grande. On va échanger, souffle-t-il à mon père, montez chez la tsarine et moi je descends au premier. Mais des raisons de sécurité mises au point depuis des mois empêchent cette permutation. Il va falloir négocier pied à pied : Mao n'a pas l'habitude du matelas qu'il trouve trop mou. On fait alors monter un genre de *kang* en bois. Et, naturellement, seul le linge apporté de Pékin sera utilisé : draps, couvertures, pyjamas et surtout oreillers et coussins durs comme la pierre, qui feront dire à Nikita Khrouchtchev devant la couche ainsi préparée qu'elle a tout l'air d'être celle d'un soldat de retour de la jungle !

En outre, il doit pouvoir piocher à tout moment parmi une bonne centaine de livres qu'on aura installée à sa portée.

S'agissant des repas, ce sont ses cuisiniers, tous originaires du Hunan, qui concoctent différents plats soigneusement pimentés comme il les aime. Mais les hôtes soviétiques ayant aussi prévu un chef, Mao impose le service «à la chinoise» où tous les plats sont présentés ensemble… Changement de protocole qui s'appliquera dès lors aux innombrables banquets.

Reste le sujet délicat des toilettes. La cuvette à l'occidentale ne lui convient pas. Il réclame des toilettes «à la turque». On s'emploie donc à rehausser le sol, puis à aménager quelques marches, et à fixer une barre d'appui.

Nikita Khrouchtchev tient à déjeuner ou dîner avec Mao Zedong chaque jour. Il l'accompagne dans toutes les cérémonies, il s'applique à rester toujours un pas en arrière, soucieux de ne pas lui porter ombrage. De même, quand Mao sort du palais des Térems pour une réunion préparatoire de la Conférence, il n'a pas à attendre : son homologue est là, qui bat la semelle sans se plaindre. C'est à ce prix que, pour la première fois, dit-il à mon père, Mao a le sentiment d'être traité d'égal à égal.

À l'occasion d'un déjeuner en tête-à-tête, mon père assiste à un échange informel entre les deux hommes. Mao semble entériner la victoire de Khrouchtchev sur ses opposants en même temps qu'il pose la question de sa propre succession. En redoutable stratège, Mao commence par dire qu'il se prépare à quitter la présidence. En réalité, seule sa disparition, près de vingt ans plus tard, mettra fin à son règne. Avez-vous désigné votre successeur demande Khrouchtchev ? Mao cite Liu Shaoqi, Deng Xiaoping, Zhou Enlai. On note que si tous auront à subir, moins de dix ans plus tard, les foudres de la Révolution culturelle, Mao s'attarde plus longuement sur le premier nom, celui qui précisément y laissera la vie dans des conditions épouvantables.

De tous, Liu Shaoqi est le plus apte du fait qu'il s'agit d'un homme de principe, explique Mao. Puis il ajoute que la seule faiblesse de Liu Shaoqi est de n'être pas suffisamment flexible et rétrospectivement on ne peut s'empêcher de méditer sur cette remarque. Pour faire honneur à son interlocuteur, Mao rappelle que Liu Shaoqi a fait ses classes à Moscou, dans le cadre de l'Université communiste des travailleurs d'Orient. Deng Xiaoping est présenté comme un homme politique accompli à la fois doté de principes mais capable, lui, de flexibilité. Enfin, Mao ne tarit pas d'éloges au sujet de Zhou Enlai : il est plus fort que moi dans sa capacité à gérer les conflits internationaux les plus délicats, concède-t-il. D'une grande intelligence et, de plus, il est très prompt à l'exercice de sa propre autocritique… Simplement, il est un peu âgé.

À cette date, il est vrai, Zhou Enlai a cinquante-neuf ans. Mao, soixante-quatre ans.

45

« Derrière le succès, dix mille ossements blanchis. »

CAO SONG (VERS 867, DYNASTIE TANG)

À Pékin, un nouveau thème fait son apparition dans tous les slogans : le projet révolutionnaire doit viser un développement industriel soutenu autant sinon plus que le développement agricole. Pour étayer cette consigne, on indique qu'en matière de développement, il ne sera pas tenu compte des objectifs chiffrés rendus publics jusqu'à cette date pour la raison qu'ils sont tous faux. Ces études, qualifiées de «prétendument scientifiques» ont simplement négligé le seul facteur fondamental dont il doit être tenu compte à l'avenir, à savoir, la bonne volonté !

En avril 1958, Mao déclare : la Chine n'aura pas besoin de quinze ans pour rattraper les Anglais, dix suffiront. Et dans vingt ans, nous aurons rattrapé les États-Unis…

La politique dite du «Grand Bond en avant» est lancée.

C'est alors que l'ambassadeur soviétique en poste à Pékin demande à parler à mon père. Il se demande comment il faudrait traduire correctement en russe l'expression «Grand Bond en avant» car, en matière de développement économique, il faut être extrêmement précis. Or la traduction qui circule laisse craindre un énorme malentendu. Les autorités soviétiques soupçonnent une faute d'énoncé étant donné le caractère farfelu de la notion de «Grand Bond en avant» appliquée à une économie planifiée qui, à leurs yeux, suppose un développement progressif.

En tant qu'expression idiomatique, explique mon père, cette notion n'a pas d'équivalent en russe. Afin de s'approcher au plus près du sens, il faut chercher dans les mots qui décrivent la façon qu'a le lapin de se déplacer par bonds successifs. On peut transposer les sauts du lapin dans l'espace en sauts dans le temps. On obtient ainsi l'idée de périodes franchies par bonds successifs.

Mais pourquoi donc les Chinois veulent-ils devenir des lapins? aurait demandé Khrouchtchev lorsqu'il prend connaissance de la traduction.

Très concrètement, c'est l'époque où de petites fonderies s'improvisent dans les lieux les plus improbables : une cour d'immeuble, une école, une rue de village où tous les habitants apportent leur maigre tribut : ici une casserole, là un poêlon. De dérisoires petites aciéries s'implantent au sommet de chaque colline afin de contribuer à l'effort général en matière de production sidérurgique. Car on a besoin d'acier, dit-on. On a besoin de machines et d'équipements. Et jusque dans la résidence de l'ambassadeur de Tchécoslovaquie, on a construit un four. Et jusque dans la cour carrée de la présidente honoraire de la Chine, Mme Soong Qing-ling, se dresse un petit four. Et jusque dans l'enceinte de *Zhongnanhai*, au siège du gouvernement central, mon père se souvient qu'un petit haut-fourneau a été installé. À deux pas de la résidence de Mao, on défile avec de vieux couverts, de vieilles gamelles et marmites et même des morceaux de tôle rouillée... ça pétarade de partout, sans compter la fumée et l'odeur.

Si bien qu'un beau jour, Mao en personne se présente sur le seuil de sa porte dans une drôle de tenue : un chapeau sur la tête, une longue veste sous un manteau gris qui laisse entrevoir un bas de pyjama, une seule chaussure et pas de chaussettes. Il a tout l'air de sortir du lit. Mais d'où vient ce tintamarre ?

Mon père répond qu'ils sont en train de fabriquer de l'acier. Alors, le président Mao s'approche pour voir de plus près. Puis il va chercher un appareil photo, prend un cliché et s'inquiète de savoir si tout se passe bien. Oui, tout se passe bien. Même si en leur for intérieur certains se demandent à quoi cela peut bien servir... Et peut-être n'osent-ils pas se le demander. Qui se risquerait à penser que tout cela relève d'une pure folie puisque l'idée émane de l'homme de la Longue Marche, l'homme de la Libération, l'homme de la réforme agraire ? Et cet homme-là est si vénéré que, plutôt que de l'appeler par son nom, ce que le peuple chinois préfère, ce que des centaines de millions de paysans ont envie de proclamer, avec la plus grande affection, la plus grande tendresse et le respect le plus grand, c'est qu'il est leur « Soleil rouge » et leur « Grand Sauveur ».

On ne sait si le Grand Bond en avant a surpassé en absurdité la campagne des quatre nuisibles, appelée aussi « Tuez les moineaux », mise en œuvre dans ces mêmes années.

Les nuisibles étaient les rats, les mouches, les moustiques, auxquels Mao décida d'ajouter les moineaux friquets parce qu'ils ôtaient les graines de la bouche ou, pour le dire autrement, qu'ils privaient les paysans du fruit de leur labeur, durement récolté.

La campagne lancée à grande échelle et grand renfort de propagande, recommande l'extermination des nids, des œufs et des volatiles en général. Elle est si scrupuleusement suivie que, bientôt, certes les moineaux n'ôtent plus le grain de la bouche des Chinois mais tous les parasites s'abattent sur les récoltes, notamment des hordes de criquets qui prolifèrent en raison du déséquilibre créé dans la chaîne alimentaire.

Le versant agricole du Grand Bond en avant est mis en œuvre une fois que la paysannerie a déjà subi la collectivisation à marche forcée. La voici soumise maintenant à des cadences productivistes exigées dans le cadre des « communes populaires ». Tout devient collectif. Le modèle traditionnel de la famille est décrié au profit de la communauté. Baignant dans un climat de terreur, les autorités locales qui n'osent avouer leur incapacité à atteindre des objectifs intenables, fournissent des chiffres de production systématiquement trafiqués à la hausse.

En juillet 1958, lorsque Mao accueille Khrouchtchev à l'aéroport de Pékin, le président chinois s'exclame d'entrée de jeu que le Grand Bond en avant porte déjà ses fruits et que les récoltes sont considérables. Pour preuve, des statistiques sont avancées, toutes fausses. Il semble bien que son homologue soviétique ne soit pas tout à fait dupe car, lorsque Mao prétend que les stocks sont si nombreux qu'on ne sait plus quoi en faire, Khrouchtchev lâche, sans rire : « Qu'à cela ne tienne, si vous ne savez plus quoi en faire, donnez-les nous ! »

Cette politique du Grand Bond en avant est un ferment de tensions entre les deux hommes. Loin de s'apaiser, ces tensions vont encore s'aggraver au cours de cette visite de Khrouchtchev. Mon père assiste à un affrontement au sujet d'une coopération militaire que le Soviétique voulait obtenir de la Chine sur la formation d'une armée navale conjointe ainsi que l'établissement, également conjoint, d'un système de radio par grandes ondes. Sur l'une et l'autre question Mao oppose un non catégorique. Il dénonce une volonté d'empiéter sur la souveraineté territoriale de la Chine à cause de l'accès qui serait ainsi consenti aux ports de Dalian et de Lüshunkou et, d'autre part, une tentative de contrôle militaire.

Entre 1959 et 1962, la mise en œuvre du Grand Bond en avant provoque une famine qui aurait causé la mort de cinquante millions de Chinois. C'est dans un tel contexte que l'Union soviétique fait savoir qu'elle ne tiendra pas sa promesse de fournir à la Chine la technologie nécessaire au développement de l'arme nucléaire. Ce revirement ne signifie pas seulement une condamnation implicite de ce que les Soviétiques estiment être une aberration économique, Moscou ayant fait savoir que la politique dite du Grand Bond en avant atteste du caractère non marxiste du maoïsme. Ce revirement vient aussi entériner une volonté de calmer le jeu par rapport à la menace d'un conflit nucléaire généralisé. Tel est le message qui ressort, dès septembre 1959, de la première visite officielle d'un chef d'État soviétique aux États-Unis. Entre Khrouchtchev et Eisenhower, il est alors beaucoup question de « coexistence pacifique ». On imagine combien cette nouvelle orientation de la diplomatie américano-soviétique a pu irriter Mao.

Au même moment, en septembre 1959, Mao reçoit une délégation yougoslave. Mon père est alors frappé par l'insistance de Mao à présenter ses excuses à ses interlocuteurs. La Yougoslavie n'aurait pas été remerciée autant qu'il aurait fallu ayant été parmi les premiers pays à avoir reconnu officiellement la Nouvelle Chine en 1949. Et pour justifier ce manquement, Mao explique que « nos amis Soviétiques » voyaient d'un très mauvais œil que nous puissions, nous,

Chinois, entretenir des relations personnelles avec la You-goslavie de Tito.

Puis on passe à Staline. Mao cite *Le Matérialisme dialectique et le matérialisme historique,* et observe que ce texte a beau avoir été approuvé par le Comité central du PCUS, il n'en demeure pas moins que son auteur – qui n'est autre que Staline – s'y montre affreusement idéaliste... Et de conclure : «De toute façon, je n'aime pas ses œuvres, je ne les ai jamais aimées.» Avant d'enfoncer le clou : «Et je ne parle même pas de tout ce qu'il a pu écrire sur la révolution chinoise...»

À présent que les relations avec l'URSS se distendaient, Mao aimait à dire que les Soviétiques, au fond, n'avaient jamais voulu considérer les Chinois comme d'authentiques communistes. D'ailleurs, ajoutait Mao, les trois hommes clés de l'époque : Beria, l'homme de la sécurité intérieure, Molo-tov, l'homme de la diplomatie soviétique et Staline déclaraient en 1949 que le PCC n'est rien d'autre qu'un parti nationa-liste.

C'est ainsi que dès 1959, tous les éléments de la rupture sont en place. L'année suivante, l'URSS retire l'ensemble de ses conseillers, ingénieurs et techniciens présents sur le territoire chinois et met un point final aux temps idylliques de la «lune de miel».

conforme au mode de fonctionnement d'une société féodale que la Révolution avait pourtant promis d'éradiquer.

Tel membre du Bureau politique, originaire de Shanghai, allègue que la croyance en Mao Zedong doit procéder d'une obéissance aveugle et absolue, au même titre que pour une religion. Parmi les proches d'entre les proches de Mao, surtout en ce qui concerne les luttes internes du Parti, Kang Sheng qui fut justement l'inspirateur des camps de rééducation comme de toutes les purges du régime, déclare en 1958 que la pensée de Mao constitue le sommet du marxisme-léninisme.

Il en est de même du militaire Lin Biao. Élevé au grade de maréchal de l'Armée populaire de libération en 1955, il n'a de cesse de promouvoir «la pensée de Mao», ce qui fait de lui un des artisans les plus fervents du culte.

Qui oserait alors émettre ne serait-ce qu'une réserve?

Éxaucée dans son désir d'avoir une fille, ma mère ne voyait aucune raison d'avoir d'autres enfants. Par ailleurs, passionnée par son métier qui exigeait une grande disponibilité, elle pouvait se consacrer tout entière à sa carrière, tranquillisée de me savoir pensionnaire dans le jardin d'enfants réservé au personnel des départements relevant du comité central.

J'avais été confiée à la garde de mes grands-parents paternels, ce qui n'avait rien d'exceptionnel : il est de tradition en Chine, que les grands-parents s'occupent de leurs petits-enfants. C'est un devoir naturel, cela ne se discute pas. C'est toujours le cas de nos jours.

Ma mère avait dix-huit ans au moment de la proclamation de la Nouvelle Chine, elle appartenait à cette génération d'intellectuelles portées par le discours sur l'émancipation des femmes. Un thème que soutenaient ardemment les communistes et Mao Zedong au premier chef. Cet état d'esprit, nouveau en Chine, avait été si bien intériorisé dans ma famille qu'il ne me serait jamais venu à l'idée d'imaginer que ma mère ne travaille pas. Chez les Yan, toutes mes tantes, sœurs de mon père ou épouses de mes oncles travaillaient. Mingguang a beau avoir sept enfants, cela ne l'empêche pas d'avoir de grandes responsabilités dans une société d'État à Shanghai.

Dans les années 50 et 60, l'idée que les femmes étaient aptes au même titre que les hommes à accomplir toutes les tâches s'illustrait sur des affiches où l'on voyait des femmes métallos, des femmes conductrices de camion ou pilotes d'avion. Plus rien ne semblait distinguer une femme d'un homme pour ce qui relevait de l'habileté, de la compétence et même de la force physique. La plupart des aspects les plus séduisants de la féminité étaient soigneusement gommés. La grisaille des uniformes, commune aux deux sexes, les silhouettes indifférenciées finissaient par former l'image d'une humanité unisexe car un vêtement de couleur ou, pire, un imprimé à fleurs, auraient révélé tous les travers d'une mentalité bourgeoise.

Malgré tout, la sentence de Mao retentissait comme une libération : «La femme porte la moitié du ciel!» Ce beau précepte, ma mère l'avait fait sien. Il devait s'appliquer sans réserve à mon éducation.

Pour elle-même comme pour sa fille, le principe de l'égalité des sexes tel que le prônait la Nouvelle Chine, de même que le projet de faire table rase de l'ancestrale aliénation des femmes, faisaient partie intégrante de son adhésion aux valeurs communistes. Rien ne me fut jamais interdit au motif que j'étais une fille. On n'imagine pas à quel point de tels principes forgent la confiance en soi, à quel point cette manière de voir écarte à tout jamais l'idée qu'on ne pourrait pas tout entreprendre parce qu'on est une fille!

47

« Trois pieds de glace ne se font pas en un jour de froid. »

PROVERBE CHINOIS

Le 15 octobre 1964, à minuit passé, l'ambassadeur soviétique charge mon père de transmettre un message urgent à Mao Zedong. Nikita Khrouchtchev annonce son départ « volontaire, pour raisons de santé », il quitte le secrétariat général du Parti en même temps que la présidence, décision approuvée de concert par le Præsidium et le Comité central du PCUS.

En présence de mon père, la cellule de crise se réunit autour de Mao, Liu Shaoqi et Zhu De, alors vice-président du Parti. Ils conviennent que si la situation à Moscou ne semble pas très claire, il n'en demeure pas moins que la démission de Khrouchtchev est une bonne nouvelle pour le PCC.

Tandis qu'un télégramme de félicitation est immédiatement rédigé à l'intention de son successeur à la tête du Parti, Léonid Brejnev, Mao déclare que ce changement doit inciter les Chinois à soutenir ces nouveaux dirigeants dont Alexis Kossyguine, nouveau Premier ministre et, surtout, Anastase Mikoyan, élu président du Præsidium du Soviet suprême, autrement dit le chef de l'État. Dans ce but, il est prévu que le Premier ministre Zhou Enlai profitera des prochaines célébrations officielles de la Révolution d'octobre pour se rendre à Moscou. Pour cette mission à fort enjeu diplomatique, Zhou choisit de se faire accompagner par le prestigieux général He Long car il lui faut quelqu'un «qui ne soit pas seulement disposé à la bagarre». Naturellement, mon père est du voyage.

Dès son arrivée, début novembre 1964, la délégation observe que, malgré la gravité de leurs récents désaccords, les Soviétiques manifestent ouvertement leur satisfaction de revoir les Chinois. Une grande réception au Kremlin est prévue pour le 17 novembre et personne n'imagine, à ce moment-là, que ce sera le cadre d'un incident qui ruinera pour longtemps tout espoir de réconciliation entre Chinois et Soviétiques.

En début de soirée, raconte mon père, lorsque conformément aux instructions de Zhou Enlai, le général He Long rejoint la table des généraux soviétiques, le général Rodion Malinovski, s'avance vers lui et s'adresse à haute et intelligible voix au vétéran de la Longue Marche à qui Mao a confié l'organisation de l'Armée rouge. Malinovski lui dit que les Chinois feraient bien de prendre exemple sur eux, les Soviétiques, qui ont su «éliminer» Khrouchtchev et qu'ils devraient en faire autant avec Mao. Une fois Mao «éliminé», poursuit Malinovski, Soviétiques et Chinois pourront renouer leur vieille amitié…

Or Malinovski n'est pas n'importe quel général soviétique. C'est à lui, en tant que ministre de la Défense, que Khrouchtchev doit son limogeage, en représailles à la crise des missiles de Cuba. La provocation de Khrouchtchev, qui avait failli conduire les deux grandes puissances à une guerre nucléaire, ainsi que son dénouement humiliant pour les Soviétiques, a motivé ce coup d'État interne au PCUS.

Les propos de Malinovski n'ont pas été traduits par Mingfu mais par l'un des trois autres traducteurs de l'équipe conduite par mon père, ce qui ne l'empêche pas d'avoir tout entendu. Il entend aussi les vives protestations de He Long, tandis que d'autres généraux soviétiques interviennent, assurant qu'ils ne sont pas d'accord avec ce qui vient d'être proféré. Là-dessus, un maréchal prend la parole et dit qu'en la matière «à chaque légume sa saison pour être cueilli!». S'ensuit un grand tohu-bohu et Zhou Enlai demande aux traducteurs de lui expliquer ce qui se passe. Une fois mis au courant Zhou Enlai s'en va trouver Léonid Brejnev et Anastase Mikoyan.

La position du Comité central du Parti diverge totalement de celle de Rodion Malinovski assure avec fermeté le président du Soviet suprême. Il faut considérer ces propos comme relevant de la seule responsabilité de Malinovski car les Soviétiques, ajoute-t-il, estiment que Mao Zedong est un grand leader. Malgré cette mise au point, Zhou marque sa désapprobation en quittant ostensiblement la réception, avec tous les membres de la délégation chinoise.

Zhou n'a pas fermé l'œil de la nuit confie-t-il le lendemain matin à mon père avant un débriefing dont les éléments servent à la rédaction d'un télégramme adressé à Pékin.

Flanqué de Kossyguine, Brejnev se fait annoncer à la résidence moscovite de Zhou Enlai dans le courant de la matinée. Bien qu'ils n'aient pas été les témoins directs de l'incident, les deux hommes indiquent à Zhou Enlai que leur enquête a révélé que Malinovski était ivre au moment des faits. Et, de nouveau, ils assurent le Premier ministre chinois que ce qui s'est dit ne reflète en rien la position soviétique et qu'en dépit de leurs désaccords sur des questions de politique intérieure à la Chine, rien n'a changé dans les relations bilatérales entre les deux pays : la position soviétique reste en tout point celle qui prévalait sous Nikita Khrouchtchev.

Au retour de la délégation, Mao se rend, en personne, à l'aéroport pour l'accueillir. Il se fait accompagner par une centaine de dirigeants pour donner la plus grande publicité à l'unité inébranlable du PCC. Et tandis que Zhou lui dresse un rapport circonstancié de l'incident, Mao s'exclame que, malgré les apparences, rien n'a changé à Moscou et que : «sans Khrouchtchev, les Soviétiques font encore "du Khrouchtchev"!» Aussi, tous les contacts sont-ils gelés et lorsque Léonid Brejnev invite Mao au XXIIIe Congrès du PCUS deux ans plus tard, Mao décline l'invitation.

Le point de rupture définitif était atteint, commente mon père. Pour nous, Chinois, les Soviétiques n'étaient que des révisionnistes. Quant aux Soviétiques, ils nous voyaient, nous, Chinois, comme des dogmatiques. Chacun, à Moscou comme à Pékin, prétendait être le vrai dépositaire du marxisme-léninisme et le seul vrai leader du communisme international. Aucune alliance n'était possible dans ces conditions.

L'affaire Malinovski n'enterrait pas seulement durablement les relations sino-soviétiques, elle fut un choc personnel pour Mao Zedong. Elle augmenta sa défiance envers ses plus proches partisans, attisant son obsession du complot et de la trahison. Et lorsque, dans les journaux de cette époque, Mao exhortait le peuple à se poser la question de savoir si, tout près d'eux, sous leur propre toit, ne se dissimulait pas un «Khrouchtchev chinois», lorsqu'il exhortait les gens à se surveiller les uns les autres, et que chacun se demandait qui pouvait bien être ces «Khrouchtchev chinois», il est probable que Mao avait à l'esprit le coup d'État par lequel le Soviet suprême avait «éliminé» son homologue. De quoi le rendre paranoïaque.

Dans le strict domaine de la stratégie militaire, la réputation d'intelligence et d'habileté de Lin Biao n'est plus à établir depuis ses hauts faits d'armes contre le Japon autant que pendant la guerre civile. Mais le chef de l'Armée de libération et ministre de la Défense depuis 1959 n'accède au statut envié de personnage très influent auprès de Mao qu'à partir du moment où il assure personnellement, avec un zèle quasi idolâtre, la promotion du «maoïsme». La diffusion la plus large, à partir de 1964, des *Citations du Président Mao Zedong,* appelé aussi *Les Plus Hautes instructions,* lui vaut de voir maintenant son nom systématiquement auréolé du privilège insigne d'«intime compagnon d'arme du président Mao»

Ce qui deviendra le livre le plus vendu au monde après la Bible, connaît un premier tirage modeste. Composé, d'abord, de 30 chapitres de citations compilées et ordonnées par Lin Biao à partir de discours et de textes de Mao pour la seule édification de l'armée, l'opuscule fait bientôt l'objet de nouveaux tirages pour l'édification de tous. En 1965, puis dès l'année suivante, le nombre de chapitres passe à 33. Le troisième tirage de masse, en 1966, s'accompagne d'une exhortation : en signe de loyauté au Parti et d'abord à son leader, tout citoyen se doit d'en posséder un exemplaire. Des traductions dans toutes les langues sont mises en circulation. Une préface manuscrite de deux pages, signée Lin Biao, ainsi qu'une épigraphe, elle aussi de sa main et reproduite en fac-similés, encouragent à la vénération. Il en sera ainsi jusqu'au moment de sa disgrâce spectaculaire et mystérieuse en 1971. Alors ces pages disparaîtront. Leur auteur aussi.

En attendant, l'étude de ce «Petit Livre rouge» s'impose partout, des écoles primaires aux universités. Mais aussi sur tous les lieux de travail, en ville, à la campagne, dans les usines, les communautés agricoles autant que dans les casernes.

Si le «Petit Livre rouge» devient obligatoire dans le bureau de ma mère, en revanche, l'usage de l'italien est proscrit. Les journaux italiens ne lui arrivent plus, les livres en italien, les dictionnaires sont confisqués. Ce n'est pas l'italien en tant que tel qui est interdit, il s'agit d'une mesure vexatoire qui la concerne, elle, tout spécialement. Pour elle, s'ouvre alors une période d'une dizaine d'années où elle cessera de pratiquer cette belle langue et finira presque par l'oublier...

Aux séances d'endoctrinement vient s'ajouter l'annonce du lancement d'un tout nouveau mouvement, encadré par l'armée. C'est le maréchal Lin Biao, qui vient de le porter à la connaissance de la population dans le *Journal de l'Armée de libération*. Coup sur coup, Lin Biao signe deux articles, en avril et mai 1966. Le premier s'intitule «Brandissons haut le grandiose étendard rouge de la pensée de Mao Zedong, participons activement à la grande Révolution culturelle socialiste», le second «Et n'oublions jamais la lutte des classes».

48

« Si on me demande combien de peine,
seigneur, vous pouvez endurer :
– Tout juste autant qu'un large fleuve de printemps
qui s'écoule vers l'est. »

LI YU, 937-973 (DYNASTIE DES TANG DU SUD),
IN *FLEURS DE PRINTEMPS, LUNES D'AUTOMNE...*

Je me souviens de cette période d'avant la catastrophe où ma grand-mère œuvrait à titre bénévole pour le comité des habitants de la Résidence du Conseil d'État.

Pour financer les projets de ce comité, dès les beaux jours venus, elle vendait des glaces devant l'entrée principale de la Résidence. Par un privilège insigne que m'accordait Nainai, j'avais le droit de contribuer à ce projet à ma manière, c'est-à-dire en dégustant des glaces les unes après les autres.

« Que veux-tu faire, Lan, quand tu seras grande ? »

– Vendre des glaces », répondais-je invariablement, ce métier me paraissant de loin le plus exquis du monde.

L'été, aux vacances, on m'envoyait chez ma tante troisième, Mingguang.

Mingguang, son mari et leurs sept enfants habitaient un très grand appartement à Shanghai dans une résidence réservée à de hauts dignitaires. Un appartement de sept ou huit pièces si vaste que, la première fois, j'avais mis du temps à me repérer. Ma tante désignait les chambres où se regroupaient les filles, celles qu'elle attribuait aux garçons et, le soir venu, les histoires de fantômes que les garçons racontaient étaient si terrifiantes qu'au bout d'un certain temps, notre cousin Suzhi n'y tenant plus, venait systématiquement se réfugier chez les filles.

Le mari de Mingguang était à la tête d'un groupe industriel fournisseur d'électricité pour l'Est et le centre de la Chine, soit cinq provinces autour de Shanghai.

Mon oncle avait été un révolutionnaire de la première heure. Il comptait parmi les figures importantes de la Nouvelle Chine, avait le rang de ministre à Shanghai, et c'était ce qui avait valu à sa famille cet appartement somptueux.

Keliang et Mingguang, s'écrivaient beaucoup. En évitant les détails compromettants, ma mère rendait compte de la situation qui, à Pékin, se détériorait, y compris dans son ministère. De son côté, ma tante rapportait leurs difficultés et celles de leur entourage, le nombre croissant de cadres contraints de rejoindre des camps de rééducation, sans qu'on sache combien de temps cela durerait ni jusqu'où cela irait…

Un jour Mingguang apprit à Keliang que son mari venait d'être envoyé en camp de rééducation «à la campagne». Tout le monde était dans la même situation, l'angoisse, la peur et l'incertitude pareillement partagées et personne ne semblait pouvoir échapper à cet ouragan balayant tout sur son passage. Pour certains, les interrogatoires, le harcèlement, les brimades, étaient tels que le suicide devenait la seule issue. En Chine, le «code d'honneur» exigeant de se donner la mort n'existait pas. En Chine, ce qui était mortellement touché était la dignité. La mort plutôt que d'être si profondément humilié...

Si mon oncle était resté dans son camp de travail, ma tante, elle, avait été autorisée à rester en ville pour s'occuper des enfants et leur magnifique appartement ne leur avait pas été retiré. Ainsi Mingguang avait pris le relais du fameux «Grand-foyer-des-Yan» du temps de Chongqing, accueillant tous les enfants de la tribu Yan pendant l'été. Et comme, à l'exception des lits, tous les autres meubles avaient été vendus ou confisqués, c'était à travers des pièces vides, que nous autres, les enfants, nous nous précipitions en des courses folles. Qu'il n'y eut pas grand-chose à manger n'entamait pas notre gaîté. Sur un point au moins, je n'étais pas dépaysée par Shanghai : pour joindre les deux bouts, Mingguang allait maintenant, elle aussi, frapper de temps en temps chez ses voisins pour emprunter de quoi nous donner à manger...

49

«Sans fin un coucou geint parmi les fleurs qui choient.»

PENSÉES EN VOYAGE,

WEN TIANXIANG (1236-1283)

Mon grand-père est emmené sous mes yeux, j'ai dix ans. Je repense à cette date qui pour moi est la première d'une longue série de catastrophes. Je revois la haute stature de mon grand-père, empoigné de force. Une phrase que les Chinois citent toujours me revient à l'esprit : «Une fois le grand arbre tombé, les singes sont dispersés.» Aucune autre image que celle-ci, ne rend mieux compte de ce que la petite fille que je suis éprouve alors : la fuite éperdue de tout ce qui jusqu'alors s'abritait et vivait en paix sous le couvert du plus majestueux des arbres de la forêt. Ce moment est arrivé où le totem est abattu sous les coups de la hache.

Cette image, très populaire en Chine, du grand arbre abattu, est tirée d'un roman parmi les plus célèbres de l'histoire littéraire de la Chine, *Le Rêve dans le pavillon rouge*. L'auteur, Cao Xueqin, qui vécut au XVIIIe siècle, y tient la chronique de l'ascension au sein de l'aristocratie d'une famille honorée et comblée sous le règne de l'empereur Kangxi, jusqu'à ce que cette famille, qui n'est autre que celle de l'auteur, ne connaisse la disgrâce et ne sombre.

L'ironie veut que Mao ait tenu ce chef-d'œuvre en très haute estime. Inspirée par lui, la critique marxiste le présentait non comme un roman d'amour ou de mœurs mais comme l'illustration parfaite du mécanisme de l'exploitation de l'homme par l'homme, « une encyclopédie du monde féodal à son déclin ».

Quant à moi, jusqu'à l'arrestation de mon grand-père, je m'étais toujours représenté ma famille telle que ce grand arbre proverbial : un vaste tronc, une haute futaie, de fortes branches, un large feuillage protecteur. À présent que cet abri sûr et solide était ébranlé, il ne nous restait plus qu'à fuir en débandade chacun de notre côté vers un destin inconnu. Comment pouvais-je comprendre qu'une famille jusque-là réputée honorable et si prospère puisse basculer de la sorte ?

Le mois de novembre à Pékin est assez semblable à celui de l'Europe. Ce n'est pas tout à fait l'hiver mais déjà les feuilles sont tombées, les jours ont raccourci. Il peut y avoir encore de belles journées. Mais plongé dans le climat de terreur de cette époque, le mois de novembre est devenu celui d'une angoisse indicible. C'est le mois où mon cœur se serre.

Tout au long de l'année, je redoute le crépuscule, je crains la nuit et son désespoir, j'ai peur du noir et de sa solitude.

L'arrestation de mon grand-père a lieu à la tombée du jour. C'est encore à la tombée du jour que j'assiste, avec ma classe, à des séances d'humiliations dans un village des environs de Pékin.

J'ai beau être loin de tout cela aujourd'hui, longtemps, à cette heure, je me suis approchée du désespoir et de la solitude. Jusqu'à la naissance de mon fils cette heure, entre chien et loup, m'a laissé un goût amer.

50

« L'individu que l'on condamne est coupable parce que condamné,
et non condamné parce que coupable. »

APHORISME DE LU XUN (1881-1936),
CITÉ PAR SIMON LEYS,
LES HABITS NEUFS DU PRÉSIDENT MAO, 1971

Grand-père ? Haut fonctionnaire. Suspect. Arrêté.

Père ? Haut fonctionnaire. Suspect. Arrêté.

Devoir l'écrire m'arrachait la peau des doigts. Comme si j'étais forcée de les trahir. Comme si je devenais complice de leur châtiment en tant que méchants alors que j'étais la mieux placée pour savoir qu'ils sont bons.

La maîtresse attend que je confesse devant toute la classe de quelle nature sont les crimes de mon grand-père et de mon père. Elle attendra, dit-elle, le temps qu'il faut pour que j'avoue, publiquement, le crime de l'un comme de l'autre.

Il y a cette humiliation de voir sa propre famille, ce qu'il y a de plus intime, totalement rabaissée. Il y a ma propre honte, car je ne veux pas porter un nom qui soit celui d'une fille et petite-fille d'antirévolutionnaires. Ce mot-là est infamant.

Je ne cesserai plus d'être associée aux «noirs», issue d'une famille «noire» et, même, d'«ultra-noirs» puisque plusieurs générations sont en cause. Doublement «noire» car si mes grands-parents paternels ne sont pas d'origine bourgeoise, les antécédents de ma mère aggravent notre cas et rejaillissent sur la famille entière en dépit de la distance que ma mère a très tôt mise entre eux et nous.

Je finis par ressentir cette tâche familiale comme un tatouage sur ma peau, un écriteau sur ma poitrine ou une inscription indélébile sur mon front.

Je me souviens qu'on emmène les classes une semaine durant dans la banlieue de Pékin pour aider à la moisson. Exténués, on se retrouve à la fin de la journée à une sorte de veillée de village. À la nuit tombante, nous assistons à des scènes très violentes entre les villageois et les anciens propriétaires terriens. Les accusés sont agenouillés de force, les mains entravées dans le dos. Et je ne peux plus regarder parce que ces hommes à genoux, pendant que les paysans hargneux les fustigent, c'est mon grand-père, c'est mon père…

Je suis perdue : qu'en est-il du précepte premier du *Classique des Trois caractères* que tout Chinois connaît par cœur pour l'avoir ânonné en classe : «Les hommes, à la naissance, naturellement, sont bons»?

À partir du moment où mon père est arrêté, de nouvelles pressions s'exercent à l'encontre de ma mère. Comme elle affirme ne pas connaître les raisons pour lesquelles son mari est détenu, on lui rétorque que, dans ce cas, elle n'a pas d'autre choix que de divorcer. Étant entendu que, si vous n'êtes pas vous-même incriminé, le divorce est une façon de faire savoir publiquement que vous souhaitez vous démarquer des fautes commises par votre conjoint qui de fait cessent de vous contaminer. Compris de la sorte, le divorce est une protection. Il vous autorise, vous et vos enfants, à rester en ville et vous dispense d'être envoyée, vous aussi, «à la campagne».

On l'exige surtout pour obtenir la rupture des liens les plus intimes entre les personnes, pour casser ce qui, entre deux êtres proches – mari et femme, père et fils, frère et sœur – résiste la plupart du temps par-delà les divergences d'opinions. Pour parvenir à cette rupture, il n'y a pas que le divorce qui est demandé, on va jusqu'à exiger des reniements publics y compris sur un mode traumatisant.

Ma mère sait cela. Elle sait qu'en dehors du divorce forcé, d'autres circonstances conduisent à séparer les couples. Et pourtant, elle tient bon. Elle ne divorcera pas. Sa conviction est faite : son mari est innocent et la vérité éclatera tôt ou tard. Elle tient farouchement tête à ses interrogateurs.

51

«La solitude est aussi haute que moi.»

SOLITUDE, SAI WANGSHU (1905-1950)

Moins d'un mois après l'arrestation de mon grand-père et de mon père, ma mère est assignée à résidence dans son ministère.

À force de l'avoir vue se démener depuis l'arrestation de son beau-père, soutenant Nainai en même temps qu'elle envoyait aux nouvelles tous ceux qui le pouvaient, à force de l'avoir vue tenir bon, s'interdire de se lamenter, je m'étais confortée dans l'idée que, tant qu'elle serait là, sa force de caractère nous sauverait tous. Et voilà que ce pilier va nous être retiré. Assommée par cette nouvelle, ma première pensée est que, maintenant, décembre 1967, j'ai dix ans et je n'ai plus de parents.

Pourtant, même dans une situation qui la contraint à organiser au plus vite son retrait de la vie de famille, ma mère affiche un sang-froid à toute épreuve. Par exemple, lorsqu'elle découvre que je ne vais plus à l'école depuis plusieurs mois, sachant que bientôt il lui sera tout à fait impossible de s'occuper de moi, au lieu de me gronder et de me punir, ma mère me dit seulement : «Je devine ce qui s'est passé et je comprends.» Puis elle ajoute : «Il y a maintenant un pensionnat au ministère. Il a été conçu tout spécialement pour assurer la vie courante des enfants dont les parents sont à peu près dans notre situation. Le plus simple est de t'y inscrire. Quant à ta nouvelle école, qui s'appelle Yang Fan Tian, elle aussi est juste à côté du ministère, et donc du pensionnat.» Et je voyais bien que ma mère devinait mon appréhension, car elle ajoutait aussitôt : «Tu n'as plus rien à craindre, Lan : les enfants de cette école sont tous pareils, leurs parents logés à la même triste enseigne, tu verras, le climat y sera tout à fait différent… Il n'y a pas d'autre solution, Lan, car maintenant que Gaosu se retrouve seule, sans Yéyé, nul ne sait jusqu'à quand, elle pourra s'occuper de toi…»

Ainsi, le peu de temps libre que ses geôliers du ministère lui avaient concédé, ma mère l'avait consacré à organiser ma nouvelle vie de sorte que j'aie à souffrir le moins possible de ces bouleversements. Dans ces conditions, comment aurais-je eu le cœur de lui demander quand elle reviendrait ?

Les seules occasions de nous revoir étaient les quelques fouilles mandatées dans la cour carrée où mes parents logeaient habituellement. Dans cette petite cour, sise dans un *hutong* appelé *Weija* j'avais une toute petite chambre de 6 m² qui me servait dans les rares occasions où je dormais chez mes parents. Ma mère m'y retrouvait flanquée d'au moins deux personnes de son ministère chargées de la surveiller étroitement. Elle s'efforçait de me sourire mais je voyais bien qu'elle était très tendue et moralement meurtrie. La toute première fois, quand je m'étais jetée à son cou, on nous avait séparées brutalement et commandé le silence.

Hormis ces fouilles, je cessai de voir ma mère et, plus généralement, toute personne de ma famille, pendant des mois.

Dans le bâtiment du ministère où l'on avait aménagé le pensionnat, on nous avait mises trois filles par chambre et six filles par appartement de deux chambres. Des fonctionnaires étaient chargés de contrôler que l'on rentrait bien directement de l'école toute proche au pensionnat. Ce que maman m'avait dit était vrai : personne n'évoquait jamais la situation de sa famille et ce retour de confort psychologique, qui venait après tant d'angoisses, me redonna peu à peu un semblant d'assurance. Je me remis à jouer comme n'importe quelle petite fille de dix ans, de nouvelles amitiés se forgèrent, d'autant plus fortes que nos besoins affectifs ne trouvaient pas à s'exprimer dans un cadre familial. Au point qu'aujourd'hui encore, je reste liée d'amitié avec certaines de ces filles.

Avec le recul, je me rends compte que tous les enfants réunis dans ce pensionnat cherchaient manifestement à oublier ce à quoi ils avaient pu assister. À cette seule pensée mon sang se glace.

Le besoin d'oublier était si pressant chez moi que je n'écrivais ni à Nainai ni à ma mère. Je ne donnais aucune espèce de nouvelles, bien que cela fût autorisé et même encouragé. Au fond, je prenais cette nouvelle situation comme un mal pour un bien.

Tous les mois, je devais me rendre à la porte du ministère pour recevoir l'argent qui me servait à l'achat de mes tickets de cantine.

Selon les instructions, je devais demander l'«oncle Zhao» (par respect et affection, les enfants appellent «oncle» ou «tante» toute personne bienveillante de la génération de leurs parents et qui n'est pas nécessairement de la famille). L'«oncle Zhao» venait à moi avec les 25 yuans qui m'étaient destinés et, la somme en poche, je repartais sans avoir vu ma mère.

Je n'ai appris que bien plus tard comment les choses se passaient pour elle. «Madame Wu, lui lançait-on, votre fille est là, donnez l'argent.» Je ne saurais dire si c'est cela qu'on appelle du sadisme, l'interdiction faite à une mère anti-ré-volutionnaire d'apercevoir sa fille, ne serait-ce que quelques secondes, pour lui demander de ses nouvelles. Ma mère remettait l'argent à «l'oncle Zhao». Je n'ai jamais vu maman pleurer, mais elle m'a avoué bien plus tard que les seules fois où c'est arrivé, c'est quand j'étais à l'entrée du ministère et qu'on lui refusait l'autorisation de me voir. Elle se cachait dans les toilettes pour ne pas montrer ses larmes.

Il me semble aujourd'hui, quand je pleure à mon tour, que c'est pour toutes les femmes, toutes les mères, toutes les grands-mères de cette époque.

Les 25 yuans étaient censés couvrir toutes mes dépenses pour le mois. A-t-on la notion de ces choses à dix ans ? Je m'organisais si mal que, bien avant la fin du mois, j'avais «tout mangé». En début de mois, je m'empiffrais. Je me souviens d'avoir ingurgité en un seul jour une dizaine de *baozi*, ces petits pains farcis et cuits à la vapeur, et huit ou neuf grandes crêpes. Et ce régime qui me faisait passer d'un jour à l'autre de l'indigestion au jeûne complet finit par me détraquer l'estomac. Or, même dans cette détresse, je préférais être tenaillée par la faim plutôt que de retourner voir ma grand-mère. Parce que la Résidence, je l'associais maintenant à un plus grand malheur que d'avoir le ventre vide.

Un jour, une jeune femme de l'âge de ma mère m'aborde à la sortie du pensionnat et me demande très gentiment pourquoi je n'écris pas à ma mère. Elle prend son temps pour m'expliquer avec douceur que Keliang est terriblement inquiète de n'avoir aucune nouvelle de sa petite Lan. Et, comme si j'étais devenue tout à fait étrangère à la situation dans laquelle nous sommes, je me souviens lui avoir répondu qu'il n'y avait aucune raison de s'inquiéter, que tout allait bien et que, simplement, *je n'avais rien à dire...* L'ingéniosité de ma mère lui avait permis de trouver le moyen de m'approcher à travers cette femme et de me faire savoir combien elle était inquiète de mon silence et, moi, ma seule réponse était que si je n'écrivais pas c'était que *je n'avais rien à dire!*

Je revois cette jeune femme interloquée, prenant la peine de m'expliquer qu'elle irait de ce pas rassurer ma mère mais que, cependant, il fallait absolument que je lui écrive, ne fût-ce que pour soulager sa peine. Et je pense aujourd'hui qu'il n'y avait de ma part aucune espèce d'ingratitude ni de cruauté. Cette apparente indifférence était le seul moyen que j'avais trouvé pour ne pas souffrir davantage, oublier, renier, balayer le passé. Je m'étais réfugiée dans le monde imaginaire de l'enfance. Lui seul me consolait de ce que la réalité m'imposait.

52

« Seuls les bons à rien pensent à se suicider. »

LAO SHE, *QUATRE GÉNÉRATIONS SOUS LE MÊME TOIT*, 1949

La Révolution culturelle à peine proclamée, Deng Xiaoping est déchu de toutes ses fonctions et publiquement désavoué en tant que « suppôt du capitalisme n° 2 », le n° 1 étant le président Liu Shaoqi.

Deux ans plus tard, en mai 1968, la Chine traverse toujours ce violent « orage de gauche ». Deng Pufang a vingt-quatre ans, il est le fils aîné de Deng Xiaoping et étudie la physique nucléaire à l'université de Pékin.

Un jour, Pufang est pris en otage par l'une des factions de Gardes rouges qui sévissent à l'université. Les tortures qu'il subit sont telles qu'il se jette par la fenêtre du troisième étage. Officiellement, il s'agit d'un accident.

À l'hôpital où il est transporté, aucun médecin ne veut risquer sa propre vie en essayant de sauver celle du fils aîné du *« Partisan en second du retour au capitalisme »*. Une longue et âpre négociation entre la famille de Pufang et le personnel d'un autre hôpital le prive de soins pendant plusieurs jours. Finalement, Deng Pufang survivra. Il restera paraplégique et passera le reste de sa vie en chaise roulante.

Quant à ses parents, Deng Xiaoping et Zhuo Lin, après avoir été assignés à résidence à Pékin, ils sont envoyés en camp dans une usine de réparation de tracteurs dans la province de Jiangxi.

Cette époque est assez folle pour avoir rendu possible que le meilleur des hommes, Deng Xiaoping, ait pu reprocher à son fils de n'avoir songé qu'à lui en se jetant par la fenêtre. Pour autant Deng Xiaoping finira par écrire à Mao pour lui demander d'avoir son fils à ses côtés, afin de pouvoir s'occuper de lui. Ce qui lui fut accordé. Quant à Pufang, une fois la Révolution culturelle terminée, il abandonnera sa carrière scientifique pour se consacrer entièrement à la cause des handicapés.

Au cours de ce même mois de mai 1968, ma tante troisième, Mingguang, fait un rêve.

Yan Baohang lui apparaît en long manteau gris. Seul. Sans assistance. Allongé sur un brancard dans la salle d'attente d'un hôpital.

Son rêve est si réaliste qu'elle se réveille soudain en pleurs comme s'il lui avait été donné de voir en quelques secondes la vérité de ce qui est arrivé et que nous n'apprendrons qu'en 1975.

Détenu pendant sept mois sans que sa famille n'ait été informée de son lieu de détention, immatriculé sous le n° 67100 à la prison spéciale de Qincheng – là où son fils Mingfu est lui aussi conduit onze jours après son père sous le matricule 67124 –, Yan Baohang, soixante-treize ans, reçoit un coup violent lors d'un interrogatoire. Il tombe et ne se relève pas. On le conduit à l'hôpital où il meurt le 22 mai 1968.

La famille ne sera pas informée des conditions de sa mort. Pas plus à l'époque que par la suite. Ce qu'elle finira par apprendre, elle ne le devra qu'à l'opiniâtreté de ses recherches.

Mais jamais on ne saura ce qu'est devenue la dépouille de mon grand-père.

53

« Je passe un champ de fleurs sans me retourner ;
en partie à cause du dao, en partie à cause de vous. »

PENSÉE DE SÉPARATION, YUAN ZHEN (779-831)

C'est au printemps 1968 que je revois ma mère.

Nous nous retrouvons pour la première fois depuis qu'elle a été privée de liberté, sept mois plus tôt.

Sept mois, à onze ans, c'est énorme. Inversement, le temps qu'elle peut me consacrer, ce jour-là, file à la vitesse de l'éclair. Dans la confusion et le stress de ces retrouvailles, je crois comprendre qu'elle doit partir. La durée de son séjour de « rééducation » reste vague. « Il est question de quelques mois », avance-t-elle. Puis elle ajoute : « Quelques mois durant lesquels, tu comprends, Lan, je ne pourrai plus rentrer… » Et, moi, je pense sans le dire qu'elle ne peut déjà plus rentrer depuis des mois ! Seule certitude, la destination : Zhaoyuan, dans le Heilongjiang, province septentrionale à la frontière russe, à plus de mille kilomètres de Pékin, avec des températures pouvant descendre jusqu'à − 40°.

Nos minutes sont comptées. Alors, à sa façon à elle, la plus digne qui soit, elle me dit : « Pendant cette... absence, prends bien soin de ta grand-mère, Lan, je t'en prie et, aussi... prends bien soin de toi... À ce propos, j'ai tout réglé avec monsieur Zhao. Comme d'habitude, tous les mois, tu iras au ministère, il te remettra l'argent... »

Au comble d'une émotion intense mais toujours contenue, ma mère me demande de l'accompagner jusqu'à « son ministère », car le temps qu'on lui a accordé est sur le point de s'achever.

Et, moi, je dis non, je ne peux pas.

Je lis d'abord l'incrédulité dans ses yeux. Je perçois une légère... contrariété, puis je vois qu'elle se retient et me rabroue gentiment : « Ça n'est pas si loin, Lan, et nous pourrons encore parler un petit peu si tu me raccompagnes... »

Mais j'aggrave mon cas : cette fois, je ne dis pas que je ne *peux* pas, je dis que je ne *veux* pas et je donne mes raisons : « Cet après-midi, on a prévu d'aller à vélo jusqu'à la piscine du parc Taoranting avec des camarades, alors tu comprends... »

Et c'est ainsi que je déclenche la dispute la plus tragique et la plus inconséquente de toute mon existence.

Ma mère ne comprend pas mon comportement. Elle me conjure d'être raisonnable. Et moi je m'obstine à ne pas vouloir la raccompagner en répétant que *je n'ai pas le temps.* Elle finit par exploser de colère. Et c'est ainsi que nous nous quittons. Elle, défaite, en partance pour le camp du Heilong-

jiang, et, moi, courant toute guillerette à mon rendez-
vous.

C'est dans l'eau, au milieu des cris et des éclaboussures
que l'évidence me rattrape. Une boule se forme dans ma
gorge, l'angoisse me gagne. Je viens seulement de comprendre : ma mère, avec qui je viens de me disputer si cruellement, il est possible je ne la revoie plus jamais.

54

« Ma maison est en péril.
Battue par le vent et la pluie.
Je ne puis que pousser un cri d'alarme. »

ATTRIBUÉ À WU WANG, *LE LIVRE DES ODES,*
(XIE-VI^E SIÈCLE AVANT J.-C.,
DYNASTIES ROYALES ANTIQUES.)

À cette époque, évidemment, je n'ai pas les moyens de comprendre que le refus péremptoire que j'opposais à ma mère s'adressait en réalité à tout ce que je vivais. Refus des catastrophes se succédant les unes aux autres et prenant chaque fois la forme d'un départ : départ de mon grand-père, de mon père, enfin de ma mère. Sans compter ceux de ma tante Mingshi, de mes oncles Daxin, Mingzhi et de leur famille.

Pourtant, mon désarroi est si grand qu'il lève l'interdit que je m'étais imposé à moi-même : ne plus retourner à la Résidence pour éloigner toutes les souffrances liées à cet endroit. Mais je dois me rendre à l'évidence que c'est encore là-bas que je suis assurée de trouver la seule personne au monde qui puisse me réconforter.

Gaosu, comme autrefois, m'ouvre ses bras. Elle ne me reproche pas de ne pas avoir écrit, de n'être jamais venue la voir. Douce et compréhensive. «Il faut toujours garder confiance», dit-elle en me consolant.

Je remarque qu'elle a l'air bien fatiguée. Non, «fatiguée» n'est pas le mot, elle est vieillie. L'ayi n'étant pas là, je demande comment elle va.

Ma grand-mère a beau être fatiguée, vieillie, angoissée par l'absence de nouvelles de son vieux compagnon et de son fils préféré, elle garde à l'esprit qu'on ne peut pas tout dire à une enfant de onze ans durement éprouvée.

Gaosu ne me raconte donc pas qu'après tant et tant d'années de bons et loyaux services, l'ayi a disparu. Elle ne dit pas qu'instrumentalisée par l'un de ses fils, elle a fait main basse sur tout ce qu'il y avait de précieux dans la maison. Elle ne s'attarde pas sur les sentiments que lui inspirent les plus récents événements connus sous le nom de «Révolution culturelle», sinon pour dire que la plupart des gens se sentent comme affranchis de toute morale. Elle ne fait pas davantage allusion à l'argent qui manque depuis le départ de Baohang et Mingfu. Ma tante Mingguang lui en envoie un peu depuis Shanghai, bien que l'argent ne soit pas facile pour elle non plus. Ma mère lui apportait aussi ce qu'elle pouvait. Même ces petits coups de pouce ne seront plus possibles.

À la place, Gaosu dit seulement que Mingguang insiste pour qu'elle la rejoigne à Shanghai. Pourtant, dit-elle, il faut bien que quelqu'un soit là pour le jour où on se décidera à libérer Baohang et Mingfu. Car, elle en est convaincue, le Parti finira par comprendre, ça ne peut pas être autrement, il faut rester confiant...

55

*« Le présent ne peut guère soutenir
la comparaison avec le passé. »*

ADAGE CHINOIS

À la toute fin de l'hiver 1969, dans un Heilongjiang dur et glacé, une série de manœuvres militaires embrasent de part et d'autre la frontière sino-soviétique.

Non loin de là, à Zhaoyuan, les « mauvais éléments » du Département des Liaisons Internationales sont parqués depuis près de neuf mois.

Craignant de voir le « programme de rééducation » menacé par le conflit tout proche de l'île Zhenbao ou, pire, une contamination orchestrée par les « révisionnistes » soviétiques, l'organisation d'un complot visant à inciter les détenus à passer la frontière, les autorités chinoises décident de rapatrier vite fait plus d'un millier de cadres et d'intellectuels vers le centre du pays.

Les familles sont informées par courrier qu'un train acheminant ces effectifs de « suspects » passera par Pékin où il stationnera environ deux heures en gare de Xizhimen, au nord de la ville. Il sera formellement interdit aux «passagers suspects» de se rendre en ville. Mais les proches seront autorisés à les voir.

Je me rappellerai toute ma vie de l'entrée en gare de ce train en ce jour de mars 1969. Le quai noir de monde. L'impatience fébrile des familles. Et, quand les passagers ont commencé à descendre, les cris, les regards affolés qui se cherchent, qui se trouvent, les gens qui se tombent dans les bras, les pleurs, les rires, les embrassades à n'en plus finir.

Tout aussi fiévreusement que les autres, je cherche à la reconnaître dans la foule, je scrute les wagons lorsqu'enfin nous croisons des collègues de maman qui nous indiquent la voiture «où se trouve Wu Keliang», vers laquelle nous nous dirigeons avec difficulté. Je l'aperçois enfin, qui s'apprête à descendre.

Elle a tellement changé que j'ai du mal à la reconnaître. Je prends peur et je vois que ma grand-mère aussi est choquée par cette vision : cheveux courts, taillés à la hâte, yeux cernés, peau burinée, desséchée par le travail au soleil et au vent, précocement ridée, le corps engoncé dans un manteau informe et noir dont l'ourlet bâille vilainement sous une vieille pelisse paysanne. À ma peur se mêle le rejet : comment accepter que ma mère soit devenue tout à coup une autre ? Je pense aussi que je ne lui ai presque pas écrit pendant ces neuf longs mois et j'éclate en sanglots.

Pour ma mère, aussi, j'ai changé. « C'est tout juste si j'ai pu reconnaître Nan nan, dit-elle à ma grand-mère, tellement elle a grandi ! » J'ai douze ans depuis deux mois et demi.

56

« Maintenant, tout va bien : la belle-fille au visage ingrat
a enfin été présentée à ses beaux-parents. »

LAO SHE, *QUATRE GÉNÉRATIONS SOUS UN MÊME TOIT*, 1949

La surenchère idéologique était si effrénée dans ces années de Révolution culturelle, que certaines des têtes brûlées qui avaient hurlé avec les loups plus fort que tout le monde, se retrouvaient sans y prendre garde doublées sur «leur gauche», distancées par plus hystériques qu'elles et, de fait, écartées.

Ainsi en allait-il de mon cousin Da Pangzi, dont les comparses avaient fini par estimer qu'il n'était pas aussi «rouge» qu'il avait bien voulu le prétendre. Après tout, n'appartenait-il pas à une famille «anti-révolutionnaire» presque tout entière sous les verrous ?

Il est arrêté à son tour et placé en détention pendant deux ans avant d'être expédié dans un village du fin fond de la province de Liaoning.

Il n'avait, paraît-il, à peu près plus aucun espoir d'avenir. Pour autant, il n'avait pas encore touché le fond.

Un jour, le responsable de son village lui dit qu'il est en âge de se marier et qu'il vaut mieux y songer sérieusement puisque, de toute façon, il n'est pas question pour lui de quitter le coin. Sans transition, il lui montre une fille, de l'autre côté du champ de soja, et lui demande : «Est-ce que ça t'irait?»

Da Pangzi voit une assez jolie paysanne, le foulard traditionnel sur la tête, encore en usage dans certaines campagnes. Da Pangzi bredouille quelque chose, l'autre saisit la balle au bond : «Eh bien, maintenant que le choix est fait, on va fixer une date, marché conclu!»

Le jour des noces, dans ces campagnes, le rite ancien prévaut encore : les époux se découvrent mutuellement une fois dans l'intimité de la chambre, pas avant.

Naturellement, tout avait été manigancé : la fille n'était pas celle qu'on lui avait montrée. Celle-ci était affreusement disgraciée. Devant elle il ne restait plus à Da Pangzi qu'à se demander si, à sa laideur, il n'allait pas ajouter le déshonneur en refusant d'épouser la fille.

57

«Si tu veux condamner quelqu'un,
tu lui trouveras toujours un crime.»

PROVERBE CHINOIS

Quelque temps après son escale à Pékin, maman m'écrit
que les parents qui le souhaitent sont autorisés à faire venir
leurs enfants près de leur «École de cadres», à Shenqiu, dans
le Henan.

Nous serons une centaine d'enfants à être acheminés par
le même convoi, parmi lesquels la plupart de mes proches
camarades. C'est un branle-bas de combat dans tout le pensionnat. On nous regroupe par classes d'âge. On nous donne
des consignes pour préparer nos bagages. Sans que j'aie la
moindre idée de ce qui m'attend là-bas, mon cœur ne fait
qu'un bond à l'idée de ce voyage.

Avant le départ, je dois absolument surmonter une fois
encore mon aversion pour la Résidence : impossible de partir
sans dire au revoir à ma grand-mère. Et c'est alors que l'argent
dissimulé dans ma veste molletonnée me revient en mémoire.

Entre l'arrestation de mon père, en novembre 1967, et avant qu'elle soit assignée à résidence, maman, un soir, avait pris soin de découdre la doublure de ma veste molletonnée, de glisser cent yuans dans l'échancrure, puis de tout recoudre proprement tout en me disant d'y recourir seulement en cas d'extrême urgence et de « grand besoin ».

À douze ans, je n'ai aucune idée de ce que peuvent représenter 100 yuans, j'ignore que le salaire mensuel de maman ne dépasse pas les 40 yuans !

Je fais donc le raisonnement suivant : étant donné mon départ imminent, nul doute que cette dernière visite à ma grand-mère entre bien dans la catégorie de l'extrême urgence. En outre n'ai-je pas « grand besoin » de lui faire des cadeaux à la hauteur de mon affection ? Ni une ni deux, je me précipite rue Wangfujing où se trouvent les épiceries fines parmi les meilleures. Et je fais d'abord provision de thés des plus raffinés, thés jaunes, thés blancs, thés verts et thés de garde, tous hors de prix et, parce que la cigarette est le péché mignon de Nainai, j'achète aussi plusieurs cartouches de cigarettes de luxe *Da Zonghua*.

Nainai a ouvert la porte et nous sommes tombées dans les bras l'une de l'autre. Elle m'a tant manqué. Nous pleurons beaucoup ce soir-là. Nous pleurons parce que je dois partir. Et nous pleurons encore parce que Nainai, elle aussi, s'apprête à quitter Pékin. « Il n'y aura personne, dit-elle, pour les accueillir s'ils reviennent pendant mon absence… »

À la veille de rejoindre ma mère dans le Henan, je réalise qu'en quittant Gaosu je quitte plus que ma grand-mère puisque c'est elle qui m'a élevée. C'est d'elle, de sa bonté et de sa tendresse répandues sur toute ma petite enfance que je prends congé en cette fin de l'été 1969. Et, quand je me retrouve seule dans la rue de la Résidence, ce soir-là, pour la dernière fois avant mon départ, mes yeux sont gonflés comme deux pêches d'avoir versé tant de larmes.

Cet été-là, un cancer du poumon a déjà été diagnostiqué chez ma grand-mère. Mingguang, a en tête de la faire ausculter par un grand spécialiste, le célèbre professeur Wu, à la tête du service d'oncologie de l'hôpital Xie He, le meilleur de Pékin.

Le réseau d'amis de ma tante lui a permis d'écrire directement à ce professeur. C'est évidemment une chance. Comme tout le monde, le professeur Wu sait qu'il a affaire à une famille grandement «problématique» et mesure le risque qu'il y a à ne serait-ce que recevoir en consultation cette dame.

Or, courageusement, le professeur Wu fait savoir à Mingguang que, à la suite de leurs échanges, elle et sa mère doivent se présenter à son bureau à l'hôpital. On peut vraiment parler de courage à une époque où, dans les blocs opératoires, aucune intervention chirurgicale n'est pratiquée sans qu'une citation du président Mao ne soit prononcée au préalable.

C'est là, dans un tout petit bureau que, sans l'aide d'aucun assistant ni infirmier, le professeur examine très

347

soigneusement et très respectueusement ma grand-mère.
Après quoi, il l'accompagne en personne au service de radio-
logie et prend lui-même les différents clichés.

De retour dans le petit bureau, il dresse aussi précisément
que possible le tableau clinique, confirmant le précédent
diagnostic. Concernant les soins, il préconise un traitement
par radiothérapie dont il indique qu'il pourra se faire dans
les meilleures conditions à Shanghai. Il prend aussi tout le
temps nécessaire pour expliquer à ma grand-mère que la
lourdeur du traitement justifie qu'elle accepte de quitter
Pékin pour ne pas rester seule. Enfin, au terme de cette
longue consultation, conduite avec beaucoup de douceur et
de considération, le professeur tend ses ordonnances à ma
grand-mère et lui offre des biscuits et du chocolat qu'il a
rapporté, dit-il, d'un récent voyage en Europe. Ce geste
achève d'émouvoir les deux femmes.

Mais il ne sera pas dit que la hauteur morale de ce professeur s'arrête en si bon chemin. Car, une fois à Shanghai,
si ma tante a pu réunir la somme nécessaire à la radiothérapie,
aucun établissement ne veut se compromettre en accueillant
une patiente apparentée à une famille stigmatisée par les
autorités. De sorte que Mingguang doit se résoudre à solliciter à nouveau le professeur Wu dont seule l'intercession
permettra la prise en charge.

Du fait de l'agressivité des traitements, il arrive que Gaosu montre des signes de confusion. Alors, elle demande à Mingguang d'aller lui chercher de la viande pour préparer des raviolis. Et de se dépêcher «parce que Mingfu et Baohang ne vont pas tarder à rentrer».

58

« Les bouches rouges et langues blanches. »

(pour·parler des auteurs de rumeurs et calomnies)

LE RÊVE DANS LE PAVILLON ROUGE,

CAO XUEQIN

(MILIEU DU XVIIIe S.)

Dès son arrivée à Qincheng, mon père est placé à l'isolement. Qui occupe les cellules de part et d'autre de la sienne ? Il l'ignore. Les gardiens ne se privent pas d'entrer à tout moment et de corriger comme des brutes les prisonniers qui cherchent à communiquer entre eux.

D'après son matricule – n° 67124 – il suppose qu'il est, dans ce couloir, le 124e prisonnier pour l'année 1967, mais rien n'est sûr.

L'éclairage violent de la cellule nuit et jour l'agresse au plus haut point. Il y a aussi, dès la première nuit, ce gardien qui vient le secouer sans ménagement parce que Mingfu s'est retourné sur sa paillasse et que, malgré l'intensité de cette lumière crue, on ne voit plus son visage par l'œilleton.

Mingfu en déduit que cette mesure est destinée à prévenir les suicides.

Ce qui lui coûte par-dessus tout, ce sont les cris, les coups. Parfois, les coups pleuvent jusqu'à ce que les cris s'arrêtent. À la place des cris, c'est alors une angoisse qui monte. Il y a aussi le froid et la faim.

Le froid humide et insidieux passe encore ! Car Mingfu est jeune et bien portant : rien ne lui interdit de se réchauffer en faisant de l'exercice, même dans son étroite cellule. Mais la faim le tenaille si cruellement qu'à force d'avoir bataillé avec elle tout le jour, le soir venu, il a du mal à trouver le sommeil.

Alors, les toutes premières nuits, il se repasse le film des événements susceptibles de justifier cette arrestation. Et, chaque fois, il se rappelle que juste avant, Keliang lui a assuré que les fouilles menées dans leur cour carrée l'ont toutes été sous les ordres de M. Zhu.

Qu'est-ce à dire ?

Que M. Zhu, l'un des traducteurs de l'équipe qu'il dirige, est un « dénonciateur ». Cette révélation achève de plonger mon père dans le désespoir non qu'il ait quoique ce soit à se reprocher – il est d'ailleurs convaincu d'être libéré dès que toute la lumière sera faite – mais à cause de l'ambition dévorante qui a pu faire croire à M. Zhu, qu'en étant complice de telle ou telle faction de Gardes rouges jugée plus révolutionnaire que les autres, il prendra du galon. Ce qui n'est pas impossible par les temps qui courent. Et c'est bien ce qui désespère Mingfu.

Si bien que lorsqu'une « équipe d'enquêteurs » vient à Qincheng pour l'interroger, ce n'est pas seulement parce que mon père peut enfin avoir un contact avec l'extérieur qu'il est moins malheureux, c'est surtout parce qu'il va pouvoir s'expliquer.

Il va vite déchanter. D'abord, ce premier groupe d'enquêteurs – ils sont cinq – n'est pas du tout en charge de son dossier à lui, Yan Mingfu. Les prévenus dont ce groupe s'occupe sont, Liu Shaoqi et Deng Xiaoping ! Aussi, les réponses de Mingfu ne peuvent en aucun cas le disculper mais éventuellement les deux éminents prévenus, et encore ! Car, ce qu'on attend de lui, ce n'est pas de ruiner l'accusation mais, au contraire, de témoigner à charge. Pour ce qui concerne son « affaire » personnelle, à lui, Yan Mingfu, il devra être interrogé par un autre groupe d'enquêteurs.

Avec ce premier groupe d'enquêteurs il ne lui est pas permis de s'expliquer. Il lui est intimé l'ordre de répondre si oui ou non il a bien réalisé des traductions pour « les traîtres à la patrie que sont Liu Shaoqi et Deng Xiaoping ». Mingfu s'insurge contre cette procédure où, d'emblée, fait-il remarquer, Liu Shaoqi et Deng Xiaoping sont présumés coupables. Or, discuter la procédure, ce n'est pas ce qu'on lui demande. Ce qu'on lui demande, c'est de répondre, pas de raisonner.

La même question revient : « Qui donc est responsable des traductions en russe, effectuées pour le compte de Liu

Shaoqi et Deng Xiaoping?» À peine Mingfu reconnaît que c'est bien lui qu'un enquêteur poursuit : «Vous reconnaissez donc, Yan Mingfu, avoir servi les traîtres Liu Shaoqi et Deng qui complotaient avec l'Union soviétique contre les intérêts de la patrie? Comment vous étonner de vous retrouver incarcéré de même que vos complices?» Mon père sent l'étau se resserrer.

Après plusieurs heures d'interrogatoire, au cours desquelles, tant bien que mal, mon père cherche à ne pas perdre pied, on essaye une autre méthode : la flatterie. Il est jeune. De là son manque d'expérience touchant à la nature humaine. Les enquêteurs pourraient se montrer indulgents avec ses fautes d'inattention s'il lui revenait en mémoire certains détails – par exemple des échanges de regards «éloquents» au cours de ces entretiens avec les Soviétiques, des «coups d'œil» susceptibles d'accréditer le complot ourdi par ces deux contre-révolutionnaires, Liu Shaoqi et Deng Xiaoping, complices avec les Soviétiques de vouloir mettre la main sur le Parti.

Sur cette lancée, on fait valoir à Mingfu le bénéfice immédiat qu'il y aurait, pour lui, «contre un simple petit effort de mémoire», à recouvrer instantanément sa liberté! Et mon père mesure, pour son malheur, la terrible tentation de la liberté à l'aune de ce qu'il endure depuis son arrivée – et encore n'a-t-il pas été battu ou torturé jusque-là. Il ne peut pourtant pas y accéder au prix d'un faux témoignage! C'est ce qu'il assène, sans relâche, aux enquêteurs.

À intervalles réguliers, cette même équipe revient à la charge. Elle compte sur un effet d'usure. Bien que Mingfu ait déclaré mille fois que rien dans ce qu'il a traduit pour Liu Shaoqi, Deng Xiaoping ou d'autres hauts dirigeants, ne relève d'un complot ou d'une tentative de coup d'État, il finit par recourir à sa prodigieuse mémoire pour récapituler les sujets, les circonstances, les protagonistes, les lieux et les dates où il a été appelé à traduire sans que, jamais, aucun regard échangé entre les Chinois et les Soviétiques ne lui ait semblé suspect.

Peine perdue : la question des « coups d'œil entendus » devient obsessionnelle. Et chaque fois, un degré supplémentaire dans la menace est franchi : si les preuves de cette « connivence » venaient à être démontrées, la peine encourue par Mingfu serait aussitôt doublée...

La énième mention de « l'émetteur-récepteur radio, trouvé chez Yan Baohang, et dont Yan Baohang lui-même a avoué qu'il le tenait de son fils », a fini par avoir raison de la vigilance de Mingfu. Cédant à la colère, mon père réplique que l'ambassade soviétique se fera une joie de confirmer aux enquêteurs que cet « appareil de communication clandestin » n'est qu'une radio ordinaire comme on en trouve dans à peu près tous les foyers.

On ne manque pas, naturellement, de relever cette insolence. Ainsi que d'autres traits fâcheux de la personnalité de Mingfu – tel que l'orgueil et sa manie de répondre aux questions par une autre question – qui ne pourront que lui faire du tort dans la situation délicate où il se trouve.

Jusqu'au jour où le groupe des enquêteurs plus spécifiquement en charge de Yan Mingfu, se présente. Mon père n'en tire aucun soulagement : il vient d'apprendre que les différentes enquêtes peuvent durer plusieurs années.

Le nouveau groupe est composé de trois enquêteurs au lieu de cinq. Lors de chacun des interrogatoires, leur chef se fait remarquer avec une tasse de « son » thé personnel, siroté à petites gorgées entre deux rafales de questions.

D'emblée, l'homme à la tasse de thé dirige l'interrogatoire sur les échanges entre l'ambassadeur soviétique et Lu Dingyi, tels que Yan Mingfu les aurait traduits.

Yan Mingfu connaît le parcours de celui qui vient d'être cité. Leader du PCC, il est de notoriété publique que Lu Dingyi est entré au Parti à dix-neuf ans et qu'il s'est, depuis toujours, intéressé aux questions de culture, de presse et de propagande, en dépit d'une formation d'ingénieur. Mingfu se souvient de lui, pour l'avoir croisé, en 1957. Il était membre de l'une des délégations chargées d'accompagner Mao Zedong à Moscou. Mingfu se souvient aussi de la présence de Lu Dingyi auprès de Liu Shaoqi et Deng Xiaoping lors de voyages en Union soviétique. Enfin, il garde en mémoire qu'après s'être vu confié le portefeuille de la Culture dans le gouvernement de Zhou Enlai en 1965, le ministre Lu Dingyi était accusé dès le printemps 1966 de promouvoir une ligne non conforme à la grande Révolution culturelle prolétarienne ou, pour le dire autrement, une ligne «réactionnaire» qui le contraignait bientôt à démissionner.

Mon père sait tout cela. Il confirme qu'il le sait au petit bonhomme à la tasse de thé et à l'air méchant. En même temps, il réitère ce qu'il a déjà dit : il n'a jamais eu l'occasion de traduire pour cet homme.

L'autre ne se démonte pas : «Êtes-vous en mesure de nier que vous ayez, vous, Yan Mingfu, et nul autre, traduit des propos mettant en cause Mao Zedong, propos tenus par Lu Dingyi à l'intention des autorités soviétiques?» Mon père en revient à ce qu'il a déjà indiqué : qu'il n'a jamais traduit pour Lu Dingyi. Tant et si bien que l'homme à la tasse de thé avance ce raisonnement absurde : «C'est bien simple, faute d'aveu de votre part, Lu Dingyi sera exécuté!» Mingfu, hors de lui, demande si cela doit le conduire à faire un faux témoignage, mais l'interrogatoire, ce jour-là, prend subitement fin. Une technique pour pousser les prisonniers à bout.

La stratégie de la petite brute à la tasse de thé, toujours flanquée de ses deux sbires, évolue. Faute d'avouer que les propos contre Mao, tenus par le ministre traître Lu Dingyi, ont bien été traduits par lui, c'est maintenant lui, Yan Mingfu qu'on menace d'exécuter sur-le-champ. Mon père lui aussi a évolué en fonction des menaces. Par conséquent, dit-il, cette menace dut-elle être mise à exécution, il ne fera pas de faux témoignage ! Tel est le prix qu'il est disposé à payer pour la paix de son âme.

Ce qui sauve mon père, c'est de ne pas abdiquer. C'est de ne pas renoncer à l'analyse d'un processus où la privation de liberté vise à faire de cette liberté un objet de marchandage.

La calomnie en échange de la liberté. La délation en échange de la liberté. Comment ne pas être tenté d'entrer dans ce cercle infernal sitôt qu'on a compris qu'on en est soi-même la victime ? Il avait bien fallu un calomniateur – M. Zhu – pour faire entrer Yan Mingfu dans ce processus des interrogatoires !

Malgré l'attraction qu'exerce la liberté sur tout homme injustement emprisonné, c'est contre ce système que mon père se révolte.

À partir de combien d'années, privé de sa famille, mesure-t-on le courage d'un homme ?

À quelle aune mesure-t-on le courage dans un régime pareil ?

À partir de quel degré d'abnégation peut-on légitimement commencer à parler d'héroïsme ?

Je ne sais pas.

Sinon que, dans la génération de mon père, nombreux furent ceux qui eurent à se poser ces questions. Car nombreux étaient ceux qui, à ce moment de l'histoire de la Chine, étaient pris en tenaille. Sans savoir combien de temps cette épreuve se prolongerait, ni même s'ils en verraient la fin.

59

«Près d'un grand arbre,
on ne manque jamais de combustible.»

<small>PROVERBE CHINOIS</small>

Hiver 1969 : je rejoins maman dans cette province du Henan où je vais rester cinq ans.

C'est là, entre mes douze et dix-sept ans, que je pourrai mesurer à quel point j'avais été privilégiée jusqu'alors.

Les premiers jours, je refuse catégoriquement de porter les vêtements molletonnés qui sont la panoplie des gens de cette campagne et qui leur font à tous la même silhouette boudinée.

«Hors de question, rétorque ma mère. Il y a assez de problèmes ici sans qu'on ait besoin de s'en fabriquer, comme de tout faire pour tomber malade!»

C'est là notre première bagarre. Cela ne durera pas. Ma grand-mère m'ayant élevée, ma mère m'apparaît comme une sorte d'amie que je connais mal. Avec le temps, nous apprendrons à nous soutenir l'une l'autre et je peux témoigner de ce que ma mère a enduré dans ce camp du Henan, une souffrance bien plus grande qu'elle n'a bien voulu le raconter dans un petit récit, destiné à sa famille, dont le titre *Ma vie dans la souffrance et la joie* renvoie à une formule chinoise qui rappelle le vers d'Apollinaire : « *La joie venait toujours après la peine* »…

Quant à moi, l'honnêteté me commande d'avouer que je n'y ai pas été si malheureuse.

Le camp de travail où sont exclusivement relégués les « cadres problématiques » tels que ma mère est calqué sur l'organisation militaire.

Chaque individu relève d'un rang, d'une compagnie, d'une garnison. Maman « travaille » à la briqueterie du village.

Chacune des garnisons est installée dans différents villages ou à leur périphérie. Dans les dortoirs dotés de lits collectifs les hommes et les femmes sont séparés, y compris les couples. Les enfants ne sont tolérés auprès des femmes qu'une nuit par semaine, les occupantes des lits communs n'ont alors d'autre solution que de se serrer pour leur faire une place.

Le dortoir de maman compte deux rangées de lits collectifs. Sept femmes par rangée. Le dortoir est situé à la sortie du village non loin d'un verger de pommiers et poiriers. Il abrite la troisième compagnie où sont reléguées ma mère et d'autres collègues du bureau des Liaisons internationales.

Dans le lit commun maman occupe une place entre deux femmes. L'une d'elles, je l'appelle « tante Xu He ». Je lui donne ce nom affectueux car elle est plus ou moins de la génération de ma mère. Je sens que leurs liens sont renforcés par le rôle de bouc émissaire qu'elles endossent, soumises plus que les autres aux critiques et aux séances vexatoires, ainsi qu'à une surveillance accrue qui les poursuit jusque dans le dortoir. C'est entre elles deux que je me glisse pour dormir.

Tante Xu He est l'épouse de Wu Xiuquan, vice-ministre et ministre des Affaires étrangères jusqu'en 1955, en charge des questions internationales au Comité central. Vétéran de la Longue Marche, il accompagnait Zhou Enlai à Moscou dès 1950 pour finaliser le traité d'amitié et d'assistance mutuelle entre l'URSS et la Chine. Il faisait partie de la délégation envoyée à Moscou pour les funérailles de Staline. Il fut le premier ambassadeur de Chine à Belgrade, de 1955 à 1958, où ma mère a eu l'occasion de le rencontrer. C'est grâce à tante Xu He que je prends conscience que ma famille n'est pas un cas isolé. Les victimes sont nombreuses et ne sont pas des criminels mais de hauts fonctionnaires, des ministres, des personnalités importantes. Cela change ma manière d'appréhender les choses : je me sens un peu moins honteuse.

Au contraire de ma mère qui ne sait pas où se trouve son mari, ni même s'il est vivant, tante Xu He sait que son mari est relégué quelque part dans le Henan.

Après une journée de travail forcé dont elles rentrent exténuées – ma mère souffrant beaucoup du dos – elles sont encore la cible de dénonciations pour «crimes contre-révolutionnaires» et complicité. Soumises à de longues séances d'autocritique, elles doivent se livrer à la dénonciation de leur mari afin, selon l'expression consacrée, de leur apprendre à «choisir leur camp».

Une fois, je réussis à suivre en cachette l'une de ces séances. Je me rends alors bien compte qu'avec tante Xu He, elles sont, plus que les autres, sous le feu des critiques.

La tête basse, ma mère écoute. Puis, quand on l'interroge, elle répond qu'elle n'a rien à dire. Or, ce n'est pas ce qu'on attend d'elle. Ce qu'on attend d'elle, comme de toutes les autres, c'est qu'elle aille encore plus loin dans la critique que celles qui viennent de la critiquer. Le tout dans le but d'instaurer une compétition dans la dénonciation qui, pour les championnes du genre, leur permettra d'apporter la preuve d'un «progrès idéologique». Inutile de dire la haine que m'ont inspirée ces femmes qui, dans la journée, affectaient de tenir ma mère en amitié et qui, le soir, la harcelaient comme des hyènes.

Avec les autres enfants, je suis installée à part, non loin du bourg de Shenqiu, dans une ancienne et vaste propriété privée dont les nombreuses bâtisses ont été réquisitionnées pour en faire un pensionnat, où les enfants sont répartis, selon le sexe et l'âge, une dizaine par dortoir.

Le confort est rudimentaire, ni eau ni électricité. L'organisation militaire : réveil au son du gong ou d'un sifflet, exercices physiques avant la corvée d'eau pour la toilette et la cuisine que les enfants assurent en file indienne jusqu'au puits.

Nous sommes organisés en brigades avec des tâches spécifiques. Mais ce n'est pas si terrible car nous sommes tous logés à la même enseigne. Sans compter que les maisons où sont nos dortoirs sont assez vastes et pleines de recoins pour d'extraordinaires parties de cache-cache. L'opprobre qui, au camp, touche nos parents nous est épargné.

Pendant la semaine, nous allons à l'école ou au collège tous en rang et au pas. Les élèves de mon âge vont au collège n° 1 de Shenqiu où sont aussi scolarisés les enfants de la ville et des bourgs voisins. Certains des cadres relégués, diplômés des écoles normales de la région et d'un bon niveau, ont été autorisés à se joindre au corps enseignant du collège.

Par rapport à Pékin, ce qui me frappe ici, c'est le calme, l'ordre, l'observance des règles de politesse et de respect des enseignants dont je n'imaginais pas qu'elle soit encore possible. Pour nous, les enfants, c'est comme si la tempête révolutionnaire n'avait pas atteint cette campagne, comme si les valeurs confucéennes de respect des préséances dues aux aînés n'avaient jamais été remises en cause.

Les enfants des paysans du coin nous observent d'abord de loin avant d'oser approcher et, parfois même, nous toucher. Nous nous regardons les uns les autres comme des extraterrestres avant que cette première impression se dissipe. En réalité, les élèves de la campagne se révèlent être les meilleurs. Très disciplinés, très appliqués et studieux, ils savent que l'accès au meilleur collège de la ville sera pour eux un sésame qu'ils ont bien l'intention de mériter.

Ce retour à la paix de l'étude, dans des classes où il n'est plus question de nos origines familiales et sociales mais uniquement de nos aptitudes me redonne confiance en moi. Et c'est sans peine que je renoue avec la tête de classe. La fable de Nainai me revient et la morale qu'enseignent les *Aventures du Vieux Sai* : un mal pour un bien. Qu'importe si le soir venu il nous faut réviser à la lueur de la lampe à pétrole. C'est même assez drôle de nous voir le nez noirci d'avoir approché de trop près la mèche de la vieille lampe.

Quelle chance d'avoir des camarades et de pouvoir m'en faire de nouveaux ! Il y a un petit groupe de filles un peu plus âgées que moi, avec lesquelles je m'entends à merveille.

D'abord, il y a Xiao Ke, ou *Petite* Ke, (*Xiao* étant un diminutif affectueux). Une petite boulotte au caractère bien trempé dont je me sens très proche car son histoire ressemble à la mienne : sa mère travaillait dans le même ministère et, pas plus que moi, elle n'a de nouvelles de son père. Son histoire me semble pire : son père a été accusé d'être droitiste en 1957 et ses parents ont dû divorcer. Sa mère s'est remariée mais c'était sans compter avec la Révolution culturelle : son second époux, le beau-père de Xiao Ke, un intellectuel

de renom, a été jeté en prison. Notre petit groupe d'inséparables compte aussi Yang et Shan Shan. Il m'est arrivé de
prendre le train pour Shanghai avec elles pendant les
vacances, moi pour retrouver ma tante Mingguang, elles,
parce qu'elles sont originaires de cette ville. De nous quatre,
Yang est celle qui nous épate le plus en matière de poésie et
littérature. Elle n'est pas seulement capable de nous réciter
des poèmes de la dynastie Tang mais aussi Balzac, Hugo,
Tolstoï… avec une prédilection pour Dumas dont nous lui
réclamons sans cesse *Le Comte de Monte-Cristo* et pour
Stendhal dont nous prisons *Le Rouge et le Noir*. Shan Shan,
la plus belle de nous quatre a une calligraphie, à son image,
si remarquable que ses devoirs sont affichés en classe… Et
tandis que leurs mères travaillent aux champs et la mienne
à la briqueterie, l'honnêteté m'oblige à dire que nous sommes
protégées des horreurs qui leur sont infligées. Nous sentions
obscurément à quel point l'enfance était la condition de
notre protection et de cette enfance, nous étions jalouses,
elle seule nous garantissait une sorte d'innocence. Le malheur
qui rôdait autour de nous créait des liens que rien ne rom-
prait jamais.

Le samedi, nous sommes autorisés à rendre visite à nos
parents. Du centre de Shenqiu jusqu'au dortoir de maman,
la distance est d'environ dix kilomètres, que nous parcourons
à plusieurs, à pied ou, si nous avons de la chance, juchés sur
une charrette ou dans la benne d'un camion et alors nous
chantons à tue-tête tout au long du chemin.

Pour maman, il n'y a pas de week-end, du moins au début. À la briqueterie, elle est la seule femme parmi les hommes, travaillant comme un homme, pieds nus, ses jambes de pantalon remontées. Ils sont une vingtaine qui, avec elle, forment un cercle, foulent et malaxent un mélange de terre, de foin haché menu et d'eau, destiné, après avoir été longuement pétri, à garnir des moules en bois en forme de briques, qui seront cuits au four pendant plusieurs nuits.

Ce travail requiert force et résistance physiques. De l'avis général, c'est bien plus dur que de travailler aux champs. C'est ce qu'il y a de plus dur.

Le soir, quand je suis avec elle, elle a beau être fourbue, le corps brisé, elle ne maudit rien ni personne. Elle me dit l'apaisement qui est le sien de me savoir là. Même s'il lui en coûte de me voir partager son triste sort. Puis, elle se ressaisit, et trouve le moyen de plaisanter : « Considère bien, Lan, la chance qui est la tienne! Si tu n'étais pas fille unique, il te faudrait partager tout cela avec tes frères et sœurs et tu vois bien que ce serait moins drôle! »

Il me semble que la fatigue et la souffrance physique lui sont plus supportables que le harcèlement psychologique auquel elle est quotidiennement soumise. J'admire sa force morale et la ténacité grâce à laquelle elle ne s'avoue jamais vaincue, malgré l'épreuve de ces fameuses séances de critiques et d'autocritiques dont elle ne cache pas qu'on y est dur et mauvais avec elle mais dont elle sort toujours en me disant qu'« il faut garder confiance dans le Parti ». Et quand j'ose l'interroger au sujet de mon père, elle me promet qu'un jour, justice lui sera rendue, que «le Parti finira par faire la part des choses», et je la crois.

S'il y a bien un domaine qui n'épargne personne, c'est la nourriture car le régime est le même pour tous, enfants et adultes confondus. Tout au long de la première année de mon séjour, l'aliment de base est détestable : aussi bien pour le goût que pour la valeur nutritive. Faute de blé et de riz, la patate douce est l'ingrédient principal à la cantine, ce tubercule parvenant à pousser même sur un sol ingrat. Taillée en tranche puis séchée, la patate douce est moulue en une farine noire dont on fait de petits pains collants, très acides, totalement indigestes bien que cuits à la vapeur : leur consommation régulière condamne à des problèmes digestifs chroniques, des maux d'estomac que j'ai déjà ressentis, hélas, la dernière année à Pékin. Ce n'est qu'au bout de trois ans que, dans les villages, les cadres déportés seront chargés de s'occuper d'un potager et d'un élevage de porcs dont le produit sera destiné aux enfants en priorité.

Au printemps de l'année suivante, ma mère est autorisée, en fin de semaine, à m'emmener sur le porte-bagages de son vélo en promenade. Elle profite de ce temps qui semble n'appartenir qu'à nous, pour m'initier tantôt à la beauté des poèmes de la dynastie Tang qu'elle aime entre tous, notamment ceux de Li Houzhu, l'empereur destitué, emprisonné à l'avènement des Song, et qui a parlé de la captivité et de la tristesse de la séparation :

«Tu dis ton prénom : me revient ton visage.
Depuis notre séparation, le monde a changé ;
Les mots se figent, la cloche du soir résonne.
Demain, nous reprendrons la route du Hunan ;
Il faudra franchir combien de monts d'automne ?»

D'autres fois, elle me parle de ses voyages en Europe, de Paris, de Balzac ou Zola, Hugo ou Maupassant que j'avais déjà commencé à lire à Pékin grâce à elle. D'autres fois encore, elle me raconte des épisodes fameux d'*Au bord de l'eau,* ensemble de récits compilés sous la dynastie Ming, au XVIᵉ siècle et qui constitue l'un des quatre romans classiques chinois avec *La Pérégrination vers l'Ouest, Le Rêve dans le pavillon rouge* et *L'Histoire des Trois Royaumes* dont elle cite des pans entiers, avec un tel sens du récit et du suspense que je m'attends à voir surgir tigres et bandits du paysage que nous traversons.

Il n'a jamais été question de ces textes à l'école. Ce sont des livres interdits. Tout comme ceux de Li Yu, dont je suis sidérée qu'elle puisse me réciter certains poèmes par cœur :

« Coupé mais pas brisé
Maîtrisé mais toujours chaotique
Tel est le chagrin de la séparation
C'est aussi une saveur très étrange à la pointe du cœur. »

Alors, ce n'est plus seulement son courage physique et moral, sa droiture, que j'admire, c'est sa volonté à pallier les carences de notre éducation à cette époque et son désir de me faire partager le raffinement et la richesse de la culture qui tout entière l'habite.

Dans le courant de 1970, elle apprend que son père vient de mourir, l'année de ses soixante-dix ans. Mais dix mois plus tard, quand une autre lettre lui annonce le décès de sa mère, on nous accorde, par autorisation spéciale, de nous rendre à Tianjin, dans cette ville où elle n'est plus retournée depuis la fin de ses études. Et je devine que la rupture qu'on lui a imposée avec sa famille, lui donne à présent le sentiment d'un tel gâchis que je n'ose même pas aborder la question avec elle. C'est moins pendant l'enterrement en présence de ma famille maternelle que je perçois combien ma mère est affectée, qu'en tête-à-tête lorsqu'elle évoque longuement sa génération soumise arbitrairement aux aléas de l'Histoire. Je me souviens que sur le moment, elle prophétisait un avenir prospère à la Chine, un avenir heureux pour ses descendants, libérés de la pesanteur qui avait été la sienne de n'avoir pu maîtriser son destin. Le sentiment d'être entravée était si fort en elle qu'elle était, m'avait-elle dit, presque jalouse de moi.

Les organismes fragilisés par l'alimentation et une eau souvent insalubre ou stagnante dans laquelle prolifèrent moustiques et autres bacilles, étaient sujets à la dysenterie, la malaria et autres fièvres chroniques, souvent mortelles.

Un soir je suis terrassée par une spectaculaire poussée de fièvre due à la dysenterie. Hospitalisée en urgence, les médecins sont d'avis de prévenir ma mère car mon état comateux fait craindre une issue fatale avant le lever du jour. Au fond cela n'aurait rien d'extraordinaire : la mortalité infantile dans les campagnes est très élevée à cette époque. Ma mère me veille toute la nuit. Après trois jours sous perfusion, je remonte doucement la pente mais je reste en observation. Maman qui fait le trajet à vélo tous les jours pour venir me voir à l'hôpital reprend espoir, la fatigue et l'angoisse pourtant inscrites sur son visage.

Mais bientôt, le vélo qu'on lui a prêté lui est volé. Elle me dit alors : «Parce qu'un malheur n'arrive jamais seul, si jamais j'étais empêchée de veiller sur toi pour une raison ou pour une autre, débrouille-toi pour rentrer à Pékin, va au bureau de ton père, à Zhongnanhai, là, ils te prendront en charge.» J'ai alors une conscience aiguë de son désarroi et peut-être même de sa certitude de devoir finir ses jours dans ce camp. Pourtant, bien qu'elle soit sans nouvelles de mon père depuis son arrestation, ce qu'elle vient de me dire témoigne aussi de son inébranlable foi dans l'avenir et j'y puise à mon tour la force de la rassurer : «Ne t'inquiète pas, maman, il ne t'arrivera rien de grave, tout va bien se passer, tu verras…»

60

« En quelle année, en quel mois
pourrai-je enfin retourner en mon pays
Quelle année, quel mois pourrai-je enfin recouvrer mon trésor ?
Ô mes parents, ô mes vieux parents,
Quand pourrons-nous enfin nous réunir
joyeusement sous le même toit ? »

EXTRAIT DU CHANT RÉVOLUTIONNAIRE
SONGHUA SHANG (SUR LA RIVIÈRE SANGHUA)

En mai 1968, plus de six mois après son arrestation, Mingfu est toujours à l'isolement.

Aucune correspondance ne lui autorisée avec l'extérieur et, à Qincheng, il n'a droit à aucun contact avec les autres détenus dont il n'entend que les voix, les cris, les pleurs.

Il n'a rien pour se raser, se couper les cheveux, les ongles. Il n'y a d'eau que pour une toilette très sommaire et les w.-c. Mingfu découvre que le manque d'hygiène n'est pas moins éprouvant que l'isolement complet, le froid, la faim, la lumière crue braquée sur lui en permanence.

Il a fini par se conformer aux règles tacites des surveillants : garder le visage tourné vers l'œilleton quand il dort et ne jamais s'allonger par terre. Cette dernière règle, il l'a apprise à ses dépens : un jour qu'il est concentré sur la relaxation préalable à tout exercice de *Tai-chi-chuan,* un coup de pied l'a sorti brutalement de son état. Il se le tient désormais pour dit.

Le repas consiste en une soupe de riz où surnagent quelques légumes, servie avec un petit pain de maïs. Au lieu d'apaiser la faim, cette pitoyable ration aiguise plus cruellement encore l'appétit.

Mais ce dont on ne peut priver les prisonniers de Qincheng, c'est d'écouter chanter les moineaux de Pékin. Voilà à quoi s'accroche Mingfu tous les matins pour ne pas sombrer. Car rien ne traduit mieux l'énergie vitale, la joie que ces chants en cascade. Mon père rapporte dans ses *Mémoires* combien cette écoute attentive, sept ans et demi durant, lui a permis de distinguer les mélodies, leur fréquence et leur tonalité.

Mingfu s'inquiète des effets de son isolement complet dont les enquêteurs ne lui disent jamais combien de temps il va durer. Ici, l'arbitraire est de règle. Alors, il s'emploie à pratiquer une gymnastique mentale. Il chante. À voix basse pour qu'on lui fiche la paix. Dans le but d'empêcher que la mémoire et le raisonnement ne s'ankylosent et, aussi, d'éviter l'ennui.

Il fredonne tout et n'importe quoi : les couplets de la «Chanson de la rivière Songhua» – bien que ce chant patriote des années 30 soit interdit –, toutes les comptines de son enfance, tout le répertoire révolutionnaire soviétique, appris pendant ses années d'études. *Le Quotidien du peuple,* ainsi que *Les Citations du président Mao Zedong* auxquels il a droit, lui servent de support à une série d'exercices propres à entraîner l'activité cérébrale. Il s'oblige à en apprendre des passages par cœur. Puis à les traduire en russe pour rafraîchir son vocabulaire. Parfois, il lui faut quelques heures, quelques jours, pour se remettre en mémoire tel adverbe, tel substantif mais il ne lâche jamais prise. Il se parle à lui-même tour à tour en chinois et en russe. Parfois, il est arrêté net dans ses exercices par l'image de tous ceux dont il a été l'interprète et le traducteur, tous ceux qui étaient en pleine lumière. Tous ces hauts dirigeants que sont-ils devenus ?

Un seul fait exception, le maréchal Lin Biao. Si l'on en croit les articles du *Quotidien du peuple,* qui le désignent toujours comme l'« intime compagnon d'arme du président Mao », Lin Biao n'est pas descendu de son piédestal. Exception faite aussi de Jiang Qing, la dernière épouse de Mao Zedong, à en juger par les haut-parleurs et la radio des gardiens, qui à toute heure, diffusent les huit seuls opéras révolutionnaires autorisés par la Révolution culturelle. Exception faite enfin – mais cela va sans dire – de Mao lui-même, dont le nom n'est jamais prononcé qu'avec la plus grande vénération.

Avant la fin du printemps 1968, on accorde à Mingfu quarante minutes de sortie quotidienne dans une cour à ciel ouvert. Malgré les barbelés, les miradors, les gardiens en arme, il y a le soleil de ce printemps, l'odeur de la campagne toute proche et, jusque dans l'anfractuosité des pierres, des pousses d'herbes folles et tout cela lui réjouit le cœur. Il espère être libéré avant le retour de l'hiver, bien loin d'imaginer qu'il n'a pas même achevé la première année d'une incarcération qui durera plus de sept ans.

Une fois libéré, il apprendra qu'à la fin de cet hiver 1968, le nombre important de décès parmi les détenus les plus vulnérables a provoqué l'intervention de Zhou Enlai. De cette intervention datent la douche hebdomadaire, la tondeuse à barbe et cheveux, la distribution de rations correctes, un morceau de viande une fois la semaine.

Avec une moyenne de trois lecteurs par numéro, *Le Quotidien du peuple* est le compagnon de cellule le plus attendu. Seul lien avec le monde, seule source d'information, en dépit parfois de l'absence d'informations même. Les exemples ne manquent pas. Le plus remarquable est, sans nul doute, après l'été 1971, la disparition complète du nom de Lin Biao. Le nom de «l'Intime compagnon d'arme du président Mao» ne réapparaît pas de toute l'année sans aucune explication.

Le fin mot de l'histoire, on ne le connaîtra qu'un an après, en septembre 1972. À cette date seulement, *Le Quotidien du Peuple* rend l'événement public : Lin Biao a été l'instigateur d'un complot visant à assassiner le président Mao entre les 8 et 10 septembre 1971, avec la complicité de son fils, Lin

Ligu. Sa fille, Lin Liheng, a dénoncé les traîtres. Démasqué, l'ex-maréchal a décidé de fuir vers l'URSS avec sa famille, ses complices, ses alliés. À court de carburant, l'avion s'est écrasé le 13 septembre 1971 sur un plateau désertique de Mongolie. Il n'y a aucun survivant. Dans les semaines qui suivent, l'armée est purgée de tous ses cadres.

À l'été 1973, Mao s'inquiète du sort des hauts cadres du Parti maintenus en prison – pour ceux du moins dont les enquêtes ont échoué à démontrer la culpabilité. Zhou Enlai s'empresse de relayer cette «inquiétude» auprès du Bureau politique du Comité central, accompagné d'une demande expresse de bien vouloir délibérer sur ce point. Mais un obstacle de taille se dresse contre cette résolution en la personne de Jiang Qing. La femme de Mao qui, désormais, est le pilier de la Bande des Quatre – avec Zhang Chunqiao (membre du Comité permanent du Bureau politique), Yao Wenyuan (membre du Comité central) et Wang Hongwen (vice-président du Parti), instigateurs principaux de la Révolution culturelle –, et s'applique à faire capoter la décision en ne se présentant pas aux délibérations ou s'oppose à la libération d'un seul des prisonniers dont elle rappelle qu'ils ont été détenus avec son accord.

Mao revient sur ce dossier en 1974. Même empressement de Zhou, même blocage de Jiang Qing.

En mars 1975, Mao menace d'incarcérer tous ceux qui s'opposent à la libération des détenus incriminés sans preuve.

C'est à partir de cette date que les groupes d'enquêtes hâtent leurs conclusions et nombre de prisonniers politiques se bousculent au portillon pour retrouver une liberté chèrement disputée.

61

« Connais en toi la gloire

Adhère à la disgrâce. »

LE LIVRE DE LA VOIE ET DE SA VERTU, LAOZI
(MILIEU DU VIᵉ SIÈCLE AVANT J.-C.
ET MILIEU DU Vᵉ SIÈCLE AVANT J.-C.)

Quand je repense aux paysages du Henan que j'ai connus entre douze et dix-sept ans, quand je revois les champs laborieusement cultivés, les villages émergeant de la pleine campagne, j'ai peine à croire que cette province est devenue la plus polluée de Chine.

Cela me remet en mémoire un épisode très angoissant, qui ne pourrait plus se produire de nos jours, tant le réseau des transports et la densité de population ont radicalement changé.

Un soir, en fin de semaine, je dois réintégrer le pensionnat. La nuit est déjà tombée en ce dimanche d'hiver. Maman décide de me raccompagner pour éviter que je ne me retrouve toute seule sur la route déserte.

Je me souviens que nous avons parcouru, ensemble, sous la pluie qui avait transformé la route en bourbier, les vingt *li* – dix kilomètres – qui nous séparaient l'une de l'autre toute la semaine. Une fois qu'elle m'avait ramenée à bon port, il fallait bien que ma mère fasse le chemin en sens inverse. Et la voyant s'enfoncer dans la nuit profonde et disparaître derrière le rideau de pluie, j'étais terriblement anxieuse car, de toute ma famille, je n'avais plus qu'elle près de moi.

À Shenqiu, les conséquences du régime alimentaire, pourtant moins mauvais que celui des adultes, se traduisent aussi par des problèmes de peau. Dans mon dortoir, rares sont les filles qui ne sont pas couvertes de plaques de boutons sur tout le corps et le visage.

La jeune femme médecin du système rural coopératif, mis en place à partir de 1968, dans le cadre de la Révolution culturelle, attribue ces désordres épidermiques à une réaction allergique de nos organismes habitués à la vie citadine. Cette femme est ce qu'on appelle un «médecin aux pieds nus». Autrement dit une sorte d'aide-soignante, très utile dans les campagnes où il y a peu ou pas du tout de médecins.

À la suite d'un discours de Mao mettant en cause, en 1965, le système médical de l'époque, un programme de formation médicale et paramédicale d'environ six mois est mis sur pied, destiné à épauler les médecins traditionnels dans les zones rurales. Ce programme s'adresse surtout à de jeunes gens issus de la paysannerie et c'est dans ce cadre que cette jeune femme de Shenqiu commence à nous inculquer quelques principes de médecine traditionnelle, dont l'acupuncture, qui m'ont beaucoup intéressée.

Elle nous enseigne les points du corps sur lesquels on peut agir pour réorganiser les flux énergétiques troublés et, le soir, dans notre dortoir, je m'exerce sur mes camarades, testant ces points sur Xiao Ke, Yang et Shan Shan, qui, au vu des résultats, s'accordent à me reconnaître un certain don.

J'apprends à mémoriser les points principaux d'acupuncture et à expérimenter le maniement des aiguilles sur mon propre corps. On m'enseigne les principes d'harmonie et d'équilibre entre yin et yang, qui régissent la conception traditionnelle de la médecine chinoise, sans oublier les quelques notions en matière de soins par les plantes si utiles à la campagne en l'absence quasi complète de médicaments.

J'apprends aussi beaucoup de Tian Lao Shi. Selon l'usage, les termes «Lao Shi», accolés au patronyme désignent un «maître». Maître Tian, donc, est ma professeure de mathématiques du collège n° 1 de Shenqiu.

Aussi maigre que peut l'être une ligne droite entre deux points, Maître Tian me comble quand j'obtiens la note maximale et me désespère lorsqu'elle ne me concède qu'un dix-neuf sur vingt. Et quand je rapporte, d'un air contrit, ce genre de résultats à ma mère, celle-ci me houspille gentiment et me conseille d'arrêter «mes coquetteries» en allant prendre un peu de bon temps avec mes camarades. Mais moi, mon obsession, ce sont mes études et mes résultats.

Il faut dire que les enseignants de Shenqiu sont les meilleurs de la région. Tous les villageois et paysans des environs veulent envoyer leurs enfants au collège n° 1. Et cette émulation entre les élèves m'aiguillonne si fort que Maître Tian m'ordonne sévèrement, de son accent typique du Henan, de baisser cette main qui, toujours, se dresse la première et de me taire pour laisser mes camarades chercher un peu.

Au printemps 1971, ma mère obtient pour moi l'autorisation de me rendre à Shanghai pendant l'été pour rendre visite à ma grand-mère. L'invitation a été faite par Mingguang. Malgré les aléas de la vie, ma tante troisième et ma mère n'ont pas cessé de s'écrire. Cette permission me rend folle de joie.

Je me souviendrai toujours de ce samedi de juillet, veille de mon départ, où je suis toute seule dans le dortoir de maman quand une lettre de Shanghai arrive. C'est une lettre de ma tante troisième ! Heureuse, je l'ouvre avec précipitation. À sa lecture, je m'effondre. Elle annonce la mort de ma grand-mère, le 13 juillet 1971. J'éclate en sanglots : de toute ma vie je n'avais pas ressenti une telle douleur. En perdant l'être qui m'est le plus cher, mon ciel à moi vient de tomber.

Le lendemain, dans le train, il me semble que c'est toute mon enfance que je vais enterrer. Même si, dans le Henan, j'ai appris à connaître maman et à l'aimer, c'est à ma grand-mère que je reste viscéralement attachée.

Heureusement, une fois à Shanghai, j'apprends que pendant les derniers temps, ma grand-mère a pu être accompagnée par deux de ses filles : Mingguang, qui l'avait accueillie dans son grand appartement, et Mingshi, sa fille première. Car bien que Mingshi ait été reléguée en camp de travail, à Anshan, où aucune violence physique et morale ne lui a été épargnée, elle a pu accompagner la fin de vie de sa mère grâce à une permission exceptionnelle obtenue par Mingguang.

À la veille de quitter ce monde, Gaosu a dicté, dit-elle, une lettre pour Zhou Enlai. En premier lieu, Gaosu tient à lui faire savoir que Baohang, son mari, et Mingfu, son fils cadet, sont innocents.

En second lieu, Gaosu sollicite du Premier ministre qu'il veuille bien prendre en charge le coût de ses soins médicaux et de ses obsèques. Cette demande, elle ose la formuler en souvenir de l'aide que son mari Baohang et elle-même, ont apporté sans relâche à tant de compatriotes combattants lors de la guerre antijaponaise, tant de camarades communistes pourchassés par le Kuomintang pendant la guerre civile.

Son décès survient le lendemain, après qu'elle a vivement recommandé à ses filles de garder toute leur confiance dans le Parti… «En dépit de cette dérive de la persécution», ajoute-t-elle, et non sans avoir une fois de plus confié à ses filles qu'elle pensait beaucoup à «son cher *Xiaofu*» – car tel était le diminutif affectueux qu'elle avait toujours aimé donner à mon père.

Quant à ses dernières volontés contenues dans la lettre pour Zhou Enlai, comment ses filles réussiront-elles à la faire parvenir au Premier ministre en ces temps si troublés ?

Les deux sœurs décident d'en passer par leur belle-sœur Shuti. Car, même si Shuti a cessé de pouvoir enseigner depuis qu'on l'a affectée aux mines de charbon de Mentougou, ce district est situé près de Pékin. Shuti opte pour le moyen le plus simple et le plus ordinaire : après avoir rédigé sur l'enveloppe cette adresse : «À l'attention du Premier ministre, Monsieur Zhou Enlai, Conseil d'État», elle l'affranchit avant de la glisser dans la boîte la plus proche de *Zhongnahai*.

Peu de temps après – à sa grande surprise car, par les temps qui courent, on dit que Zhou Enlai ne peut plus aider grand monde – Shuti est informée que, sur instructions du Premier ministre, tous les frais médicaux ainsi que ceux des obsèques seront remboursés en mémoire des nombreux sacrifices consentis par Gaosu au nom de la Révolution.

Mon séjour à Shanghai de juillet 1971 est sur le point de se terminer lorsque Mingguang et Mingshi sont informées de ce dénouement. Elles sont d'autant plus émues que la Révolution culturelle, chacun le sait, a bouleversé les destins les plus sûrs. En outre, s'agissant de Zhou Enlai, on murmure qu'il est gravement malade…

En revanche, en ce mois de juillet 1971, personne ne parle de la venue, à Pékin, de Henry Kissinger, le conseiller à la Défense du président Nixon. Il s'agit de mettre sur pied le voyage officiel de Nixon à Pékin, une première pour un chef d'État américain. Visite programmée en février 1972.

Le caractère rigoureusement confidentiel de la visite de Kissinger présente, côté chinois, cet avantage qu'il dispense de s'expliquer sur une propagande intérieure dans laquelle les États-Unis restent l'ennemi n° 1 de la Chine comme en témoignent les nombreux slogans «À bas l'impérialisme américain!» qui fleurissent tout au long du chemin entre l'aéroport et la résidence du conseiller.

Côté américain, on espère qu'un pareil événement pourra détourner l'opinion américaine de la guerre au Vietnam…

Au cours des premiers mois de l'année 1972, et davantage à mesure que les mois avancent, la pression politique semble s'alléger dans notre province comme partout ailleurs.

Les raisons de cet assouplissement, personne ne les connaît. Nous ne savons pas encore qu'elles sont liées à la disparition de Lin Biao, le 13 septembre 1971.

Premier effet de cet «allégement» : maman est relevée de sa servitude à la briqueterie pour être affectée aux cuisines. Et chez cette femme très raffinée, polyglotte, familière des classiques chinois autant qu'européens, j'observe, assez médusée, comment cette «promotion» lui redonne courage et espoir alors que nous ne savons toujours pas si mon père est vivant. J'admire comment sa force de caractère, sa résistance physique et morale, lui permettent d'affronter épreuves et humiliations sans rien abdiquer de sa dignité.

Un jour, avant que je ne reparte pour mon pensionnat, elle me tend une conserve pour améliorer mon ordinaire de la semaine : un petit pâté à la viande qu'elle m'a spécialement confectionné. Le sourire sur son visage illumine ses quarante ans et, à cet instant, ce sourire lui vient directement de sa beauté d'antan. Je me rappelle encore le goût délicieux de ce pâté que je partage avec mes amies en deux jours.

62

« Lorsque la Voie règne sous le Ciel, ce n'est pas
aux ministres de décider de la politique et les simples
sujets n'ont pas lieu de la discuter. »

CONFUCIUS, ENTRETIENS, XVI, 2
(551 AV. J.-C. – 479 AV. J.-C.)

Bien que Deng Xiaoping ait été déchu de toutes ses fonctions depuis 1968, puis relégué au fin fond du Jiangxi avec
son épouse, la disparition de Lin Biao va lui permettre de
revenir peu à peu aux affaires.

Il est vrai que la sinistre Bande des Quatre, promue lors
du Xe Bureau politique du Parti en 1973, contrôle encore
tous les leviers de commande. Il n'en demeure pas moins
qu'en février de cette même année, Deng Xiaoping est rappelé à Pékin.

Mao a toujours traité différemment Deng Xiaoping et
Liu Shaoqui. Son attitude envers Liu a changé progressivement à partir des années 60, lorsque des divergences sont
apparues entre eux, concernant à la fois le redressement

économique du pays et la question du progrès de la Chine sur la voie du socialisme. La Révolution culturelle vise à désavouer Liu Shaoqui, initialement désigné par Mao comme son successeur, avant d'être dénoncé comme un avatar de Khrouchtchev et un «capitaliste» au sein du Parti. D'autant que les bons résultats économiques obtenus dans les années 60 donnent à Mao le sentiment que Liu est devenu une menace pour son propre pouvoir. Aussi Mao est-il déterminé à abattre ce «n° 1» ou du moins résolu à ce qu'il ne retrouve jamais son statut antérieur.

Avec Deng Xiaoping, c'est différent, car Mao a toujours admiré son talent, même si Deng a fini par le mécontenter pour avoir suivi les préconisations de Liu en matière de réforme agraire et de développement économique.

Au début de la Révolution culturelle, Lin Biao est désigné par Mao comme successeur potentiel. Mao demande alors à Lin Biao d'entretenir de bonnes relations avec Deng, parce que Mao a l'intention de continuer à l'utiliser. Ce qui n'empêche pas Deng et Lin Biao de se fâcher d'où la quasi-disparition de Deng pendant toute l'ascension de Lin Biao. Pour autant Mao n'a pas exclu Deng Xiaoping du Parti. Entre les deux hommes le contact s'est toujours fait en direct ou par l'intermédiaire de Wang Dongxing, secrétaire général du bureau central du comité et sans passer par Lin Biao ou Jiang Qing qui considéraient Deng comme une menace. Et lorsque Mao désigne Lin Biao comme successeur, sa confiance n'est pas totale. Deng, relégué dans une usine de tracteurs, écrit régulièrement à Wang Dongxing pour qu'il transmette ses lettres à Mao.

Le 3 août 1972, Deng ayant appris la fuite de Lin Biao, écrit à Mao pour l'assurer de son soutien. Par la même occasion, il formule sa propre autocritique et reconnaît ses erreurs tout en indiquant qu'il souhaite pouvoir se rendre encore utile au pays. En marge de cette lettre, Mao annote, le 14 août 1972 : «Je soutiens la réhabilitation de Deng.» Mais au Bureau politique, la Bande des Quatre, Jiang Qing en tête, s'opposent fermement à cette décision de Mao et ce jusqu'au 10 mars 1973, quand Zhou Enlai, alors Premier ministre, rédige un rapport à l'intention de Mao qui l'approuve et rappelle Deng comme vice-Premier ministre du Conseil d'État.

C'est aussi au printemps 1973, que les enquêteurs chargés du dossier de mon père rendent leurs conclusions d'où il ressort qu'après vérifications techniques, «l'appareil radio remis par Yan Mingfu à son père, Yan Baohang, n'est pas un appareil de réception et transmission de messages codés à destination de l'URSS, mais une radio ordinaire de fabrication chinoise». De plus, les allégations de M. Zhu portées contre Yan Mingfu pour «crimes de trahison au profit de l'Union soviétique se sont révélées sans fondement». Mingfu est invité à signer le procès-verbal. Après quoi, il lui faut attendre que ce document soit soumis au gouvernement central pour approbation avant d'espérer être libéré.

Dans le Henan aussi, de notables changements s'opèrent à partir de 1973. Les cadres «problématiques» dont l'affaire est classée ou la «rééducation» achevée sont peu à peu autorisés à réintégrer la capitale. Ces dispositions ne concernent pas Keliang. Néanmoins, on lui accorde une nouvelle affectation qui va changer du tout au tout les conditions de sa relégation : elle va pouvoir seconder les professeurs d'anglais du collège n° 1 de Shenqiu. En outre, elle quitte son dortoir pour être accueillie dans l'un des bâtiments de Zhangjiawan, l'ancienne propriété terrienne où se dresse le pensionnat. On nous accorde maintenant d'y loger ensemble. Comme j'entame la dernière année de mes études secondaires, maman en profite pour me donner des cours particuliers. Car je dois me préparer au mieux pour le diplôme que je devrai passer à Pékin, si je veux qu'il ait une validité nationale. Sinon je serai obligée de rester dans le Henan.

Les échanges de lettres entre ma mère et ses belles-sœurs confirment un indéniable assouplissement dans tous les domaines. Encouragée, maman se décide à écrire au Gouvernement central au sujet de mon père. Après toutes ces années d'incertitude, le soulagement est immense : nous apprenons qu'il est bien vivant, détenu à la prison spéciale de Qincheng et que ma mère peut faire une demande d'autorisation de visite.

Sitôt cette autorisation obtenue, maman partira pour Pékin. De là, elle me donnera des nouvelles. Puis, à mon tour, je ferai une demande pour revoir mon père dès les vacances scolaires. Mais, où loger ?

La cour carrée de mes parents, à *Weijia Hutong,* a été confisquée. De même pour l'appartement de la Résidence du Conseil d'État. Mon oncle premier, Daxin, est toujours confiné dans un camp du Ningxia mais puisqu'on leur a laissé leur logement, c'est donc chez eux que nous pourrons loger.

63

« Ces yeux méfiants
Ne veulent pas légitimer les ténèbres
Même si déjà ils sont passés par l'ombre de la mort
Ont veillé dans tes bras le corps d'un frère d'infortune.»

LE POÈTE ET LA MORT, ZHENG MIN
(NÉE EN 1920)

Au printemps 1974, après six ans de séparation, à peine mon père voit-il sa femme qu'il comprend combien elle a souffert. C'est Keliang qui se tient devant lui. Comment pourrait-il ne pas la reconnaître ? C'est elle mais c'est aussi une autre femme.

Ce n'est pas à cause de son allure de paysanne dans son vêtement de tissu grossier, c'est à cause de l'effacement de la jeunesse sur son visage, la disparition du pétillement dans les yeux. C'est, malgré le sourire, un masque de tristesse indélébile, une fatigue profonde qui a alourdi ses traits et qui fait qu'à quarante-trois ans, Keliang en paraît beaucoup plus.

Ils ne se demandent pas s'ils vont bien. Ils sont vivants. Ils sont en bonne santé, c'est une aubaine.

Elle lui a apporté des livres et du chocolat. Exactement ce dont il manque. Elle lui dit que sa fille travaille beaucoup pour être la meilleure. Exactement ce qu'il veut entendre. Elle lui dit qu'elle a eu peur pour lui. Exactement comme lui pour elle. Elle lui dit que, maintenant, ça va aller. Exactement ce qu'il espère. Cela fait des jours que Mingfu ne dort plus tant son excitation est grande à l'idée de la revoir.

En juin, c'est à mon tour de le revoir. J'ai un souvenir rocambolesque de cette expédition avec ma cousine Jiaojiao, la fille de mon oncle Daxin et de Shuti. Un rendez-vous, à Pékin, devant le ministère des Transports. Deux militaires avec un livre à la main comme signe de reconnaissance. Ils sont en jeep. Pendant le trajet qui nous conduit hors de Pékin, je crois comprendre qu'ils font partie du groupe d'enquête chargé du «cas» de mon père. L'un des deux parle de l'intelligence de mon père et je me sens gonflée d'orgueil.

Bientôt, nous arrivons dans une vallée encaissée. La prison spéciale, encadrée de miradors et barbelés, est adossée à une colline. Devant la porte le militaire déclare : «La situation de votre père est plus ou moins clarifiée, ça va aller.»

On entre dans une grande cour carrée d'où l'on nous conduit jusqu'à un parloir meublé d'une table et de quelques chaises. La pièce a l'air vide et nu, impression qu'augmente un effet d'écho quand on parle. J'ai le sentiment d'être épiée, peut-être écoutée ou enregistrée.

Au bout d'une dizaine de minutes, la «sortie au parloir» du n° 67124 est annoncée. Mon père est devenu un matricule. Le voilà dans l'encadrement de la porte, escorté par deux surveillants.

Il est en tenue de prisonnier, pantalon et veste en coton noir, crâne rasé, très pâle, très maigre. Mais il est resté le même. Moi, en revanche, j'ai beaucoup changé. D'ailleurs, pendant un quart de seconde, je vois ses yeux papillonner de Jiaojiao à moi avant de s'écrier : «Lan, c'est à peine si je te reconnais!»

Il a été convenu qu'on ne lui dirait rien de la mort de son père et de sa mère pour le moment. Pas question de le laisser seul en cellule avec la pensée de leur disparition. Il est bien trop affaibli pour le supporter. Le pieux mensonge prend cette forme : ses parents se sont retirés à deux cents kilomètres au sud-ouest de Shanghai, à Hangzhou, pour se reposer. Ma cousine et moi avons apporté du vin et d'autres chocolats fourrés à la liqueur. Mais, après en avoir été si longtemps privé, l'effet du vin sur son organisme est si spectaculaire qu'il commence à critiquer avec virulence l'injustice dont il est victime si bien que l'on n'osera plus lui en apporter.

De retour dans le Henan, maman me cède son tour de visite. Je revois mon père en compagnie de ma tante Mingguang et de mon cousin Xiaxin.

Mingzhi, le frère préféré de mon père, vient avec son fils, Suzhe, qui a seize ans. Mon oncle qui avait été son premier professeur de russe craint tant que Mingfu ait oublié cette langue qu'il lui apporte, outre des dictionnaires, la traduction en russe des œuvres complètes de Mao. Avec son humour incorrigible, Mingzhi, bien que lui-même relégué en camp de rééducation dans le Hunan, ne peut s'empêcher «en tant qu'intellectuel incapable de distinguer un champ de maïs d'un champ de sorgho» de pratiquer l'autodérision. Les rires ont fait passer le temps de la visite en un éclair, il est déjà l'heure de se quitter. Alors, d'un air un peu plus solennel, Minzghi incite son frère à l'optimisme. Il l'assure que, sitôt libérés, ils iront boire un très bon vin ensemble pour célébrer l'événement. Mais au lieu de réjouir Mingfu, cette heureuse perspective l'émeut si fort qu'il doit abréger l'entrevue pour ne pas laisser voir ses larmes.

Il croit pleurer sur les souffrances du passé, il ne sait pas qu'il vient de voir Mingzhi pour la dernière fois.

64

« Le bonheur repose sur le malheur ;
le malheur couve sous le bonheur. »

LAO-TSEU, VIe-Ve SIÈCLE AV. J.-C.
(FIN DE LA PÉRIODE DES PRINTEMPS ET AUTOMNE)
IN *TAO-TÖ KING, LVIII.*

Le camp de rééducation s'apprête à fermer en 1973, les enfants des cadres encore détenus dans le Henan doivent progressivement retourner par le fleuve à Pékin.

Le professeur Wei envisage pour moi, après mon baccalauréat, la possibilité d'une formation d'enseignante. Nous en discutons avec maman et convenons qu'en effet, ce serait bien. Il suffit de déposer un dossier.

À Pékin, le Département des Liaisons internationales nous octroie une chambre de 9 m² dans un appartement où nous partageons cuisine, salle de bains et toilettes avec deux autres familles. Mais nous sommes ensemble. Nous sommes en ville. Mingfu est vivant.

En cette année 1974, un nouveau mouvement est lancé, orchestré par la toujours puissante Bande des Quatre. Cette fois la critique porte «contre Lin Biao et Confucius».

Lin Biao a beau être mort et enterré, l'accusation dénonce les valeurs réactionnaires dont le maréchal se serait prévalu et qui lui auraient été inspirées par le philosophe. C'est donc en sa qualité de «droitiste» que Lin Biao revient sur le devant de la scène pour y être fustigé à titre posthume. Mais en réalité cette campagne «contre le rétablissement du capitalisme sous toutes ses formes» vise à dénigrer Zhou Enlai et sa tentative de remise en marche de l'économie, discrètement aidé par Deng Xiaoping.

Ce regain de tension idéologique s'accompagne d'une série de suicides au sein du ministère de la Sécurité publique. Conséquence immédiate : les visites aux prisonniers sont suspendues *sine die*. Cette décision survient alors que Mingfu a revu les siens qui l'ont aidé à tenir le coup en attendant une libération qui traîne depuis plus d'un an que l'enquête l'a déclaré innocent.

Cette nouvelle privation achève de le déséquilibrer et déclenche en lui une formidable colère. Contre la prison. Contre les surveillants. Contre la terre entière. Il invective les gardiens, les enquêteurs, le directeur, tous autant qu'ils sont, sans pouvoir apaiser sa colère.

Fin janvier 1975, on décide de le transférer dans une autre aile de l'établissement. Là, il remarque vite que les détenus rient tout seuls ou pleurent sans raison ou tiennent des propos incohérents. Il comprend qu'on vient de le déménager chez les fous.

Le lendemain, un médecin lui parle de son «dysfonctionnement cérébral» et lui conseille de se montrer coopératif vis-à-vis de son traitement. Mon père a du mal à garder son calme pour expliquer qu'il n'est pas fou.

On le conduit dans une salle. On l'entrave. On lui pose des électrodes. On déclenche des chocs électriques qui provoquent aussitôt des convulsions. «Que faites-vous, hurle-t-il, vous voulez me tuer?» À ce moment-là, Mingfu a la présence d'esprit de dire qu'il est l'interprète de Mao Zedong et qu'il va rédiger à l'intention de son groupe d'enquête un rapport sur ce qu'on est en train de lui faire. Est-ce le nom de Mao Zedong? La crainte de représailles? Le «traitement» est momentanément suspendu. On enjoint au «patient» de se calmer. On le désentrave. On le ramène en cellule.

Le lendemain, deux nouveaux médecins se présentent et le forcent à avaler une poignée de pilules. L'effet est radical, ça l'assomme plusieurs jours et nuits d'affilée. Outre cette camisole chimique, on lui supprime les promenades, les journaux, les livres.

Jusqu'à ce matin d'avril 1975 où, à peine réveillée, maman me dit qu'elle vient de faire un cauchemar épouvantable : elle vient de rêver que mon père était devenu fou ! Je lui rappelle ce qu'on a coutume de dire concernant les rêves en Chine : leur sens véritable doit être compris à l'envers. En vérité, je ne suis pas sûre d'accorder foi à ce précepte en matière de signification des rêves, j'essaye surtout de la rassurer. Par conséquent, lui dis-je triomphalement, tu peux être certaine que ton rêve présage une bonne nouvelle.

«Le Grand leader a décidé de vous libérer», c'est ce qu'annonce à Mingfu, non sans solennité, le méchant petit homme à la tasse de thé.

Nulle ironie dans l'expression «le Grand leader» ni pour celui qui l'emploie ni pour celui qui la reçoit et répond aussitôt : «Que le Grand Mao soit vivement remercié!» Nulle ironie car l'ironie est impossible. Elle est même, au sens propre, impensable à cette époque.

La joie de la libération, après sept ans et demi de détention, est gâchée. En ce mois d'avril aucune agape, aucune libation fraternelle ne viendront couronner la liberté retrouvée. Mingzhi meurt, à cinquante et un ans, d'une crise cardiaque, dans le camp où il avait été relégué, loin des siens, forcé à divorcer pour que ses trois enfants puissent rester à Pékin avec leur mère. Le chagrin de mon père est immense. Compte tenu de sa mauvaise santé à la sortie de Qincheng, il est convenu qu'on attendra qu'il ait repris des forces pour lui donner d'autres mauvaises nouvelles.

La détention de Mingfu a été suffisamment longue pour que, dans un premier temps tout pour lui continue de se rapporter au seul univers carcéral de Qincheng. À notre grand étonnement, la première chose que Mingfu réclame, la seule chose qui lui ferait véritablement plaisir, ce serait de pouvoir assister enfin à une représentation de *Shajiabang*.

Maman et moi nous nous récrions d'une seule voix : «*Shajiabang* ? Est-ce possible ? »

Shajiabang n'est autre que l'une des huit pièces modèles à thème révolutionnaire promues par Jiang Qing, seules autorisées pendant la Révolution culturelle. *Shajiabang* est l'un des cinq opéras qui, avec deux ballets et une symphonie – elle aussi intitulée *Shajiabang* – forment le corpus de la grande épopée révolutionnaire où la pensée de Mao Zedong, l'Armée de Libération nationale, les gens du peuple et la lutte des classes ont définitivement remplacé empereurs, généraux, chambellans, courtisanes, jeunes premiers et intrigues de cour. De sorte que, à peine la liste de ces œuvres publiée dans *Le Quotidien du peuple* en mai 1967, dont le fameux *Shajiabang* que réclame mon père, ces titres du «canon révolutionnaire» édictés par Jiang Qing ont fourni l'ordinaire culturel de la population chinoise pour les dix années à venir. Toutes ces œuvres, opéras et ballets, ont été abondamment interprétées dans les écoles, les usines, à la ferme, partout. Tantôt représentées par des troupes itinérantes, tantôt reprises et chantées en famille ou entre amis. Plus personne n'ignore leurs airs les plus fameux puisqu'ils ont été constamment matraqués sur les ondes, diffusés par les haut-parleurs en toutes circonstances, si bien que le phénomène a fini par inspirer la formule : «*Huit cents millions de personnes regardent huit spectacles !*»

Et nous voici, ma mère et moi, conduisant mon père au théâtre, peu après sa sortie de prison. Tandis que nous faisons la queue pour retirer nos billets mon père sort précipitamment de la file et tombe dans les bras d'un autre spectateur. Quand il nous rejoint, il nous dit que cet homme n'est autre que son geôlier qui vient de prendre sa retraite. «Nous nous sommes embrassés parce qu'il a tenu à s'excuser, dit mon père, de ne pas avoir su qui était ce prisonnier injustement condamné…»

Je me souviens aussi d'une rencontre entre mon père et un ancien ministre également prisonnier. Entre eux, la question était surtout de savoir où ils avaient été détenus. Or ils avaient été tous deux à Qincheng dans les mêmes années et ce qui les avait réjouis au plus haut point, c'est de découvrir qu'ils avaient été voisins de cellule. «Tous les jours, j'entendais mon voisin qui protestait avec la plus grande vigueur qu'on ne lui donnait pas assez à manger», se rappelait l'ancien ministre, concluant dans un éclat de rire : «Alors, ce furieux râleur au petit accent du Nord-Est, c'était donc vous !»

Une autre fois, mon père était tombé en arrêt devant un homme absorbé par ses exercices de *Tai-chi-chuan*. Il s'était approché car il était certain que cet homme bientôt centenaire était Liu Jian Zhang, l'ancien ministre des Chemins de fer, lui aussi détenu à Qincheng et dont la femme avait courageusement écrit à Mao pour se plaindre des conditions de détention de son mari, mais aussi des conditions épouvantables faites aux prisonniers politiques en général. Mon père a tenu à remercier sa femme pour son courage qui a permis l'amélioration des conditions de détention, y compris celles de mon père à Qincheng. «Ma femme est maintenant décédée», avait dit le vieil homme très ému à mon père.

Un jour, enfin, Mingfu tomba sur une vieille connaissance d'avant Qincheng. Heureux de revoir mon père, apparemment en bonne santé, l'homme ajouta : «Au moins, Mingfu, vous en êtes-vous sorti vivant ! Mais je suis toujours triste quand je pense à vos parents et en particulier au sort indigne qu'a subi votre père.»

C'est par ce coup de poignard involontaire que mon père apprit par hasard la mort de ses parents.

65

«Le seul recours contre le colosse aveugle de la bureaucratie maoïste,
quand l'injustice blessait à hurler, c'était d'écrire une lettre
à Zhou Enlai. Ces lettres demeuraient normalement sans réponse, mais
on rapporte quand même des cas où, après quelques années,
le pétitionnaire avait vu son grief redressé.»

NOTE À *IMAGES BRISÉES*, SIMON LEYS, 1975

J'obtiens mon diplôme de fin d'études secondaires, à peu près l'équivalent du bac français, à l'été 1974, première de ma promotion. Malgré ces résultats, mon dossier pour devenir enseignante est rejeté.

Les arguments avancés : doublement issue de familles «problématiques», c'est-à-dire de familles contre-révolutionnaires ou familles «noires», on considère que je dois pouvoir être rééduquée mais en aucun cas éduquer les autres. Il est exclu que je sois mise en contact avec des enfants «sains». Par conséquent, pour moi, l'enseignement est proscrit. Je reste donc en attente d'une autre orientation. Je ne m'y attendais pas. Mais, pour la première fois, je ne me sens pas coupable. Peut-être ai-je pris l'habitude de me voir coller cette étiquette.

Finalement, après la libération de mon père, je me retrouve au milieu d'un bataillon d'employés dans une filiale de l'Académie des sciences spécialisée dans l'import-export de livres scientifiques. Nous passerons nos trois premiers mois dans le service de l'emballage avant de rejoindre d'autres départements. On ne manque pas de me rappeler, à moi, en particulier, qu'il me faut être très disciplinée, très consciencieuse dans l'apprentissage de toutes les techniques d'emballage. Que je dois faire attention d'arriver tôt pour nettoyer les bureaux et de partir tard pour être bien jugée. Que je dois veiller à ce que les aînés aient toujours de l'eau chaude, ne pas resquiller dans la file d'attente à la cantine, etc., etc. Alors, seulement, peut-être aura-t-on la patience d'examiner favorablement mon dossier et je pourrai espérer un jour être recommandée pour entrer à l'université.

Zhou Enlai meurt le 8 janvier 1976 au matin. Depuis plusieurs mois déjà, secondé par Deng Xiaoping, le Premier ministre, atteint d'un cancer, tenait toutes ses réunions depuis son lit d'hôpital.

Nul homme, parmi les dirigeants chinois de cette époque, n'aura été autant respecté que celui-là. Son charisme personnel, son intelligence reconnue de tous, sa grande culture et sa grande bonté, sa loyauté au-dessus de tout soupçon à l'égard des autres dirigeants, tout cela en avait fait une figure quasi intouchable malgré l'âpreté des luttes pour le pouvoir.

Malgré la paranoïa de Mao Zedong. Malgré les manigances de la Bande des Quatre et surtout de Jiang Qing, qui s'entendait pour semer le doute à son égard. Tandis que cette dernière est secrètement haïe du peuple, Zhou est perçu comme un juste et un sage. On l'aime comme l'un des siens.

Impossible de résumer ce qu'a été pour nous les Yan, cet «oncle aux épais sourcils noirs», figure si familière de l'enfance de mon père, si proche de sa «Grande belle-sœur Gaosu» comme de Baohang qui fut son agent secret au temps de la clandestinité.

À la fois proche, constant et fidèle à leur passé commun pourquoi Zhou n'avait-il pu sauver Yan Baohang? C'est que tant d'autres n'avaient pu l'être. À commencer par Liu Shaoqi, retrouvé mort, en novembre 1969, abandonné au fond de son cachot de Kaifeng, dans le dénuement le plus total, l'absence de soins, le visage mangé par une très longue barbe. Si, même pour le président Liu Shaoqi, Zhou n'avait rien pu faire, alors…

Quelques jours après le décès de Zhou, Deng Xiaoping lui rend un hommage vibrant, ému, très personnel, tandis que leurs ennemis politiques communs se liguent pour le dénigrer, évoquant un «capitaliste infiltré dans le Parti». Hua Guofeng, successeur désigné de Mao, n'est pas en reste. La Bande des Quatre non plus. Toute manifestation publique ayant trait à cette disparition est interdite. Ni brassards, ni fleurs, ni réunions, ni affichages d'aucune sorte ne sont autorisés. Des tentatives spontanées de recueillement collectif sont réprimées.

Il se produit alors comme un sursaut dans la population qui présage de la fin d'un règne. Pour tous, ces interdictions soulignent l'absurdité des persécutions subies depuis dix ans.

Un jour d'avril consacré en Chine à la célébration des ancêtres, cortèges et banderoles, fleurs et photos à l'effigie de Zhou Enlai inondent la place Tian'anmen. Je vais sur place rendre hommage à ce grand homme. Les commémorations deviennent si importantes dans plusieurs villes du pays qu'il n'est plus possible d'y voir seulement la marque de l'affection portée à la mémoire du défunt. Pour la première fois depuis la proclamation de la République populaire, on entend aussi un cri de colère.

Les conséquences ne se font pas attendre : arrestations, détentions, relégations. Et Deng Xiaoping qui a succédé à Zhou Enlai est démis de toutes ses fonctions dès le surlendemain, 7 avril 1976.

Cinq mois plus tard, le 9 septembre Mao Zedong meurt. Entre la disparition du leader et la chute de la Bande des Quatre, il ne s'écoule pas un mois. L'ironie veut que Jiang Qing soit à son tour enfermée à Qincheng.

Bientôt, Deng Xiaoping réintègre la direction du parti. Après avoir évincé Hua Guofeng, il fait libérer détenus et déportés ayant participé aux manifestations à la mémoire de Zhou. Désormais, Deng Xiaoping apparaît comme le chef incontesté des «réformistes». En juillet 1977, le Xe Congrès du PCC entérine cette ascension en le nommant vice-premier ministre, vice-président du Bureau politique du Comité central et chef de l'Armée populaire de libération.

La Révolution culturelle est terminée.

En août 1977, après onze ans de rupture, Deng Xiaoping rétablit le *gaokao*, l'examen d'entrée à l'université. Sans restrictions. Sans distinction de classe. Mon sang ne fait qu'un tour. Il me semble que je suis tirée d'un long sommeil. Depuis toujours, j'ai le sentiment d'être montée de justesse dans le dernier train. Je réalise tout à coup que ce train-là, encore moins que les autres, je n'ai pas le droit le rater.

66

« L'esprit est comme un miroir clair
Appliquez-vous sans cesse à l'essuyer, à le frotter,
Afin qu'il soit sans poussière. »

SHENXIU, (VERS 605 - 705)

Dans quel système étrange a fonctionné l'université en Chine onze ans durant ?

Entre 1966 et 1977, seuls les ouvriers, les paysans et les militaires y avaient accès. L'entrée se faisait sur recommandation et sur la base, non des connaissances intellectuelles acquises, mais des seules performances manuelles et politiques du candidat.

Cette année-là, nous sommes 5,7 millions à nous présenter. La réforme a prévu de tenir compte de tous ceux qui ont terminé leur cursus secondaire entre 1966 et 1977. À maints égards, c'est toute une génération sacrifiée qui se précipite à l'examen. On l'appellera désormais « 77 *Ji* », c'est-à-dire la promotion de l'année 1977. C'est elle qui va reconstruire la Chine. Elle qui, peu à peu, va la réformer, la moderniser en suivant la formule de Deng Xiaoping : « *tâter pierre à pierre pour traverser la rivière* ». Celle qui va fournir les piliers des entreprises publiques et privées, les piliers de l'administration et des ministères, dont est issu l'actuel Premier ministre depuis 2013, Li Keqiang.

Le rétablissement officiel de l'examen d'entrée dans l'enseignement supérieur change la donne pour moi. Le professeur Wei, notre ancien professeur de mathématiques, s'est mis en rapport avec ceux de ses anciens élèves qui voudraient se présenter au fameux *gaokao*, tout disposé à les aider et à les faire réviser. Enthousiaste, je me rends chaque soir chez Maître Wei. Avec sa femme et leurs deux enfants, ils habitent dans une chambre de 12 m². Son objectif n'est pas de « faire de l'argent », puisque ses cours sont gratuits. Il semble se rétribuer de notre appétit de savoir démesuré, inimaginable, quelles que soient nos conditions de vie.

Wei Lao Shi sait que nous avons quitté l'école depuis deux ans. Il prend toute la mesure du retard à rattraper en un trimestre seulement. Pour chacun, il établit un programme selon la filière choisie, scientifique ou littéraire. Mon rêve serait de devenir diplomate, simplement parce que je n'ai eu que ce modèle sous les yeux. Dans ce cas, suggère ma mère, il te faut tenter l'examen d'entrée à l'Institut des langues étrangères de Pékin. C'est un examen très difficile.

Cette filière, quoique littéraire, comprend aussi une épreuve de mathématiques avec un fort coefficient mais je ne suis pas au point en anglais, d'autant que je vais me retrouver en compétition avec des candidats qui enseignent déjà la langue ou qui ont bénéficié de meilleurs professeurs que moi. Je demande un congé à mon entreprise et, tout le trimestre, je reste confinée au milieu de mes livres dans ma petite chambre de *Weijia Hutong*, d'où je ne sors, le soir venu, que pour prendre le cours de Wei Lao Shi.

À cette époque, je me souviens avoir vu un tableau contemporain qui m'avait beaucoup émue. Il m'avait semblé emblématique de ce que la promotion « 77 *Ji* » éprouvait. Une foule de gens, revêtus de la fameuse vareuse bleue ou verte qui était de mise sous la Révolution culturelle et que nous arborions toujours, s'agglutinaient pour regarder le même tableau à travers une fenêtre. Tous les regards fixaient cet au-delà de la fenêtre et cet au-delà symbolisait pour moi la soif d'apprendre qui nous animait, une soif décuplée par plus de dix ans de frustration.

Lors des épreuves écrites, j'ai le sentiment que tout se passe bien. Jusqu'au moment de l'oral d'anglais. Toute ma vie je me souviendrai du texte qu'il me faut commenter. Il s'agit de la traduction anglaise d'un discours que Mao Zedong a rédigé à Yan'an et prononcé en septembre 1944, intitulé « *Servir le peuple* ». Il traite d'un jeune homme pauvre de vingt-neuf ans, Zhang Side, originaire du Sichuan. Lors du terrible blocus, infligé par le Kuomintang tout autour de

Yan'an tenu par les communistes, cette région se retrouvant contrainte à l'autosuffisance, Zhang Side se fait remarquer par la cadence quasi surhumaine avec laquelle il produit du charbon de bois, résultat qui suppose de transporter le charbon encore brûlant. Mao prononce ce discours trois jours seulement après que l'un des fours s'est effondré sur le héros :

« On dit que tout homme doit mourir un jour, mais toutes les morts n'ont pas la même signification. Un écrivain de la Chine ancienne, Sima Qian, disait : « Certes, les hommes sont mortels mais certaines morts ont plus de poids que le mont Tai, d'autres en ont moins qu'une plume d'oie sauvage. » Se dépenser au service des fascistes et mourir en servant les exploiteurs et les oppresseurs a moins de poids qu'une plume d'oie sauvage. Mourir pour défendre les intérêts du peuple, et sa mort a plus de poids que le mont Tai. Dorénavant, lorsque quelqu'un mourra dans nos rangs, quel qu'il soit, soldat ou cuisinier, s'il a fait du travail utile, nous lui organiserons une cérémonie funèbre et tiendrons une réunion funéraire en sa mémoire. »

« Qu'avez-vous compris de ce texte, mademoiselle Yan, et que vous inspire-t-il ? » Ce texte, je le comprends pour l'essentiel, sauf que le vocabulaire dont je dispose est très insuffisant pour le commenter.

Jusqu'au jour des résultats, je suis effondrée. Puis un courrier de l'Institut m'informe que, si l'on considère le total de mes notes, mes résultats sont parmi les meilleurs. En mathématiques, j'ai même réussi un 22/20 grâce à deux questions subsidiaires. Cependant, la moyenne que j'ai obtenue en anglais est insuffisante. C'est pourquoi on me suggère d'opter pour le département de français ou de roumain dont je devrais apprendre la langue depuis le début.

Pour moi, le choix du français va de soi. J'ai toujours beaucoup aimé la littérature française. C'est ainsi, et dans ces conditions, que je peux me réjouir de compter parmi les 273 000 candidats reçus au fameux *gaokao*.

67

«Enfance
Route sur laquelle je me suis perdu autrefois (...)
Choix
Le mieux serait
Dans un lieu désertique
D'installer ma vie.»

Poème de *l'offrande à l'automne*,
Mang Ke (né en 1950)

Tout juste reçue à l'université, à la veille de mes vingt et un ans, voici que tombe la nouvelle de la réhabilitation de mon grand-père. Yan Baohang fait partie des premières victimes de la Révolution culturelle à être officiellement innocentée.

Trois ans après la libération de mon père, rien ne pouvait nous donner davantage le sentiment d'une réparation pour l'injustice commise. Oui, les choses étaient en train de changer. Une nouvelle ère commençait. Les souffrances passées ne s'effaceraient pas mais l'on pouvait espérer que l'honneur et la dignité seraient rendus à tous ceux qui, ayant été arbitrairement jetés en prison, n'avaient pas survécu. Et c'était l'honneur et la dignité retrouvés dont nous avions le plus besoin.

La cérémonie a lieu le 5 janvier 1978. Au nom du gouvernement central, c'est Hu Yaobang qui prononce l'éloge funèbre. Ce dernier, élu trois ans plus tard, à la tête du PCC – et son dernier président puisqu'il choisira de supprimer ce titre trop évocateur de la période maoïste – évoque longuement «la contribution inestimable de Yan Baohang à son pays et au monde».

Puis la cérémonie se prolonge par le transfert des cendres dites de mon grand-père au cimetière révolutionnaire de Babaoshan, à l'ouest de Pékin. C'est là, sur cette «colline aux huit trésors», que se trouvent réunis tous ceux qui ont œuvré pour le bien de la Chine.

En fait de cendres de mon grand-père, il avait fallu y renoncer en dépit des recherches de notre famille. Au cours de l'une de ces enquêtes, Mingguang avait recueilli le témoignage d'un employé de l'hôpital où l'on avait conduit le prisonnier 67100 à la toute dernière extrémité. Son état révélait l'absence totale de soins et l'abandon dans lesquels on avait laissé le prisonnier. Ce récit avait bouleversé Mingguang à cause de certains détails qui lui étaient apparus en rêve au moment même où son père succombait. Au crématorium, on lui avait bien confirmé la crémation, mais, conformément aux consignes de Jiang Qing, «*s'agissant d'un contre-révolutionnaire»*, les cendres n'avaient pas été conservées.

À la suite de ces recherches, Mingguang et mon père avaient exhumé ces quelques lignes de la main de Baohang adressées à sa femme : *« Gaosu, ma chère vieille épouse, j'aimerais tant rentrer chez nous…»* Alors, puisqu'on ne disposait plus des cendres de mon grand-père, il était apparu tout naturel de leur substituer celles de ma grand-mère, de sorte qu'ils soient réunis dans le même souvenir, les mêmes volutes d'encens, les mêmes offrandes de papier brûlé.

Pour préparer la cérémonie, une réunion entre frères et sœurs de la génération de mon père avait été organisée en présence de certains de mes cousins et de moi-même.

Rapidement la question de Da Pangzi est mise sur le tapis. Je ne savais que dire. Mes cousines et cousins non plus. Pour les autres, c'était beaucoup plus clair : tous étaient contre sa présence à une telle cérémonie car elle offenserait la mémoire de son grand-père. Da Pangzi avait trahi et déshonoré la famille car c'était à cause de lui que Baohang avait été arrêté. Tout le monde s'accordait pour dire qu'il était hors de question de le convier.

Tout le monde, sauf Yan Mingfu.

La seule voix discordante avait été celle de mon père, un homme sorti de prison trois ans auparavant et qui, seul, était disposé à pardonner. Mais à mes yeux, le plus fort, c'est qu'il importait moins à mon père de pardonner que d'expliquer les raisons de son pardon.

Il avait longuement défendu l'idée que, pour nous les Yan, Da Pangzi personnifiait toute une jeunesse conduite à sa perte par la Révolution culturelle. Il avait incarné malgré lui une génération d'égarés, une figure emblématique de la folie qui avait saisi nos fils, nos filles, sous le nom fallacieux de Révolution culturelle. Au mirage qui avait abusé Da Pangzi, comme il en avait abusé tant d'autres, nous ne pouvions ajouter la privation de cette cérémonie, nous ne pouvions aggraver par cette privation ce que la Révolution culturelle avait fracassé en lui. L'exclusion, la haine et les représailles ne font pas progresser la société. C'est pourquoi, avait-il conclu, il faut lui pardonner.

Je me souviens du silence qui avait suivi.

En fait, l'absolution accordée par sa propre famille eut pour conséquence que Da Pangzi avait été ravagé par le remords. Dans un premier temps, il avait récolté tous les témoignages possibles de ceux qui avaient connu Yan Baohang et financé la publication d'un recueil. Malgré cela, Da Pangzi donnait le sentiment de rester l'otage d'une faute indélébile. Il avait fini par abandonner femme et enfants, avant de s'exiler aux États-Unis, et n'avait même pas réagi lorsqu'on lui avait fait savoir que sa mère, Mingshi, venait de mourir. Et comme il n'était pas le seul à avoir voulu tourner la page, à faire comme si cette page n'avait jamais été écrite, je me disais qu'en effet, mon père n'avait pas eu tort de voir en Da Pangzi une figure emblématique de cette génération perdue.

68

« Ma bien-aimée m'offre une rose ;
Que lui donner en retour ? Un petit serpent roux
Depuis elle détourne la tête et m'ignore,
Je ne comprends pas pourquoi,
ah – qu'elle aille son chemin. »

MON CHAGRIN D'AMOUR, LU XUN (1924)

La vie sur le campus favorise mon immersion totale dans le travail. C'est vrai pour moi, mais aussi pour trois autres filles de la même classe, Hirondelle, Zhen et Si qui étudient le français. Nous aurons, quatre ans durant, la même professeure, madame Tong, à peine plus âgée que nous. Aujourd'hui mes trois camarades vivent en France, madame Tong habite à Paris et nous avons conservé des relations amicales.

Le portrait qu'un de mes camarades brosse de moi, en première année à l'Institut des langues, n'est pas très folichon, il faut bien l'avouer : « Toujours vêtue de cette sorte d'uniforme bleu ou vert totalement impersonnel et asexué, une longue tresse dans le dos, une grande besace, genre chasseur ou militaire, pleine de livres et de cahiers, et, avec ça, toujours le même itinéraire : dortoir, cantine, salles de cours – bibliothèque, cantine, salles de cours – salles de cours, cantine, dortoir. On te voyait foncer du matin au soir, la tête dans le guidon, rien ni personne pour te déconcentrer. Pas même… les garçons!»

À voir la vie que mènent les étudiants aujourd'hui, je pourrais regretter de ne pas m'être accordée un peu plus de bon temps!

La vie amoureuse en ce temps-là… Elle est vivement déconseillée. Nous savons bien de quoi il retourne lorsqu'on insiste lourdement sur la nécessité d'employer toute notre énergie aux seules études. Et, dans le cas où nous n'aurions pas tout à fait compris le message, aussitôt après, comme par hasard, il est fait allusion, à ceux d'entre nous qui sont déjà mariés, «compte tenu de leur âge avancé, et de leur admission exceptionnelle au *Gaokao*». Ce que nos professeurs semblent vouloir dire alors, c'est que ce qui est fait, il n'est hélas plus possible de l'empêcher. Mais ce qui n'est pas encore fait, ils s'appliqueront à le décourager. De fait, le mariage n'est pas autorisé pendant les études. Ce qui n'empêche pas les jeunes gens de cette époque de tomber amoureux.

La méthode de Madame Tong est excellente. De plus, des enseignants venus de France nous font partager les centres d'intérêt de leurs compatriotes, soit par le biais de la presse hexagonale, soit même par le cinéma. Je me souviens qu'on nous avait projeté le film de Robert Enrico, *Le Vieux fusil,* peu de temps après son couronnement aux Césars...

Pourtant, en cours de troisième année, l'ennui commence à me gagner. Ou plutôt, je prends conscience que mon appétit de connaissances dépasse la seule acquisition d'une langue, fût-elle aussi aimée que le français. Je m'en ouvre à Yuan Ming, une amie de ma famille.

À cette époque, Yuan Ming n'est pas encore l'historienne des relations internationales ni l'éminente conférencière qu'elle est devenue mais elle est déjà l'élève d'un très grand professeur de droit international, Wang Tieya. Formé à la London School of Economics, le nom de Wang Tieya deviendra familier au grand public lorsqu'il sera nommé juge au Tribunal pénal international pour l'ex-Yougoslavie à La Haye.

Or, depuis la fin de la Révolution culturelle et la réouverture de la faculté de droit, Wang Tieya recherche précisément des étudiants en langues étrangères, anglophones ou francophones, pour les former en droit international étant donné que la plupart des documents dans ce domaine sont rédigés dans l'une de ces deux langues.

Je demande à m'entretenir avec le fameux professeur. Au département de droit international dont il est le doyen, il me confirme son objectif de voir en Chine des juristes formés en droit international et il insiste sur l'importance du français, notamment du fait de la «Chronique des faits internationaux» établie depuis 1958 dans chaque numéro de la

Revue générale de droit international public par le fameux juriste français, Charles Rousseau.

À peine Wang Tieya a-t-il brossé à grands traits les enjeux de cette formation, à peine m'a-t-il indiqué la marche à suivre et comment préparer au mieux l'examen pour entrer directement en master de droit qu'intérieurement je bondis de joie. J'enfourche mon vélo et m'adresse à moi-même un : « Le voilà donc ton prochain objectif, ma vieille ! » aussi tonique que les coups de pédales que j'inflige à ma bécane pour aller plus vite !

Au cours de l'année 1980, dans la foulée de ma licence de français, je prépare intensément mon admission en master et je fais la navette entre l'Institut des langues étrangères et la fac de droit, à trois quarts d'heure de vélo.

Cette année-là, en plus de l'étude détaillée des différents organismes internationaux qui sont au programme, je m'interroge beaucoup sur le sens de concepts à la fois aussi abstraits et fragiles que sont le droit ou la justice et sur leurs répercussions concrètes.

Qu'en était-il du droit et de la justice pendant la Révolution culturelle ? Quel sens donnait-on à ce qu'on appelle « accusation » ? Qu'entendait-on par « la défense des prévenus » ? Qu'est-ce que la fonction d'un juge ? Qu'est-ce qu'un avocat ? Autant de questions qui expliquent en partie, mais pas seulement, pourquoi je suis si fortement ébranlée par le cas de Feng Daxing, l'un de nos camarades d'étude.

69

« J'ai ouvert un livre d'histoire pour vérifier,
aucune indication chronologique,
mais sur toutes les pages, écrits dans tous les sens, on lisait les mots :
« Humanité, Justice, Voie, Vertu. » Ne parvenant de toute manière pas
à dormir, je l'examinai minutieusement une bonne partie de la nuit et
discernai finalement des caractères entre les lignes :
le livre était rempli des mots : « manger de l'Homme » ! »

JOURNAL D'UN FOU, LU XUN (1918)

Comme moi, Feng Daxing fait partie de la promotion 77.
Comme moi, il a intégré l'Institut des langues étrangères en
classe de français. Il a vingt-cinq ans, nous sommes en 1980,
et lui aussi fréquente la faculté de droit puisque je l'y croise
souvent en début d'année et c'est d'ailleurs pourquoi je
l'aborde : « Alors, toi aussi, tu veux préparer l'entrée en
droit ? »

Feng Daxing n'est pas très beau. Il est assez introverti. Il
donne le sentiment d'être timide, peut-être hautain. Il com-
munique très peu avec ses camarades et, d'ailleurs, c'est à

peine s'il me répond, suffisamment pour que je comprenne que la spécialité qui l'intéresse est la même que la mienne. Sa réponse, laconique sans être agressive, presque gentille même, signifie, en tout cas, que nous allons être concurrents. Car nous le savons : sur les quatre-vingts candidats qui préparent l'examen, Wang Tieya n'en retiendra qu'un ou deux.

Comme il nous arrive de faire le même trajet entre l'Institut des langues et la fac, nous nous saluons d'un signe de tête.

Puis, au printemps 1981, à quelques mois de notre examen auquel je sais que Feng Daxing s'est préparé autant que moi, tombe l'incroyable nouvelle de son arrestation.

On apprend qu'à une semaine d'intervalle, Feng Daxing a commis deux vols. Le premier, le 11 avril, dans la librairie Xinhua, proche de la fac, où il a dérobé 200 yuans. Le second le 18 avril, jour de son arrestation, dans un grand magasin de Xidan, au centre de Pékin, où il a volé un poste de radio, des lunettes de soleil et un insigne de police. Comme la semaine précédente à la librairie, il a le visage dissimulé, il est armé d'une barre de fer et d'un marteau. Mais, cette fois, il tombe sur deux gardiens qu'il frappe. L'un d'eux meurt, l'autre restera paraplégique. La veille encore, nous assistions aux mêmes cours.

Les gens sont stupéfaits. Il a un profil inhabituel pour un criminel. Tous les témoignages soulignent ses performances intellectuelles. On parle d'un garçon réservé, sans histoire, la presse et la télévision le décrivent comme un élève d'élite.

En juillet 1981, il est condamné à mort et fusillé.

L'émotion est immense dans tout le milieu universitaire. Car nous avons tous à l'esprit que nous sommes des rescapés de la Révolution culturelle. Comment est-il possible que tant de ténacité employée à intégrer l'enseignement supérieur, tant de sérieux consacré à l'étude aboutisse à cette tragédie ?

L'incompréhension est d'autant plus grande sachant tout ce qu'on a pu dire de cette « promotion extraordinaire des *"77 Ji"* ! » De ces fameux 4,8 % de reçus au *gaokao*, dont le seul travail personnel a permis de renouer avec le savoir envers et contre tout. Qui sont-ils au juste ces prétendus surdoués ? Quelle éducation ont-ils reçue ? Quelles valeurs morales leur a-t-on transmises ? Parce qu'il faut bien essayer de comprendre ce qui a pu se passer dans la tête de ce garçon.

Les interrogations se multiplient. Mais rien ne peut justifier le risque énorme que Feng Daxing a pris de compromettre son avenir, d'abord en volant puis en tuant. Feng Daxing était-il dénué de toute morale ? N'était-ce pas précisément de morale que cette génération avait manqué pendant toute la Révolution culturelle ? N'était-ce pas la morale, au premier chef, que les idéologues de la Révolution culturelle avaient détruite en poussant les jeunes gens à dénoncer leurs parents, leurs grands-parents, leurs maîtres ? En encourageant la délation, les brimades et les humiliations ?

Feng Daxing décide de conduire seul sa défense au long d'un procès très largement médiatisé. La peine de mort ayant été requise, il insiste sur le fait qu'il n'a pas prémédité son crime, il s'agit selon lui d'un accident. Il demande que le verdict soit commué en détention à perpétuité, ce qui lui permettrait de se repentir, et de se racheter par des travaux de traduction. Notre département se mobilise et sollicite la clémence du tribunal. Nous faisons valoir que sa condamnation à mort serait un tel gâchis et nous défendons l'idée que ses remarquables aptitudes intellectuelles pourraient servir à la collectivité depuis la prison.

Mais, en cours d'audience, Feng Daxing a le tort de citer la phrase célèbre du philosophe anglais Thomas Hobbes, tirée du *Léviathan* : «L'homme est un loup pour l'homme.» On en conclut que ce garçon a puisé sa conception du monde à la lecture de cette philosophie pessimiste qui conçoit l'humanité dans un état perpétuel de guerre de tous contre tous. C'est aussi ce qui ressort de son journal intime dont il est fait mention lors du jugement et qui, semble-t-il, a joué en sa défaveur puisque son pourvoi en appel est rejeté.

On a parlé d'immaturité à propos de Feng Daxing. Moi, je ne sais pas, je ne peux pas juger. On aurait pu aussi se demander s'il n'était pas devenu fou.

L'analyse de Deng Xiaoping à la fin de cet épisode tragique est la suivante : la faute la plus grande, commise au cours de ces dix années, a porté sur l'éducation disait-il. Et par «éducation», il entendait l'éducation morale. Le poison que la Révolution culturelle a injecté à la Chine a consisté en l'anéantissement des valeurs morales de base dans les relations entre les gens. Cet environnement coupé de ces bases, voilà ce qui a peut-être produit un Feng Daxing. En ce sens, je considère que Feng Daxing est, lui aussi, une victime de la Révolution culturelle. Un parmi tant d'autres d'une génération perdue.

70

« Qui bat les buissons fait sortir les couleuvres. »

Quarante ans après la fin de la Révolution culturelle, nous devrions avoir assez de recul pour identifier ce qui a rendu possible un tel épisode. Ne serait-ce que pour établir pourquoi et comment le chaos politique et la paralysie économique ont perduré toute une décennie, engendrant une société profondément déprimée, sinon traumatisée et des Chinois condamnés à la pauvreté.

Au lendemain de la Révolution culturelle – hormis l'imposture de cet intitulé, au vu de la destruction massive de la culture chinoise pendant dix ans –, j'avais été frappée de la formule accablée que mon père avait utilisée pour caractériser la Chine : *« Un lieu sur quoi pèse si lourdement l'Histoire ! »* C'était comme s'il s'était trouvé devant une de ces peintures chinoises traditionnelles où, dans un paysage grandiose et vaporeux, l'homme apparaît sous la forme d'une humble silhouette, minuscule et fragile, sur qui pèse tantôt

431

le Ciel, tantôt l'Empereur, leur puissance s'exerçant d'autant plus tyranniquement que, depuis Confucius, au Vᵉ siècle avant J.-C., l'individu en Chine a toujours moins compté que la communauté.

Lorsque Deng Xiaoping revient sur le devant de la scène, en 1978 pour redresser un pays presque au bord de la faillite, ses premières dispositions portent la marque de tout ce qui n'a pas été fait pendant la Révolution culturelle. Programme de développement pour l'agriculture, l'industrie, les sciences et technologies, la Défense nationale, autrement dit la base de tout ce qui définit un État souverain. Avec un objectif clairement énoncé : permettre à la Chine d'accéder au statut de grande puissance économique à l'aube du XXIᵉ siècle. On notera qu'aucune mention à caractère idéologique n'accompagne ce plan.

Ce n'est pas seulement la direction résolument réformiste de cette politique d'«ouverture» qui prend le contre-pied de la Révolution culturelle, c'est aussi la volonté pragmatique de s'ouvrir aux échanges commerciaux avec le reste du monde, d'ouvrir la Chine au marché international, notamment aux économies occidentales.

Si cette nouvelle ère inaugurée par Deng n'est possible qu'après la mort de Mao et la neutralisation de la Bande des Quatre, elle résulte aussi d'une leçon tirée du marasme provoqué par la Révolution culturelle. En témoignent les textes de Deng portant sur l'histoire du Parti depuis l'établissement du régime en 1949.

Deng y analyse ce qu'il appelle la dérive «gauchiste» du PCC à partir de 1957. C'est cette dérive qui est à l'origine du Grand Bond en avant, avec la destruction des capacités de production du pays. Ce que Deng montre c'est que la tentative de redressement économique opérée, à partir de 1962, notamment grâce à lui, était vouée à l'échec tant que cette dérive idéologique ne serait pas réglée. D'une part, parce que ce gauchisme supposait de donner la priorité à la lutte des classes au mépris du développement économique et qu'il prônait d'autre part un repli du pays sur lui-même en matière de politique étrangère.

Enfin, parmi les causes de la Révolution culturelle et les raisons de sa durée figurait la concentration d'un pouvoir entre les mains de Mao. Pouvoir solitaire sur quoi était venu se greffer le culte de la personnalité.

Il n'y avait pas que le *Petit Livre rouge,* que chacun se devait de posséder en plusieurs exemplaires et différents formats, et qu'il convenait d'exhiber en public, il y avait par exemple cette folie instaurée je ne sais comment : personne ne se serait risqué à décrocher le téléphone avec un *Nǐ hǎo* – bonjour en mandarin – mais à la place lançait une formule du genre *«Servir le peuple!»* et l'interlocuteur s'empressait de répondre par un précepte du genre : *«Les masses font l'Histoire!»* De plus, les mouvements de la gymnastique quotidienne avaient été remplacés par une «danse de la fidélité à Mao». Une même dévotion faisait qu'on affichait partout des portraits de Mao, toute autre représentation aurait paru un blasphème.

La tradition féodale en Chine rendait possible de réactiver des réflexes millénaires de vénération à l'empereur ou son substitut, «Le Soleil rouge». D'un côté, le Parti ayant renoncé à établir des contre-pouvoirs, et de l'autre la complaisance de Mao vis-à-vis de ces pratiques idolâtres avaient créé les conditions idéales d'un exercice totalitaire du pouvoir.

Seule la mort de Mao pouvait permettre de sortir de l'impasse de la terreur. Car il faut croire que Mao avait pris la juste mesure de l'indéfectible fidélité du peuple à son égard. Comment expliquer autrement la persécution infligée au président Liu Shaoqi?

Aveuglement consenti, silence obtenu par la peur et la cruauté collective, voilà les poisons qu'on aura vu se répandre tout au long de la Révolution culturelle. Avec, au bout du compte, l'impossibilité de distinguer le persécuteur du persécuté, comme dans le cas de mon cousin Da Pangzi. C'est aussi ce qui ressort des innombrables confessions, repentances individuelles ou collectives qui depuis se sont multipliées.

Deng pensait que, pour tourner la page, il fallait laisser aux générations futures le soin de juger. Cinquante ans ont passé depuis le déclenchement de la Révolution culturelle. Peut-être est-il temps de réfléchir de manière approfondie à cette tragédie de l'histoire contemporaine de la Chine et de la juger. Car, aussi douloureuse qu'elle ait été, elle est porteuse d'enseignements très utiles pour les générations à venir. C'est notre devoir de mémoire, à nous en Chine, afin que de tels événements ne se répètent jamais.

71

« Si on veut voir plus loin que mille li, il faut monter plus haut. »

WANG ZI HUAN, DYNASTIE DE TANG, « DENGYAQIELOU »

Les examens d'entrée en master de droit ont lieu en juin 1981.

Yuan Ming sait à quel point la compétition s'annonce féroce : plusieurs centaines de prétendants pour une poignée d'élus. Pendant les trois jours d'examen, afin de réduire au maximum tous mes trajets, elle m'offre l'hospitalité chez elle, dans son petit dortoir de 7 m² à deux lits superposés. C'est un confort très appréciable, je pourrai réviser entre les épreuves, être en permanence dans le bain.

Trois jours intensifs d'examens, trois nuits passées à d'ultimes révisions. À ce régime, évidemment, les épreuves à peine terminées, je tombe dans les pommes ! Au moins, ce marathon est-il payé de retour : sur trois cents candidats en droit international deux sont retenus pour suivre les cours de Wang Tieya. Un pour l'anglais et moi pour le français. J'éprouve une grande fierté à intégrer l'Université de Pékin car ma mère y avait été étudiante dans les années 50. C'est le centre intellectuel de la Chine.

Pendant les dix ans de la Révolution culturelle le système juridique a quasi disparu si ce n'est sous la forme d'une justice très primaire. On disait que la société était «régie par l'homme et non par la loi». Aussi certains de mes amis et membres de ma famille s'interrogent-ils, à juste titre, sur le sens actuel du métier d'avocat et a fortiori sur le droit international. Il a fallu attendre 1978 et Deng Xiaoping pour que le Congrès, autrement dit le Parlement, inscrive dans la Constitution le système de la défense pour les affaires pénales. Parquet et ministère de la Justice ont été rétablis à cette date. Les avocats commencent à reprendre du service en même temps que la faculté de droit de l'Université de Pékin rouvre ses portes.

Le simple fait d'être en master de droit octroie aux étudiants la possibilité d'exercer à mi-temps en tant qu'avocat commis d'office à la cour de justice du peuple de Haidian, le district de Pékin dont dépend l'université. Défendre ne serait-ce que de petits délinquants sans moyens de se payer un avocat nous paraît de prime abord une expérience très instructive. Jusqu'à ce que nous réalisions dans quel état se trouve le droit en Chine. Pas question de rencontrer notre client, de discuter avec lui, même cinq minutes avant l'audience. En guise de présomption d'innocence, avant même que le procès ne commence, le prévenu est présumé coupable. Les preuves de culpabilité n'ont, par conséquent, même pas à être produites, en revanche, il faut apporter toutes les preuves de l'innocence. En outre, le procès n'a pas commencé que le juge nous annonce d'emblée que les peines sont déjà fixées. Effarés, nous découvrons l'abîme qui sépare ce que nous avons appris de ce qui se pratique. Nous ne sommes là qu'à titre de caution. La réalité continue de refléter l'absence d'une vraie tradition du droit. Du reste, les lois régissant le statut des avocats n'ont été promulguées qu'en 1996 et, dans les faits, mises en pratique seulement en 1997... Dans ces conditions, exercer ne m'intéressait guère et je me concentrai sur le droit international.

Pour cette formation, Wang Tieya qui est anglophone, confie les quatre élèves francophones qu'il a retenus aux bons soins du vieux professeur Tang qui, lui, a fait toutes ses classes en France.

Ces quatre élèves du vieux professeur Tang, trois garçons – Jiang, Lou, Robert – et moi sommes désignés sous le nom de «Bande des Quatre», ce qui relève de l'humour noir quand on sait que cet enseignant, de retour à Pékin dans les années 50, a été poursuivi en tant que droitiste et interdit d'enseignement.

Le problème avec le professeur Tang ne concerne pas tant le français que la matière même du droit. Parce que cette matière, après tant d'années sans l'avoir enseignée, lui échappe quelque peu. Il se borne donc à nous faire la lecture du livre de droit en français. De sorte que ses cours sont les plus ennuyeux de la terre.

Fort heureusement, la réouverture de l'université avait attiré des enseignants d'établissements prestigieux, de Columbia ou de Harvard, qui nous prodiguaient des cours passionnants, mais en anglais…

Trois ans plus tard, au début de l'année universitaire 1984, Wang Tieya nous conseille d'aller étudier à l'étranger. Il met à notre disposition son carnet d'adresses sans oublier toutes les informations concernant les grands établissements universitaires et les fondations qui proposent des bourses.

Quand les brochures de ces grandes écoles, Harvard, Yale, Princeton ou la Fondation Ford, nous arrivent, je suis éblouie par le soin apporté à la présentation des établissements. Depuis les enveloppes frappées de leurs logos, jusqu'aux dossiers d'inscription, les photos des bâtiments et des campus, les couleurs, l'éclat et l'odeur de ce beau papier – comme il n'en existe pas dans la Chine de cette époque –, tout y parle de notre avenir sous la forme d'un rêve. J'ai gardé, gravée en moi, l'odeur de ce papier de qualité.

Mais ce rêve a un prix et il est exorbitant. Quand bien même nos parents seraient hauts fonctionnaires, ils ne gagneraient jamais assez de quoi acquitter les frais d'inscription. Le salut ne peut venir que d'une bourse dont l'obtention dépend de nos résultats.

En effet, la Chine est entrée dans une période d'ouverture et de réformes. Le pays a pris conscience de l'importance d'envoyer sa jeunesse se former à l'étranger, et le gouvernement met en place un système de bourses octroyées aux meilleurs élèves. Bourses chinoises auxquelles peut s'ajouter une bourse universitaire étrangère. En ce temps-là, les bénéficiaires des bourses du gouvernement chinois devaient revenir en Chine, un «retour sur investissement» en quelque sorte. Quoi qu'il en soit, l'essentiel pour nous, c'est partir pour voir le monde extérieur. D'autant plus qu'une bourse étrangère comme celle dont j'ai bénéficié jusqu'à mon doctorat n'oblige à aucune contrainte.

La première réponse me vient de la fondation Ford qui m'offre la possibilité de m'inscrire à Yale en maîtrise en droit. Peu après, Genève place la barre plus haut en me proposant une bourse pour trois ans avec à la clé la préparation d'un PhD (doctorat).

Le choix de Genève s'imposait, le français étant ma spécialité, si je puis dire.

C'en est donc temporairement fini de notre «Bande des Quatre» : mon camarade Jiang a pu profiter de ma bourse de la fondation Ford. Quant à Lou, qui parlait le portugais, le voici parti pour Rio de Janeiro. Robert qui deviendra mon mari, est envoyé à Halifax, au Canada, dans une université renommée pour le droit international.

Je m'envole pour la Suisse à l'été 1984.

72

« Long, long est mon chemin, qui s'étend au loin,
Montant et descendant, j'y poursuivrai ma quête. »

ÉLÉGIES DE CHU, QU YUAN (340?-278 AV. J.-C.).

À l'aéroport, j'embrasse mes parents une dernière fois. C'est mon baptême de l'air. Au moment du décollage, j'éprouve une sensation inédite. Comme un cerf-volant dont on viendrait de lâcher le fil. Un cerf-volant flottant au gré du vent, vers une destination inconnue, sans savoir quand je reviendrai à mon port d'attache et reverrai ceux que j'aime. Une angoisse me submerge, mes larmes coulent.

Cette sensation est restée très vive en moi. Au point que, des années plus tard, tandis que je voyais mon propre fils prendre l'avion comme on prend le bus, j'ai voulu interroger mes parents pour savoir ce qu'ils avaient ressenti au moment où leur fille unique s'était envolée.

Maman m'a dit : «Après la Révolution culturelle, ce que nous voulions par-dessus tout, malgré la tristesse de cette séparation, c'était que tu quittes cet endroit au passé si lourd.»

Elle ajoutait que, presque toute sa vie, elle avait senti une pression insupportable peser sur elle. Le poids insupportable de ne pouvoir décider de son destin. Ici, quand on ne vous mettait pas en prison, on vous tenait en cage.

Toute la génération de mes parents pensait de même. Tous ceux qui le pouvaient, malgré les sacrifices que cela supposait, ne songeaient qu'à envoyer leurs enfants à l'étranger pour leur donner une chance de se réaliser plutôt que d'avoir à subir. Cela n'empêchait pas mes parents d'être convaincus que la Chine changerait et que leur fille reviendrait un jour pour contribuer au progrès de son pays natal.

73

« Comment peut-il parler,
celui qui n'a pas étudié les odes ? »

CONFUCIUS, *ENTRETIENS*

(551 AV. J.-C. – 479 AV. J.-C.)

L'Institut des hautes études internationales, fondé en 1927 à Genève, était situé dans le cadre magnifiquement arboré du parc de la Perle du Lac, en bordure du lac Léman.

Depuis les fenêtres de notre salle de cours, Villa Rose, on apercevait des couples de cygnes glissant doucement sur le lac où se reflétaient les cimes enneigées des Alpes. Le spectacle était si beau qu'il n'était pas rare que nos professeurs nous rappellent à l'ordre.

Le professeur Lucius Caflisch, tout éminent doyen qu'il fût (avant même d'être nommé, plus tard, juge à la Cour européenne des droits de l'homme) était venu en personne me chercher à l'aéroport. C'était le privilège d'avoir été si chaleureusement recommandée par Wang Tieya. Tout au long de mon séjour, j'aurai mille et une raisons de puiser du réconfort dans les attentions exquises que lui et sa femme auraient pour moi.

Nous ne sommes guère plus d'une dizaine par cours. L'enseignement est dispensé par des professeurs invités, Américains ou Français, venus des établissements les plus prestigieux de la discipline. Autant l'avouer tout de suite : les débuts sont rudes. J'ai beau être diplômée en français, force est de constater que tout le premier semestre je ne comprends pas grand-chose aux cours auxquels j'assiste. Le débit très rapide des mots dans l'avalanche des termes juridiques me submerge au point de m'empêcher de prendre des notes. Je me borne, dans un premier temps, à recopier celles de mes camarades avant de pouvoir m'y replonger à la bibliothèque. Elle est dans le sous-sol du bâtiment de l'Organisation Mondiale du Commerce où je reste cantonnée jusqu'à la fermeture. Il fait nuit quand j'en sors.

Pendant les dix-huit premiers mois, je reste cloîtrée sur le campus où je mène une vie monacale. Genève a beau être une petite ville, c'est à peine si je sais où se trouve la rue commerçante. Je dois me remettre rapidement à niveau en français car si j'échoue aux examens, mes parents ne pourront pas m'aider, tout hauts fonctionnaires qu'ils soient.

Je reçois 700 francs suisses par mois, l'école m'ayant offert de m'installer dans un petit bungalow en bois en face de la Villa Rose, ce qui me simplifie considérablement la vie.

Par chance, j'ai un compatriote, Xiao Zhang, et nous nous entraidons. Il est un peu plus jeune que moi et son français

est excellent. Nous faisons de nos futurs résultats un point
d'honneur. Il ne sera pas dit que les étudiants chinois seront
à la traîne ! De fait, dès la fin du premier semestre, nous
avons gagné notre pari : le professeur Caflisch claironne
qu'après nous, il est prêt à accepter tout élève chinois que
voudra bien lui recommander Wang Tieya !

Le seul inconvénient de mon petit bungalow, c'est qu'il
n'y a pas de cuisine.

Jusqu'au jour où, un week-end de brocante à Genève,
Xiao Zhang repère un réchaud électrique d'occasion. Comme
il essaie de marchander, le vendeur, touché par ce jeune
Chinois – rares à cette époque en Suisse – finit par lui en
faire cadeau. Xiao Zhang débarque aussitôt chez moi, son
réchaud sous le bras. Si je veux bien le garder, il lui servira
à réchauffer son repas de midi et je pourrai enfin cuisiner
un peu. Tope là !

Dès lors, j'ai pu inviter des camarades et, parfois même,
des professeurs, à venir goûter quelques spécialités chinoises.
Ils ont été assez gentils de ne pas les trouver trop mauvaises.
Mais seuls Xiao Zhang et moi, savions que ces petits plats
étaient aussi un moyen pour calmer le mal du pays.

Il y avait à Genève un autre Chinois que nous. Mais cet
étudiant-là, qui achevait son doctorat, n'était pas un «Chinois
du continent», comme nous avons coutume de dire pour
distinguer Taïwan de la République populaire de Chine.

J'étais encore si bien formatée par la propagande de mon pays d'origine et je me demandais s'il convenait d'adresser la parole à cet «ennemi de la patrie», selon la formule consacrée pour désigner les Taïwanais!

Finalement, je m'étais lancée. Et, Lao Zhou était un très gentil garçon.

Il y avait aussi une Israélienne avec nous. Et par un préjugé du même ordre, j'avais peine à concevoir qu'elle puisse être sympathique, étant donné tout le mal qu'on disait, en Chine, de ces «ennemis du peuple palestinien», donc nos ennemis. De plus, quand j'ai appris que cette étudiante avait servi dans l'armée – car j'ignorais qu'en Israël le service militaire était obligatoire sans distinction de sexe –, c'est tout juste si je ne me suis pas exclamée : Quoi! une militaire dans notre promotion!

Il m'a fallu cette expérience pour comprendre que personne n'est à l'abri de ce type de préjugés. Comme, lorsque, par ignorance, on entend dire en Europe que les Chinois sont en train de «rafler tous les emplois»...

Pour en revenir à mon camarade taïwanais Lao Zhou, nous finissons par entretenir des relations amicales. Un soir nous nous retrouvons à dîner avec des amis de l'école, et il est question du Kuomintang.

Pour ceux qui, parmi nous, ne seraient pas familiers de l'histoire de la Chine, quelqu'un rappelle que le Kuomintang est ce parti nationaliste créé par Sun Yat-sen en 1912. Lequel parti assurera le gouvernement de la Chine sous Chiang

Kai-shek jusqu'en 1949, date à laquelle cette République « bourgeoise » se replie sur l'île de Taïwan pour laisser place, « sur le continent », à la République « populaire » d'un Mao Zedong victorieux.

Une discussion passionnante s'engage alors. Jusqu'à ce que j'affirme que le Kuomintang n'a jamais combattu les envahisseurs Japonais ! Lao Zhou n'en croit pas ses oreilles, puis contre-attaque en évoquant le premier front du Kuomintang contre les Japonais... Au final, après que le ton est monté entre nous, nous arrivons à débattre, à échanger nos points de vues et même à les rapprocher...

De tels échanges m'ont permis de comprendre ce qu'il en est de la désinformation telle que je l'ai connue sous la Révolution culturelle, la relecture de faits historiques par une volonté politique peu soucieuse d'objectivité. J'ai ainsi appris à me mettre à distance des idées toutes faites, j'ai appris à chérir la liberté d'informer, la liberté de connaître, la liberté de débattre. J'ai compris après coup comment on pouvait organiser le lavage des cerveaux à l'échelle d'un pays entier. Car les Chinois ne sont pas le seul peuple concerné, même si la Chine d'aujourd'hui a commencé à revenir sur ses anciens dogmes et à reconnaître le rôle du Kuomintang dans son histoire contemporaine. Mais, par exemple, qu'en est-il du Japon, quand dans aucun manuel scolaire il n'est fait mention des atrocités commises en Chine par l'Empire depuis le XIXᵉ siècle, avec un paroxysme dans l'horreur lors de la seconde guerre sino-japonaise de

1937-1945 ? Ces atrocités, dont il existe des témoignages irréfutables, sont pourtant comparables à celles des nazis. Comment les jeunes Japonais d'aujourd'hui peuvent-ils se construire sans recourir à un travail de mémoire tel que celui entrepris par les Allemands après le nazisme ? Lorsque, chaque année, le Premier ministre du Japon se rend au temple pour une cérémonie de commémoration militaire, nous savons bien, nous autres Chinois, que les morts qui sont enterrés là sont, pour la plupart, des criminels de guerre. Cela ne peut pas ne pas susciter de colère et nuire considérablement aux relations entre nos deux pays.

74

«Le souvenir du passé peut servir de guide pour l'avenir.»

PROVERBE CHINOIS

Je suis toujours à Genève quand j'apprends, en 1985, la nomination de mon père, par le Comité central du Parti au poste de ministre du Département du Front-Uni, puis comme secrétaire du Comité Central du PCC.

La coïncidence veut que, cette année-là, un certain Mikhaïl Gorbatchev devienne l'homme fort de Moscou. Très vite, le nouveau Secrétaire général du Parti communiste de l'Union soviétique affirme vouloir améliorer les relations avec la Chine.

À cette volonté de rapprochement, Deng Xiaoping oppose un certain nombre de réticences, toutes d'ordre militaire. Il y a d'abord, la présence de troupes soviétiques en Mongolie ainsi qu'à la frontière sino-soviétique. Les Soviétiques interviennent en Afghanistan et soutiennent les forces vietnamiennes au Cambodge, situation inacceptable aux yeux de Pékin.

Si Deng Xiaoping peut poser ses conditions avec aplomb, c'est que la Chine est dans un rapport de force très favorable. Les réformes économiques mises en œuvre par Deng en 1978 portent leurs fruits, tandis que l'économie soviétique, en déclin depuis la fin des années 70, oblige l'URSS à renoncer à la course aux armements engagée avec les États-Unis.

Après le retrait des troupes d'Afghanistan, Deng donne son feu vert à une visite officielle de Gorbatchev en Chine entre les 15 et 18 mai 1989. Le symbole est suffisamment fort pour que Yan Mingfu – qui est en quelque sorte la mémoire vivante de l'histoire des relations sino-soviétiques – prenne part aux cérémonies au titre de ministre et secrétaire du Comité central du Parti.

Il se trouve que, le mois précédent, à Pékin, Hu Yaobang avait succombé à une crise cardiaque.

Secrétaire général du Parti, Hu Yaobang était de la ligne réformatrice, mais il avait été limogé en 1987 à la suite des manifestations étudiantes dont il semblait partager les aspirations démocratiques. Hu Yaobang était une figure particulièrement admirée parce que, après la mort de Mao, il avait procédé à la réintégration de centaines d'intellectuels et de dirigeants limogés lors de la Révolution culturelle, ainsi qu'à la réhabilitation posthume des victimes du régime dont mon grand-père. Puis, en 1979, à celle des droitistes.

Au lendemain de sa mort, des manifestations spontanées dans tout le pays obligent le gouvernement à organiser des funérailles nationales le 22 avril 1989. Mais à Pékin, l'effervescence ne retombe pas. Place Tian'anmen, il est devenu impossible d'accueillir les cérémonies prévues à l'occasion de la visite officielle du dirigeant soviétique. Compte tenu de «l'encombrement» de Tian'anmen, où les étudiants viennent d'entamer une grève de la faim, on décide de préparer la réception à l'aéroport. Gorbatchev est reçu le 16 mai, par Zhao Ziyang, secrétaire général du Parti, et par Deng, dans le Grand Hall du Peuple. Je suis l'événement à la télévision suisse.

Ce que la télévision ne montre pas, c'est que le gouvernement central a demandé à mon père de parlementer avec les étudiants place Tian'anmen, pour les convaincre de vider les lieux après quatre jours de grève de la faim.

On se demande pour quelles raisons le gouvernement central n'a pas désigné le ministre de l'Éducation, Lie Tie Ying pour se rendre, cet après-midi du 16 mai 1989, place Tian'anmen. D'autant plus que depuis quelque temps, mon père est sujet à de fortes fièvres pour lesquelles il est régulièrement hospitalisé. Et c'est depuis l'hôpital de Pékin, où il a été admis avec 39° de fièvre, qu'il embarque dans une ambulance, direction place Tian'anmen.

À peine mon père est-il arrivé au milieu de la foule très agitée que le leader du mouvement étudiant appelle tous les manifestants au calme. La suite, c'est l'une de mes amies, Caroline, alors étudiante à l'Université de Pékin, qui me la raconte. À cet instant, elle est assise juste aux pieds de mon père.

Avant de passer le mégaphone à mon père, le leader du mouvement déclare à tous que le camarade Yan Mingfu est venu en ami, qu'il est un communiste authentique. «Je peux vous garantir qu'il est des nôtres.» Mon père prend alors la parole : «D'ores et déjà, votre détermination et l'esprit de vos revendications ont touché tout le pays. Soyez assurés que vos revendications de réformes, de liberté et contre la corruption ont été entendues et je ne doute pas que le Comité central ainsi que l'Assemblée populaire vous en rendra compte. En aucun cas votre vie ne peut constituer le prix de ces revendications. En tant qu'humaniste, je vous dis que vous ne pouvez la sacrifier. C'est dans mon rôle de représentant du Comité central, de vous garantir, une fois que vous aurez suspendu votre grève de la faim et repris les cours, qu'il n'y aura aucunes représailles contre vous.» Et pour mieux persuader les plus faibles de se rendre à l'hôpital, et les autres de reprendre les cours au plus vite, il avait proposé d'être gardé en otage, comme preuve de bonne foi, assurant que leurs revendications seraient bien prises en compte et des négociations entamées. Malgré cela les étudiants décident de ne pas quitter la place. Mon père s'en va.

Plus tard, il dira que c'était une chance que Deng soit dur d'oreille car il n'aurait pas été content d'entendre ce que les étudiants hurlaient alors qu'il était en train d'accueillir Gorbatchev dans le Grand Hall du Peuple.

Tandis que grévistes et manifestants occupent toujours la place, la visite officielle de Mikhaïl Gorbatchev se poursuit, notamment à la célèbre Muraille de Chine. Un journaliste lui ayant demandé son impression à propos de cet ouvrage d'art, Gorbatchev répond que cette muraille est magnifique, avant d'ajouter : «Mais trop de murs se dressent entre les hommes.» Le journaliste saisit la balle au bond : «Est-ce à dire que vous souhaiteriez voir tomber celui de Berlin ?» La réponse est sérieuse : «Pourquoi pas ?» Quant aux manifestants qui occupent toujours Tian'anmen, Gorbatchev commente, avec un grand souci de ne pas jeter d'huile sur le feu : «L'URSS a aussi ses "têtes brûlées" qui voudraient voir changer le socialisme d'un jour à l'autre!»

C'est à partir de ce moment que mon père disparaît des écrans et que les reportages relatent moins la visite de Gorbatchev que l'agitation qui ne cesse place Tian'anmen.

Car à Genève, tout mon temps libre, je le passe collée devant la télévision. Jusqu'à ce jour du 4 juin 1989 où l'on voit à l'image un char qui avance et un jeune homme dressé seul devant lui. Cette scène s'imprime profondément en moi.

La suite, je l'ai sue au fur et à mesure par de jeunes Chinois qui quittaient le pays. Un an plus tard, à Paris, je retrouve mon amie Hirondelle qui me raconte que ce 4 juin 1989, elle marchait vers l'avenue de Chang'an, en sortant de la Résidence du Conseil d'État où elle habite, elle aussi. Tout au long de l'avenue, partout, défilaient des chars et des camions militaires. Les haut-parleurs diffusaient un seul mot d'ordre : «Attention. Ordre de tir sur tout insurgé. Restez chez vous.» En dépit du ton martial, Hirondelle ne peut y croire. Est-il possible que les soldats tirent sur la foule ? Quand tout à coup un jeune homme se met à courir vers elle. Depuis un char, un soldat tire. Le garçon est touché. Il s'effondre. Le sang coule. Le haut-parleur hurle à présent : «Ne restez pas dehors, sinon vous en assumerez les conséquences.» Hirondelle n'est pas sûre de bien comprendre. Un cauchemar, pense-t-elle avant de se cacher derrière un arbre et de se mettre à trembler de tous ses membres. Elle n'en bouge plus tant que les chars sont là puis, rassemblant ses forces, elle court jusque chez elle et prend la décision de quitter Pékin.

Au lendemain des événements, mon père est démis de ses fonctions. Il est loin d'être le seul : Zhao Ziyang est également limogé avec deux autres secrétaires du Comité Central.

Six mois après la visite de Gorbatchev à Pékin, au mois de novembre, le mur de Berlin tombe.

Le mois suivant, à Malte, Mikhaïl Gorbatchev et George H. Bush proclament officiellement la fin de la guerre froide.

En décembre 1991, l'URSS n'existe plus !

Quant à mon père, sa traversée du désert ne sera pas longue. Il revient aux affaires en 1991. Cette fois, ce sera en tant que vice-ministre des Affaires civiles.

75

« C'est l'âge qui me talonne aujourd'hui ;
Il m'apporte encore le souci du renom. »

LE RECUEIL DES CHANTS DU SUD (CHUCI)
IV-IIIe SIÈCLE AVANT J.-C.,
PÉRIODE DES ROYAUMES COMBATTANTS

À Genève, mon sujet de thèse alimente de nombreux et fructueux échanges avec Lucius Caflisch, et d'autres professeurs réputés en droit international.

Personne ne s'est encore penché sur la question des procédures d'arbitrage entre différents États. C'est vers ce thème de réflexion où droit, relations internationales et responsabilité morale s'entremêlent, que mon directeur de thèse m'encourage à aller. Pour cela, il me suggère d'approfondir ma connaissance des systèmes de droit continental en y incluant l'étude du système anglo-saxon.

Pour résumer, il s'agit de comparer le droit romano-germanique avec le droit commun qui est peu codifié et dans lequel, selon la tradition anglo-saxonne, la jurisprudence prévaut.

La *Common law* s'appliquant d'une façon générale dans les pays du Commonwealth et aux États-Unis (sauf en Louisiane, en Californie et à Porto Rico), le professeur Caflisch m'incite à passer un examen pour obtenir une bourse qui me permettra, après une première étape à la Fletcher School of Law and Diplomacy, d'intégrer la prestigieuse université de Harvard en tant que chercheur associé.

C'est ma découverte de l'Amérique ! Tout y est nouveau pour moi. À Harvard en tant que chercheur, je ne suis pas tenue de suivre les cours, je me contente de choisir ceux qui m'intéressent. Je ne suis soumise à aucun examen. Je dispose sur place d'un petit bureau et, surtout, j'ai accès à la bibliothèque universitaire dont le fonds est le plus important au monde.

Au terme d'un an de recherche, on vous conseille de trouver des stages dans de grands cabinets d'avocats. Trois cabinets new-yorkais répondent favorablement à ma demande et je choisis *Baker & McKensie* pour mon sujet de thèse parce qu'à l'époque, ce cabinet assure le conseil juridique du gouvernement américain au Tribunal des différends irano-américains. Et ce tribunal est, précisément, une instance arbitrale qui a été instaurée à la suite de la Révolution iranienne. Une procédure d'arbitrage entre États est suffisamment rare pour que je ne laisse pas passer une telle occasion. Je me retrouve donc stagiaire auprès de l'associé chargé de ce dossier. Là, je découvre l'extraordinaire efficacité du système américain. Pendant les trois mois de stage, les équipes s'occupent vraiment de vous et vous épaulent avec le plus grand sérieux. On vous concocte un programme de travail extrêmement élaboré. Vous êtes convié aux réunions avec les gens du cabinet. Vous vous déplacez dans n'importe quelle autre ville américaine si le dossier l'exige et on vous invite dans des clubs, etc. Le cabinet fait le maximum pour impressionner et séduire les meilleurs éléments.

Chez *Baker & McKensie,* on me confie l'étude d'un dossier très précis, celui des mesures conservatoires. Il s'agit, en résumé, d'une procédure par laquelle, dans l'attente d'une décision définitive, un juge peut décider de placer un bien sous séquestre dans le but d'assurer l'exécution future des mesures qui seront éventuellement prises. Au terme de mes trois mois de stage, je remets le résultat de mes recherches à mon patron. Lequel prendra la peine de me féliciter trois ou quatre ans plus tard, car mon travail a permis de gagner un des arbitrages pour lequel cette recherche m'avait été demandée.

Je fais mon second stage dans un autre cabinet américain où l'ambiance est très différente. C'est une grosse machine qui compte des milliers d'avocats brassant d'innombrables affaires. Mais l'ambition de ce cabinet – s'ouvrir à la Chine – se heurte à l'éternel problème de l'œuf et de la poule : faut-il investir dans l'ouverture d'un bureau en Chine avant de se voir confier un dossier ? Ou bien attendre d'avoir le dossier avant d'investir dans l'ouverture d'un bureau ?

Au terme de six mois de stage, le cabinet me propose de rester à New York mais je suis peu encline à continuer de travailler jour et nuit, week-end compris si nécessaire. J'ai ma thèse à finir. Et, pour cela, il me faut retourner à Genève où Lucius Caflisch m'incitera à effectuer un autre stage à la Cour d'arbitrage de la CCI (Chambre de commerce international à Paris). L'idée est de me familiariser tout à fait avec le droit d'arbitrage privé qui jouera un rôle fondamental dans l'évolution de ma carrière.

Après quoi, je reprends le chemin de la bibliothèque où je m'enferme pour rédiger ma thèse. Je la dédie à maman, en reconnaissance de son soutien indéfectible, de ses encouragements qui n'ont jamais cessé et en mémoire des années noires que nous avons traversées ensemble.

76

« Le destin de la nation, chacun en est responsable. »

ADAGE CHINOIS

Entreprendre ou poursuivre des études à l'étranger est un phénomène courant en Chine depuis le tout début du XXᵉ siècle. On le voit se mettre en place, après la Révolte des Boxers de 1900-1901, lorsque les États-Unis décident de rétrocéder sous la forme de bourses d'études destinées à de jeunes Chinois une partie des indemnités dues par la Chine aux puissances occidentales s'estimant lésées par ce conflit.

Dès ce moment, ces étudiants constituent une sorte de modèle pour les générations suivantes. Ainsi de mes deux grands-pères dans les années 20 : côté paternel, Yan Baohang, parti à Édimbourg et, côté maternel, Wu Zongjie qui profita de cette « bourse de compensation » dans le cadre de son admission au Massachusetts Institute of Technology.

Si ces pionniers dont font partie, rappelons-le, Deng Xiaoping et Zhou Enlai, ont joué un rôle très important dans la modernisation d'une Chine alors semi-féodale et semi-coloniale, le mouvement n'a cessé de se renforcer depuis lors. Et pour chaque génération, c'est toujours la même question : comment servir au mieux la Chine à partir des connaissances acquises à l'étranger.

Un mot désigne ces Chinois diplômés de l'étranger de retour au pays. On les surnomme *Hǎiguï*, qui signifie « retour de l'étranger », caractères qui se prononcent de la même manière que ceux qui désignent la tortue marine. Or, cette similitude comporte aussi une valeur métaphorique car la plupart des tortues marines effectuent de grandes migrations, de même que la plupart des espèces reviennent toujours pondre sur la plage où elles ont éclos. Ainsi, *Hǎiguï* a-t-il fini par devenir un jeu de mots : un Chinois appelé « tortue marine » est de retour dans le pays après avoir acquis des diplômes étrangers. Mes deux grands-pères et moi-même sommes donc des « tortues marines ».

Pourtant, après la Révolution culturelle, nombreux étaient ceux de ma génération qui n'étaient plus tout à fait certains de vouloir rentrer. Ayant gardé le sentiment d'être des « rescapés », ils se demandaient, comme dans les antiques *Annales de bambou* : « *Est-ce que le singe traqué qui court vers la forêt a le loisir de choisir sa branche ?* »

Par ailleurs, était-il si facile de rentrer quand on avait goûté au mode de vie occidental ? À Genève, j'étais assez surprise d'entendre mon camarade Lao Zhou fermement résolu quant à son avenir : « Moi, me confiait-il, dès que j'ai soutenu ma thèse, je retourne à Taïwan. Il y a tant à faire là-bas, c'est

le bon moment!» Je voyais bien qu'il était animé par l'enthousiasme et une certaine urgence.

De même, lorsque j'étais à New York, dans les années
86-87, il y avait toute une bande de jeunes Chinois très
dynamiques, des gens de ma génération croisés à Harvard,
Yale, Columbia ou Princeton. Certains étaient déjà dans la
vie active, notamment à Wall Street, et n'avaient qu'un désir :
rentrer en Chine, avec une soif d'entreprendre à laquelle ils
voulaient que je participe. Une association, CBA ou *China
Business Association,* permettait des rencontres et toutes sortes
d'activités. De grandes soirées étaient organisées autour de
la période du Nouvel An chinois ou fête du Printemps. À
tour de rôle, ceux qui allaient devenir «tortues marines» ou
Chinois de l'étranger, invitaient leurs compatriotes à dîner
et, souvent, la conversation portait sur ce qu'ils se propo-
saient de réaliser une fois rentrés au pays.

Parmi eux, il y avait Gao Xiqing et Wang Boming à qui
je demandais pour quoi ils voulaient rentrer. «Pour créer
notre propre Bourse», répondaient-ils. Rien que ça!

Comment s'y prendre pour créer une Bourse en Chine?
À cette époque, rien de tel n'existait là-bas. C'était en 1987.
La plupart de ces jeunes gens ambitieux ont intégré le groupe
des conseillers de Zhao Ziyang qui était Premier ministre à
cette époque. On lui doit un certain nombre de réformes
d'abord concentrées dans le Sichuan puis étendues à toute
la Chine. Des avancées notables dans l'introduction de l'économie de marché comme dans la séparation des attributions

de l'État et du Parti. Car tel était le plan que ses conseillers – des *Hăiguï* – lui avaient soumis et qui a permis le lancement de *trading centers* ou centres d'échange et de commerce, avant la création, en 1990, de la *Shanghai Stock Exchange* dans le quartier des affaires, Lujiazui, à Pudong. Autant de prémisses du développement qui allait suivre sur d'autres places, telles que la zone expérimentale de Shenzhen, sans compter à brève échéance la très attendue mise en place de la convertibilité…

Quand je jette un regard rétrospectif sur mes amis proches et mon entourage, je ne vois quasiment que des «tortues marines»!

Depuis l'ouverture de la Chine, entre 1979 et 2015, plus de quatre millions de jeunes Chinois sont partis étudier à l'étranger. Il y a une dizaine d'années, un étudiant sur 7 revenait au pays tandis qu'aujourd'hui ils sont 80 %.

Bien sûr, ce choix du retour ou du non-retour en Chine obéit à un intérêt réciproque. Ce qui attire les *Hăiguï* tient à la croissance du marché chinois et aux multiples opportunités de carrière qui s'offrent. De son côté, la Chine y voit une manne pour le pays. Depuis un siècle, les générations qui se sont succédé ont été portées par la conviction de servir leur pays et c'est toujours le cas aujourd'hui. En règle générale, les jeunes apportent leur contribution au pays lorsque celui-ci rend possible la réalisation de leur rêve.

77

« Par la nature les hommes sont proches,
C'est à la pratique qu'ils divergent. »

CONFUCIUS,
ENTRETIENS (551 AV. J.-C. - 479 AV. J.-C.)

En 1991, je suis sollicitée par deux grands cabinets d'avocats d'affaires internationaux. L'un, américain, souhaite que je rejoigne leur équipe en charge des questions d'arbitrage, qui sont devenues ma spécialité. L'autre, le français Gide Loyrette Nouel, envisage un développement du cabinet en Chine. D'emblée, le projet de Gide suscite mon enthousiasme.

D'autant que cette décennie des années 90 correspond, en Chine, à une période de prospérité propice à la constitution et reconstitution d'un système juridique conforme aux règles d'un État de droit. Il faut dire que le système juridique chinois ne s'inspire pas de la *Common law* – comme en Angleterre ou aux États-Unis où l'on s'appuie beaucoup sur la jurisprudence – mais beaucoup plus du Code Napoléon où la règle écrite a force de loi. Ce dernier a imprimé sa marque en Chine, mais par une voie détournée : c'est après la chute de l'Empire en 1911, que les Républicains tels Sun Yat-sen, en quête d'un nouveau corpus de lois pour remplacer le système traditionnel, importent le système juridique germanique tel qu'ils l'ont vu appliqué au Japon et qui les a beaucoup influencés. La Nouvelle Chine, en 1949, hérite donc de cette codification écrite, dite aussi «système du droit continental». Elle se dote d'une Constitution, d'une loi civile et pénale, mais son contenu reste assez schématique.

Après la Révolution culturelle, il s'agit non seulement pour la Chine de reconstituer ce qui a été abandonné ou aboli, de remettre sur pied un système juridique légal, mais l'urgence de l'expansion économique exige des réformes et la privatisation d'entreprises publiques. Par conséquent, la rédaction de réglementations et de lois nouvelles.

Il faut donc renverser le processus habituel de production de la loi qui prône que c'est d'abord le législateur qui l'énonce. À la suite de «l'ouverture» préconisée par Deng Xiaoping, les investissements étrangers qui se profilent obligent à formuler la loi postérieurement à l'événement que celle-ci doit encadrer. Étant donné que, pour une certaine catégorie de lois, on ne connaît pas de précédent qui ait justifié une rédaction préalable, on a créé un système de réglementation temporaire et des lois pilotes pour régler ce problème inédit.

On pratique ce genre d'expérimentation dans la zone franche de Shanghai. Ou bien à Shenzhen. Ce n'est encore qu'un village de pêcheurs, lorsqu'en 1979, ce territoire situé en bordure de Hong Kong, acquiert le statut de zone économique spéciale, faisant ainsi de cette municipalité – largement rurale dans les années 70 – l'un des principaux laboratoires d'essai de la nouvelle politique d'ouverture aux investissements étrangers.

Selon ce principe, on teste toute une série de lois dont le champ d'application concerne exclusivement Shenzhen. Quand l'essai est concluant ou que d'éventuelles dérives ont pu être réajustées, on étend la « loi pilote » à l'ensemble du pays.

Ainsi, la Chine a-t-elle procédé depuis un peu plus de trente ans en matière de réglementation. À la longue, l'ensemble des codifications exigées par l'accroissement toujours plus important des investissements étrangers a fini par produire un système assez complet dans ce domaine. Lequel s'est vu couronné, en 2001, par l'entrée de la Chine à l'OMC, Organisation Mondiale du Commerce.

Avant d'en arriver là, peu après mon entrée chez Gide, c'est l'administration chinoise elle-même qui a sollicité le cabinet pour conduire une réflexion autour de la réforme des entreprises publiques. À cette époque, l'ouverture du marché chinois telle que la préconise Deng Xiaoping, conduit Pékin à formuler une foule de questions concernant la législation sur les actifs d'État, le rôle et la gestion de l'État dans les processus de privatisation. S'agissant de ces questions, il est naturel que l'expertise de la France compte puisque ces deux mécanismes y ont été expérimentés.

C'est pourquoi nous organisons, à Paris, une série de rencontres pour des membres du Conseil d'État chinois, aussi bien avec le secrétariat général du cabinet du Premier ministre français qu'avec différents services rattachés à Matignon et des conseillers d'État. Je me souviens que les Français s'étonnaient de la pertinence des questions et remarques chinoises. À la suite de quoi, cette délégation poursuivit son enquête législative en Italie, en Angleterre et aux États-Unis. Enfin, selon une méthode typiquement chinoise, ils procédèrent à la synthèse de ce qui avait été observé ici ou là en termes de codification. Une approche pragmatique qui a débouché sur un système législatif composite, qui emprunte tantôt à une inspiration «continentale» tantôt au système anglo-saxon pour les adapter à la situation chinoise.

Avec Maître Jean Loyrette, un petit groupe d'associés du cabinet et moi-même, nous organisons un séminaire en Chine sur les questions de privatisation. L'intérêt manifesté à Pékin est tel que l'assistance est très nombreuse, composée de législateurs issus du Parlement comme du gouvernement, d'universitaires et de membres des administrations chinoises les plus diverses...

En Chine, pour ce qui est du droit, personne, même avant la Révolution culturelle, n'aurait pensé à s'en prévaloir pour se défendre. Par tradition, héritée du confucianisme, le gouvernement des hommes s'instituait par les hommes et non par la loi.

De nos jours, le recours à un avocat est entré dans les mœurs. Même si leur nombre reste insuffisant, concentré surtout dans les grandes villes. On en recense 300 000 en 2017. J'ai été témoin de cette évolution depuis presque quarante ans. Aujourd'hui, on peut considérer que le pays a bâti un système juridique plus ou moins complet, notamment dans le domaine économique et le secteur financier où rien n'existait. Le progrès est considérable si l'on admet qu'il faut comparer ce qui est comparable. L'autre difficulté porte sur la corruption des juges. Les lois existent, elles ne sont pas toujours appliquées.

En Chine, la règle est que les avocats étrangers – je suis moi-même inscrite au barreau de Paris depuis 1994 – doivent s'associer à un cabinet local. Un jour, lorsque j'étais encore chez Gide, dans une affaire internationale que nous avions à plaider, mon confrère chinois m'informe que le juge demande à être *«sponsorisé»*, lui et sa famille, pour un voyage d'agrément en Thaïlande! Cette demande semblait correspondre à des pratiques courantes.

Dans les années 2000, deux ans après mon retour à Pékin, j'assiste un grand groupe français dans un dossier d'arbitrage contre une société chinoise. Bien que la sentence arbitrale nous ait donné raison, la partie adverse prétend faire casser ce jugement et fait appel. L'avocat local avec lequel je travaille pense, comme moi, que leurs arguments ne tiennent pas et, donc, nous sommes assez sereins. Pourtant, chacun observe que l'attitude des juges change. Mon confrère chinois soupçonne un dessous-de-table. Pendant le temps des débats et discussions imparti aux juges, je suis convoquée en urgence à Pékin par le bureau de justice. Ils sont trois à m'interroger sur la question de savoir si le cabinet que je représente, le cabinet Gide, n'a pas «violé la loi chinoise». En Chine, en effet, la réglementation interdit aux avocats étrangers de pratiquer le droit chinois, autrement dit, de l'interpréter. C'est pourquoi, pendant l'arbitrage, j'ai pris la précaution de convier avocats et professeurs de droit chinois pour interpréter le droit chinois utile à notre défense. Pourtant mes interlocuteurs insistent et deviennent même assez menaçants, tandis que je songe que, dans cette affaire, je dois rester ferme, il y va de l'honneur du cabinet que je représente.

Au terme d'une très longue et pénible confrontation, on m'indique que, pour maintenir l'assertion selon laquelle je n'ai pas «violé le droit chinois», je dois signer une déclaration sous serment ou *affidavit*. J'y souscris avec le sentiment qu'on cherche à m'impressionner. D'autant qu'on estime nécessaire d'y faire porter mes empreintes digitales! À la suite de ces pressions, avec l'accord du client, je me suis adressée à la Cour suprême de Chine pour lui demander de porter une attention particulière à cet arbitrage international, une fois signalées les anomalies observées dans la procédure d'appel. Six mois plus tard, le tribunal de Pékin nous donnait gain de cause.

78

« La nuit noire m'a donné des yeux noirs
Moi je m'en sers pour chercher la lumière. »

UNE GÉNÉRATION,
GU CHENG (1957-1993)

À mes débuts chez Gide, à Paris, je remarque que le message audio de convocation aux réunions importantes commence toujours par : *« Messieurs les associés, veuillez vous rendre pour la réunion en salle… »* Je m'enquiers de la raison de ce *« Messieurs les associés »* qui laisse à penser qu'il n'y aurait pas de femmes…

On m'explique l'existence d'une règle non écrite. Ce cabinet, fondé en 1920, ne compte aucune femme associée. Il y a des avocates – et l'on prend soin de préciser, « toutes brillantes dans leur domaine » – mais, dès que l'on monte dans la hiérarchie, il n'y a plus que des hommes ! Faisons connaissance avec le cabinet me dis-je, il sera toujours temps de voir ce qu'il en est. Dans ce métier, en règle générale, vous faites vos preuves et, passés six, sept ans, vous devenez associé et, si tel n'est pas le cas pour toutes sortes de raisons, vous candidatez ailleurs ou bien vous montez votre propre cabinet.

Les années passent et, au cours d'un entretien, j'expose mes états de service : «Voilà six ans que je m'occupe de la Chine, des confrères me disent que c'est à peu près le temps qu'il faut pour prétendre devenir associée, suis-je dans ce cas?»

Mon interlocuteur est très embarrassé. Il commence par me féliciter pour ma démarche mais, très vite, enchaîne sur le fait que je suis mariée et qu'il est bien normal que je veuille des enfants. «Ce qu'on observe, dit-il, c'est que les hommes consacrent en général plus de temps à leurs dossiers que les femmes... C'est bien normal... elles doivent s'occuper de leur mari et de leurs enfants... Et loin de moi l'idée de leur en faire grief...»

Je n'y tiens plus.

«Monsieur, en tant que Chinoise, je suis tout à fait disposée à reconnaître que Mao Zedong a commis bien des crimes. Mais sur un point, au moins, je souhaite lui rendre justice, celui de l'émancipation des femmes qui s'illustre chez nous par sa phrase : *«La femme porte la moitié du Ciel»*! Croyez bien que j'ai grandi dans cette idée de l'égalité des sexes. Peu importe que je sois mariée, depuis six ans, j'ai démontré que je m'investissais dans mon travail exactement comme les hommes...»

Cette fois, c'est lui qui me coupe : «Vous avez raison! Je suis disposé à soutenir votre candidature. Mais je ne puis

préjuger de l'avis de tous mes associés. Il faut deux pour-
centages supérieurs à 75 % de votes favorables... C'est, donc,
assez... difficile... Avez-vous réfléchi, Lan, à ce que vous
ferez si vous n'êtes pas élue... ? »

« C'est au pied de la montagne qu'on voit se profiler le
chemin ! »

Le jour où cette fameuse réunion d'associés a lieu, je suis
à Pékin pour une négociation. À 3 heures du matin le téléphone sonne dans ma chambre d'hôtel pour m'annoncer
que je viens d'obtenir une « élection de maréchal » !

Nul doute que les femmes jouissent en France d'une
considération sans égal. Ce qu'on appelle la « galanterie » n'a
aucun équivalent en Chine où pas un homme ne consenti-
rait à s'effacer pour laisser le passage à une femme. Nous
n'avons jamais bénéficié de cette exquise politesse. Mais
reconnaissons que tout cela est bien superficiel. Il est vrai,
la France a fait des progrès depuis une dizaine d'années en
ce qui concerne le statut social des femmes. La loi Copé,
adoptée en 2011, impose un quota par paliers successifs,
jusqu'à 40 % en 2017, de représentation des femmes au sein
des conseils d'administration des sociétés de plus de 500
salariés. Ce qui apporte aux entreprises plus de diversité,
d'efficacité et de compétitivité. La Chine a pris du retard
sur ce point. En 2015, seules 9,9 % des femmes figuraient
dans les conseils d'administration et 17, 2 % dans les comités de direction en 2016.

C'est pourquoi je suis personnellement favorable à l'application de quotas imposés pour les conseils d'administration. Plus de trois femmes dans n'importe quelle collectivité et c'est une autre voix qui se fait entendre. Une seule femme, ce n'est pas suffisant, c'est un alibi.

79

« *Toute douleur qui n'aide personne est absurde.* »

LA CONDITION HUMAINE,
ANDRÉ MALRAUX, 1933

Après deux ans de mise à l'écart, à la suite du mouvement étudiant de 1989, mon père est rappelé au gouvernement. Finies les longues journées à la maison ou à la pêche. Mais si chacun s'accorde à voir le signe d'un assouplissement politique dans cette nomination de 1991, ce qui me frappe ce sont les hauts et les bas qui ont toujours émaillé l'itinéraire politique de mon père.

Je lui demande : «Mais qu'est-ce que cela recouvre au juste ce portefeuille des "affaires civiles"?

– C'est ce dont les autres ministères ne s'occupent pas, me répond-il. Tout ce qui concerne les démunis. De leur naissance, avec les orphelinats, à leur fin de vie, avec des maisons de retraite… et des cimetières. Le champ d'application de l'aide gouvernementale, précise-t-il, concerne prioritairement les régions pauvres.»

En vérité, mon père n'imaginait pas, avant d'occuper ces nouvelles fonctions, que plus de quarante ans après la Nouvelle Chine, il puisse encore exister des populations qui vivent toujours dans des conditions très précaires.

En l'écoutant, je vois bien que, loin de tout ressentiment, mon père a médité les aléas de son propre destin. Il ne voit plus du même œil l'époque où il travaillait auprès de Mao Zedong et des autres dirigeants. «J'étais, dit-il, comme enfermé dans une tour d'ivoire, et de la société chinoise, je ne savais rien.» Il a fallu ce nouveau poste, pour qu'il estime que c'était le travail le plus important qu'on lui ait jamais confié.

La Chine profonde, la Chine des régions pauvres, la Chine des miséreux, voici que mon père est allé à sa rencontre. Il me parle d'un village du fin fond des montagnes, province du Guizhou, où les familles sont si pauvres qu'elles se prêtent l'une l'autre leurs vêtements quand, pour une raison ou une autre, l'un d'eux doit se rendre au bourg voisin… Les différents projets d'aide qu'il met sur pied s'appuient tous sur cette philosophie condensée dans ce proverbe chinois : *«Le pauvre à qui tu donnes un poisson, mangera aujourd'hui ; apprends-lui à pêcher, il mangera tous les jours.»*

À la même époque mon père se rend aux États-Unis. Un voyage d'étude où il observe de près l'action d'œuvres de charité comme celle d'organisations non gouvernementales en matière d'entraide et de bénévolat. Il en revient avec l'idée que la société civile doit, elle aussi, prendre ses responsabilités et ne pas tout attendre du gouvernement. Idée qu'il développera dans un livre : *Un aperçu de la philanthropie aux États-Unis* et mettra en pratique sitôt retiré des affaires publiques. En 1997, il devient président de China Charity Federation, une ONG qui œuvre en faveur de populations démunies et sinistrées.

80

« Pouvoir soupirer à son aise
Se souvenir d'un passé déplaisant
Oublier
Où l'on a jeté sa cendre. »

POUVOIR, DUO DUO (NÉ EN 1951)

La cause des femmes est un sujet qui me tient à cœur depuis longtemps lorsque je fais la connaissance d'Aude de Thuin. À cette époque, je suis déjà de retour en Chine, installée à Pékin depuis 1998, quand cette femme d'affaires fait le voyage de Paris pour me parler de son organisation internationale, le *Women's Forum for the Economy and Society.* Créé en France en 2005, avec le soutien d'un groupe de femmes influentes, cet organisme s'est donné pour but de promouvoir une plus grande mixité au sein des instances de pouvoir, ouvrant le débat sur les moyens de renforcer la contribution des femmes à l'économie mondiale. À Deauville, où se passent les réunions, je m'adresse aussi bien à des compatriotes qu'à des étrangères. Je suis venue pour un

479

premier forum à Deauville en compagnie de mes trois amies chinoises : Zhang Xin, P.-D.G. de SohoChina, un des groupes immobiliers chinois les plus importants, Hung Huang, personnalité du monde de la mode qui dirige une revue de mode chinoise, et Yan Mai, la patronne de News Corp en Chine. Chacune de nous a exposé son expérience dans la Chine d'aujourd'hui et nos interventions ont remporté un vif succès auprès d'un public étonné de nous voir représenter la modernité en Chine. J'ai insisté sur les points suivants : comment se fait-il que, parmi les étudiantes les plus brillantes, formées aux meilleures universités, seul un pourcentage infime se retrouve à des postes correspondant à leur réussite intellectuelle qui, pourtant, est souvent aussi remarquable et constante que celle de leurs camarades masculins ? Pour quelles raisons, une fois entrées dans la vie active, toutes sortes de contraintes se dressent pour faire obstacle à leur ascension dans l'institution ou l'entreprise ? C'est un fait : dès que l'on gravit les échelons de la hiérarchie et qu'on se rapproche de fonctions d'encadrement et de responsabilité, il n'y a plus que des hommes à l'horizon ! C'est le fameux «plafond de verre» sous lequel on condamne la plupart des carrières féminines à stagner. En tant que senior au sein d'un grand groupe international, il me paraît utile de rappeler à ces jeunes femmes qu'à condition de s'en donner les moyens, elles ont toute la légitimité requise pour franchir cet inacceptable plafond et que, nous autres aînées, sommes là pour les y préparer.

J'ai énormément appris à Deauville. Ne serait-ce que grâce aux modèles de femmes qui, partout dans le monde, sont source d'inspiration. Je pense à Tu Youyou, prix Nobel de médecine, couronnée pour ses travaux de recherche sur le paludisme – recherche où la médecine traditionnelle chinoise a eu sa part. Le simple fait que Tu Youyou se soit elle-même choisie pour cobaye en vue de tester certaines médications expérimentales force l'admiration. Il n'y a pas que sa persévérance qui impressionne, son incroyable modestie aussi !

J'avais changé de métier, j'étais devenue responsable, depuis 2011, de la banque Lazard pour la Grande Chine (Chine continentale, Hong Kong, Taïwan), j'étais particulièrement fière que mon équipe de banquiers compte 45 % de femmes dont seul le mérite justifiait le poste, et dans le «leadership» elles étaient 64 %.

De même que le monde juridique, le monde de la banque est encore très misogyne. On a beau invoquer la féminisation de certaines professions, il n'en reste pas moins qu'à partir d'un certain niveau hiérarchique, partout la présence des femmes se raréfie et des postes tels que le mien sont rares. C'est la raison pour laquelle, j'ai pris soin, chez Lazard Chine, de me constituer une équipe féminine. Bien sûr, je dois la possibilité d'avoir pu le faire au soutien que m'a toujours apporté mon P.-D.G., Ken Jacobs.

Dire que mes équipes sont majoritairement féminines ne signifie pas que j'octroierais aux femmes un privilège particulier – ce qui reviendrait à établir aussi un choix sexiste. Cela veut dire que le fait d'être une femme ne la pénalise jamais à mes yeux, comme il arrive trop souvent. Les femmes se retrouvent plus nombreuses dans mon équipe parce que je les ai choisies ou promues uniquement selon leurs compétences.

En conséquence de quoi, dans mon équipe, 64 % des seniors – les fonctions de haut rang – sont des femmes, une exception dans le groupe. Depuis un an, notre P.-D.G. a lancé un programme de diversité au sein du groupe Lazard, pour promouvoir des femmes banquières à tous les échelons.

Très souvent, je vais aux réunions pour rencontrer des clients avec une équipe de femmes banquières. En face, se tient le P.-D.G. de la société chinoise, escorté par son équipe d'hommes. Comme il est habituel qu'on me donne du *«Yan Zong»* – qui désigne un chef ou un patron, pour marquer la considération –, bien souvent il est arrivé que le P.-D.G. m'apostrophe d'un : «Ah, Yan Zong, à ce que nous voyons là, vous êtes venue avec votre détachement féminin rouge!»

Je ne m'en offusque pas. Je confirme, au contraire, que je suis bien là «avec "mon" détachement féminin rouge». Mais je vois aussi que, si tout cela a l'air d'être dit sur le ton de la plaisanterie, ces hommes n'en restent pas moins sur la réserve. Après la réunion, c'est drôle de voir comme le ton change parce que la qualité professionnelle a fini par les

convaincre. Parfois les clients chinois nous disent que
« Lazard Frères » en Chine devrait être rebaptisé « Lazard
Sœurs ».

Je me suis alors rappelé que, chez Gide, j'avais eu à trai-
ter une affaire avec un client japonais dont la réputation
était, hélas, grande en termes de misogynie. Le hasard avait
alors fait qu'au premier rendez-vous avec le client, face à
un commando entièrement masculin, mes deux avocats
seniors étaient des femmes. On a quand même osé me
demander si, par hasard, je ne disposais pas au moins « d'un
senior… masculin » ! Or, il s'agissait d'un dossier de conten-
tieux délicat, comprenant un risque de grandes difficultés
pour cette entreprise japonaise, voire de faillite si leur problème n'était pas correctement résolu. Une fois cette société
tirée d'affaire, je me souviendrai toujours de la carte de vœux
du président nippon. Il me disait que j'avais dû leur être
adressée par quelque dieu pour les sauver et que j'avais su
si bien gagner leur confiance qu'ils ne manqueraient pas de
m'adresser d'autres clients, ce qui fut fait !

81

« "Souvenir d'en haut" appellation qui devait être reprise par les missionnaires chrétiens pour traduire la notion de Dieu. (…) L'idée que le Dieu unique trouve sa contrepartie dans le souverain universel au sein de l'ordre humain devait rester à la base de la pensée et de la pratique politique en Chine jusqu'à l'aube du xxe siècle. »

HISTOIRE DE LA PENSÉE CHINOISE,
ANNE CHENG (1997)

À notre retour en Chine en 1998, mon mari, Robert, et moi sommes sollicités pour apporter une aide bénévole au Beijing Music Festival, qui vient juste d'être créé à l'initiative de sa présidente, Deng Rong, la plus jeune fille de Deng Xiaoping, et du chef d'orchestre et directeur artistique du Philharmonique de Chine, Long Yu.

Mon mari étant très mélomane, nous nous réjouissons d'être associés à cette organisation à but non lucratif et de rechercher sponsors et mécènes.

Au printemps 2008, Deng Rong, nous demande si nous serions disposés à nous rendre à Rome un ou deux jours : la Chine et le Vatican ont amorcé un rapprochement et, dans ce cadre à la fois diplomatique et culturel, l'Orchestre Philharmonique de Chine a été invité pour la première fois au Vatican, avec un programme en l'honneur de Benoît XVI.

Bien que nous ne soyons pas catholiques, les fidèles de cette religion se comptent par millions en Chine. Mais les autorités ne comptabilisent que les catholiques dits «patriotiques». Il faut entendre par là les catholiques de la branche de l'Église de Chine qui ne reconnaît pas l'autorité du Saint-Siège. En effet, dès 1949, la Chine populaire a interdit toute ingérence étrangère dans le fonctionnement des églises. Leurs évêques sont nommés par les autorités chinoises, confirmés par Rome mais pas toujours.

À ceux-là s'ajoutent les catholiques dits «clandestins», fidèles au Saint-Siège, dont par définition on ne connaît pas le nombre. Cette séparation entre «deux Églises de Chine» n'est pas reconnue par le Saint-Siège qui réclame l'unité des fidèles. L'autre sujet de discorde entre la République populaire de Chine et le Vatican porte sur Taïwan, Pékin exigeant la rupture des relations diplomatiques avec Taïwan. C'est pourquoi notre présence au Vatican revêt un caractère historique, un premier pas dans les relations entre la Nouvelle Chine et le Saint-Siège. Comment laisser passer cette chance?

Comme nous ignorons tout des usages protocolaires dans les relations avec la papauté, je me renseigne auprès d'un ami cher, Pierre Morel, qui fut ambassadeur de France à Pékin jusqu'en 2002, avant d'être nommé auprès du Saint-Siège à Rome. Pierre Morel nous reçoit dans sa résidence, Villa Bonaparte, où il indique aux profanes que nous sommes ce qu'il faut savoir pour le lendemain, 7 mai 2008 : seul le pape est vêtu de blanc. Les cardinaux et les évêques sont en noir, ceinture et calotte rouge pour les cardinaux, violette pour les évêques. On s'adresse au pape en lui disant «Votre Sainteté». On dit «Votre Éminence» aux cardinaux, «Votre Excellence» aux évêques. Pierre nous montre comment on fait la révérence au Saint-Père. En tant que non croyants, nous n'avons pas à baiser l'anneau papal. La sobriété doit guider notre choix dans nos tenues. Pas de bras nus pour les dames, peu de bijoux et de maquillage. Comme l'audience spéciale que Sa Sainteté accorde à la trentaine de membres de notre délégation suivra immédiatement le concert prévu à 18 heures, j'opte pour une robe longue chinoise noire et un simple collier de perles.

Notre délégation traverse une haie d'honneur formée par la Garde suisse pontificale, avant d'être accueillie, sous les applaudissements chaleureux des pèlerins, dans la salle Paul VI, au sud de la basilique Saint-Pierre et de la colonnade du Bernin. Benoît XVI est assis entre un carré d'évêques et de cardinaux et le carré réservé à notre délégation.

Long Yu prend la parole en anglais. Il remercie avec effusion tous ceux qui ont permis à son orchestre de se produire en l'honneur du pape, puis il remercie le souverain pontife pour son soutien à ce « *message d'amour et de paix* ».

Le *Requiem* de Mozart a été choisi, Mozart étant le compositeur favori de Benoît XVI et le *Requiem*, son œuvre de prédilection. Dès les premières notes, je me recueille comme je l'ai promis à mes très chers amis Catherine et Bertrand Julien-Laferrière qui sont catholiques et qui nous savent au Vatican. Bien que non catholique, j'adresse une prière à l'intention de cette famille dont deux filles sortent de l'orphelinat de Wuhan, dans le Hubei, et ont été adoptées par ce couple d'amis français.

Une petite pièce symbolique a été ajoutée au programme en guise de finale. Un clin d'œil à la Chine puisque Yu Long conduit le fameux air de *« Mòlìhuā »*, ou « Fleur de Jasmin », chanson folklorique qui date de l'empereur Qianlong, morceau rendu célèbre par la version qu'en a donnée Puccini dans *Turandot*, et fièrement reprise par le chœur de l'Opéra de Shanghai. Le concert terminé, le Saint-Père rejoint l'orchestre sur la scène et remercie les artistes pour leur rôle d'ambassadeurs ainsi que notre délégation qui témoigne que la musique est un langage universel. Enfin, ses vœux de réussite vont à toute la nation chinoise à quelques mois de l'ouverture des Jeux olympiques…

L'audience spéciale accordée par le Saint-Père peut commencer. Il reçoit debout, une après l'autre, une dizaine de personnes. Quand, à mon tour, je m'approche de lui, je remarque qu'il est un peu plus grand que moi sur son estrade, chevelure de neige, les yeux d'un bleu intense et translucide. Ce qui me frappe, c'est ce regard pénétrant, empli de sagesse. Je lui dis à quel point c'est un immense honneur de pouvoir le rencontrer et il me répond en anglais d'une petite voix très douce : *«You are the messenger of peace and love»*, et cette simple phrase me bouleverse.

Au sortir de l'audience, une lumière dorée de fin de journée de printemps baigne toute la place Saint-Pierre. Nous sommes tous extrêmement émus. Avec les Morel, nous prenons un verre chez nos amis les Bruni, anciens ambassadeurs d'Italie à Pékin, qui reviennent sur ce moment historique, ce qui a été fait et ce qu'il reste à faire pour rapprocher la Chine et le Vatican après ce premier pas.

82

« L'éternel est le changement. »

ADAGE CHINOIS

À Paris pour une série de réunions chez Gide, en juin 2010, je suis invitée à déjeuner par le président de la banque Lazard France, Bruno Roger. A priori, ce déjeuner n'a rien d'exceptionnel : Bruno Roger et sa femme sont venus en Chine après que je me suis liée avec son épouse, Martine Aublet, au *Women's Forum* et nous sommes restés en contact. Chaque fois que je passe par Paris, je leur fais signe.

Bruno Roger me demande s'il m'arrive d'aller à New York. Je n'y suis plus retournée depuis la fin de mes études, en 1988, mais le hasard veut que, justement, cet été, je doive m'y rendre avec mon fils Martin, pour organiser avec lui un séjour d'été.

« Voilà qui est parfait, ce serait bien, Lan, si vous pouviez profiter de ce séjour pour rencontrer Ken Jacobs, notre P.-D.G., et Alex Stern, directeur des opérations du groupe Lazard, pour leur parler de la Chine. »

Une rencontre a donc lieu cet été-là à New York au cours de laquelle j'éclaire mes interlocuteurs, du mieux que je peux, sur la situation de la Chine en termes de développement, et je vois bien qu'ils accordent la plus grande attention à ce que je dis sur les fusions et acquisitions. Mais ce qu'ils veulent vraiment savoir c'est comment je vois le groupe Lazard en Chine.

Le nom de cette banque d'affaires est rarement prononcé en Chine. Cependant, je me permets une suggestion : « Si votre intention est de vous développer en Chine, vous avez raison, c'est le bon moment ! Et le plus important, c'est de trouver un partenaire local. » Mais pour Ken Jacobs ce qui intéresse Lazard, c'est avant toute chose d'avoir sa propre équipe sur place ! « En fait, dit-il, nous cherchons quelqu'un comme vous pour le job ! » Là, je ne peux qu'être très claire : « Je suis avocate, pas banquière ! Je peux réfléchir à un candidat possible dans mon entourage et vous le proposer. »

Je quitte New York. Mais Bruno Roger ne manque pas de m'adresser régulièrement de petits messages pour m'inviter à envisager sérieusement cette proposition quand je serai de retour à Paris. Pour finir, une invitation ferme à rejoindre la banque pour m'occuper de Lazard Chine m'est adressée.

À dire vrai, je n'avais jamais songé à changer de métier, car c'est bien de cela qu'il s'agissait avec une banque d'investissement spécialisée dans la gestion d'actifs et le conseil financier. Depuis que Gide s'était implanté en Chine, j'avais eu la satisfaction de voir ce cabinet apporter une contribution solide à la constitution d'un système juridique fiable, à la promotion du droit continental qui n'était pas pour rien dans le renforcement de l'État de droit. Avec ce cabinet, j'avais accompagné des sociétés françaises dans leurs projets d'investissement en Chine. J'avais lancé le prix Gide, grâce auquel des juristes chinois pouvaient se former au droit français.

Pourtant, une petite voix vient me dire : «Et, maintenant, quoi de neuf ? *Next step* ?»

Chez Gide, c'était déjà cette petite voix du *next step* qui m'avait soufflé l'objectif de devenir associée. Puis, une fois devenue responsable pour la Chine, c'est encore elle qui m'avait lancé le défi de contribuer à faire que ce pays soit enfin gouverné par la loi, et non plus par l'homme. Voir la Chine franchir le cap qui fera d'elle un pays définitivement moderne. J'ai pu me rendre compte combien, pour un tel défi, des réformateurs courageux sont nécessaires quand les traditions pèsent si lourd.

Par chance, Lazard ne me met aucune pression. Ils ont une formule bien à eux : *«Il n'y a pas d'urgence, nous pouvons vous attendre!»* Alors, je prends le temps d'en parler autour de moi, de sonder mes amis, ma famille. Tous sont favorables à ce changement et m'y encouragent tandis que je suis encore indécise.

Je fais la part des choses : entre mon métier d'avocat et celui de banquier d'investissement, il y a tout de même d'évidentes passerelles! Avant tout, il s'agit de la Chine que je connais bien. Le réseau de clients chinois, je le connais aussi. Pour ce qui est de constituer une équipe et de la gérer, je l'ai déjà fait chez Gide. Au fond, ce sont des métiers de service, de conseil, ce sont des rapports humains. Avec des femmes et des hommes de qualité, on peut toujours faire des affaires. Certes, il y a forcément des éléments spécifiques au métier de banquier, je vais devoir les apprendre mais n'est-ce pas ce genre de défi que je recherche dans la vie ? D'autres expériences, d'autres voies de réussite ?

Au fond ce que je cherche confusément depuis toujours, c'est de rattraper dix années perdues, les dix années que m'a volées la Révolution culturelle. J'ai toujours l'impression d'avoir dix ans de retard. Il faut toujours que je progresse pour combler cette insatisfaction.

La fois suivante à Paris, Bruno Roger a convié Jean-Louis Beffa, ancien président de Saint-Gobain, désormais chez Lazard. «Lan, me dit-il, dans certaines circonstances, il faut avoir le courage de sauter le pas vers le changement!» Dans ma tête, je l'ai déjà fait. En avril 2011, je deviens responsable de Lazard pour la Grande Chine. Seule femme responsable d'une région du monde.

Avec l'expérience, j'ai vu la complémentarité des métiers d'avocat et de banquier. Cela fonctionne à peu près comme une chaîne de production : le conseil financier de la banque d'affaires opère en amont pour constituer le dossier, inventer et concevoir le projet, jeter des ponts entre les parties pour aboutir à un accord. Les avocats, eux, interviennent en aval de la transaction, pour aider à la négociation et rédiger les contrats.

Le premier jour chez Lazard, voyant peut-être mon air soucieux, un de mes collègues me lance : « *Lan, you must have fun with us!* » J'ai apprécié la formule. Pas une seconde, je n'ai regretté mon choix malgré l'ampleur de la tâche, les nouveaux savoirs à acquérir, les difficultés inévitables. Oui, je peux dire aujourd'hui : *indeed, a lot of fun!*

83

« Quand un vieux moine voit des cadeaux de mariage,
il se dit que ce sera pour une vie future. »

LAO SHE,
QUATRE GÉNÉRATIONS SOUS UN MÊME TOIT, 1949

À la fin des années 90, la Chine était en pleine expansion économique et les gens n'avaient qu'une seule ambition : faire de l'argent. Parallèlement, je voyais que mes parents se préoccupaient d'améliorer la condition des démunis et des sinistrés, en collaborant avec des ONG. Je me disais que là était le vrai visage de la Chine.

Après avoir pris sa retraite en 1994, ma mère crée sa propre petite fondation, *Loving heart project committee,* association caritative basée à Pékin et s'inspirant de l'association d'aide à l'agriculture *Kadoorie,* qui promeut des systèmes éducatifs liés au respect et à la conservation de la nature dans des régions pauvres d'Asie du Sud-Est.

Sur les conseils d'un professeur de l'université agricole du Gansu, ma mère décide d'aider à la scolarité des enfants pauvres grâce à un projet très ingénieux d'élevage bovin. On l'a mise sur la piste d'une espèce particulière de mouton prolifique dont les portées sont de 3 ou 4 agneaux et l'élevage très facile. De plus, cette espèce ne mange pas les racines et n'appauvrit donc pas les sols sur lesquels le paysan peut pratiquer d'autres cultures. L'animal est d'un bon rapport pour sa viande, son lait, sa peau. La province étant musulmane, l'élevage du mouton a du sens.

L'expérience débute au Ningxia, la plus petite des régions autonomes de Chine, à 2 000 m d'altitude en bordure du Gansu. Les villages sont choisis parmi les plus pauvres de ces plateaux puis on retient trente familles particulièrement démunies. Une liste complémentaire de familles en attente est établie par l'école. Le principe consiste à confier une femelle à chaque famille en échange de l'obligation d'envoyer les enfants à l'école, y compris les filles. Dès la première portée, la famille doit remettre un agneau à une famille de la liste d'attente. Ce circuit crée des liens avec l'instituteur qui vérifie que les enfants se rendent bien à l'école, puis entre les familles elles-mêmes : celles qui attendent la naissance des agneaux sont intéressées au succès de celles qui en sont déjà dotées.

L'engagement de ma mère portait aussi sur les conséquences de la politique de l'enfant unique engagée à partir de 1979 pour lutter contre la surpopulation. Car à la campagne, seule la naissance d'un garçon étant une bonne nouvelle – garantie d'une main-d'œuvre supplémentaire et d'une belle-fille pour prendre soin des vieux parents – les infanticides sont nombreux. Une aide spécifique, apportée aux mères et leurs filles, visait aussi à modifier cette façon de voir. *« Éduquer une femme, c'est éduquer toute la famille »*, disait ma mère.

Maman s'est énormément investie, si loin de Pékin, avec un programme d'abord destiné à mille familles, qui a doublé, triplé, et qui s'est étendu à d'autres districts. Elle était très fière de ce projet qui lui donnait le sentiment d'être utile. Il me semblait que cet épanouissement rachetait tout ce qu'elle avait souffert.

De son côté, le ministère des Affaires civiles que dirige mon père en tant que vice-ministre, entre 1991 et 1996, collabore étroitement avec des ONG, en particulier celles qui s'occupent du handicap. Ce sujet retient son attention à cause des superstitions qui s'attachent au handicap, qu'il soit moteur ou mental, et qui aboutissent à ce qu'en Chine, les orphelinats recueillent quasi 100 % des enfants handicapés, sans parler des pratiques infanticides.

Mon père avait rencontré l'Américain Sargent Shriver lors de sa visite en Chine. Avec sa femme, Eunice Kennedy, sœur du président, il est à l'origine du lancement, en juillet 1968, à Chicago, des Jeux olympiques spéciaux, première organisation consacrée à l'épanouissement par le sport de personnes atteintes de handicap mental. Un drame personnel était à l'origine de l'implication du couple américain : l'une des sœurs de la fratrie Kennedy, Rosemary, est handicapée mentale.

Dans un de ses livres, Sargent Shriver rapporte que, à la suite de leur rencontre à Pékin, mon père lui avait assuré qu'en cinq ans, grâce à leur action commune, les Jeux olympiques spéciaux de Chine aligneraient 500 000 sportifs ! Sargent Shriver n'avait cru à ce chiffre que sous la forme d'un vœu pieux, mais il écrit que Yan Mingfu avait tenu parole et qu'il était formidable !

À quatre-vingt-cinq ans, mon père garde toujours un œil sur ce que deviennent ces Jeux olympiques spéciaux en Chine dans lesquels mon mari et moi sommes aussi très impliqués à titre bénévole.

De retour à Pékin, j'avais été frappée par le contraste entre l'engagement, à la fois public et personnel, de mes parents, et les ambitions qui animaient alors les villes chinoises de cette époque. Sans compter qu'ils auraient enfin pu prendre un peu de bon temps, ce que personne n'aurait songé à leur reprocher.

Près de vingt ans ont passé depuis mon retour en Chine, et je suis heureuse de voir combien la prise de conscience de la responsabilité sociale, tant du point de vue individuel que dans la société civile, a évolué.

Autour de moi, nombre de mes amis s'impliquent activement dans des projets caritatifs, qu'il s'agisse d'aider des populations démunies, d'agir pour la protection de l'environnement, ou de promouvoir l'éducation et la culture. En effet, nous devons restituer à la société ce qu'elle nous a donné.

Aux vacances d'été 2015, mon fils, qui a fait ses études aux États-Unis, est parti avec son cousin Xiting – le fils de ma cousine Li Lan – avec le projet d'enseigner à des enfants du Yunnan, province frontalière du Vietnam, du Laos et de la Birmanie. Ce programme qui a dix ans avait été lancé par Xiting lorsqu'il était à l'université. Sa détermination et sa persévérance ont fait que désormais des milliers de jeunes y participent. De cette expérience, mon fils, Martin, est revenu bouleversé. L'intelligence de ces enfants des régions montagneuses l'a émerveillé, tout comme leur soif d'apprendre dans des conditions si précaires. Quant à moi, je me suis dit que la tradition des Yan se perpétuait.

84

« Depuis l'Antiquité les hommes sont mortels,
Mais la loyauté pour le pays leur permet
de rester toujours dans l'Histoire. »

Wen Tianxiang, Guelingdingyang,
Dynastie de Son, 1236-1283

Beaucoup de mes amis occidentaux qui habitent à Pékin se sont mis en quête de maisons traditionnelles à cour carrées au centre de la ville.

Formé d'un petit ensemble de pavillons bas, le *siheyuan* s'organise de plain-pied autour d'une ou de plusieurs cours intérieures à dessin carré. Deux blocs taillés dans le grès ou le marbre signalent le seuil de part et d'autre. Avant d'entrer, on enjambe une planche devant certains *siheyuan*, pour se défaire de tout mauvais esprit attaché à ses basques. Pour les plus belles de ces maisons, la porte principale, surmontée de quatre *zan* – motifs en bois de forme hexagonale – proclame le statut mandarinal du maître des lieux.

Caractéristiques du vieux Pékin, les *siheyuan* sont apparus au XIIIe siècle. Modestes, sobres ou raffinés, ces pavillons et cours carrées sont jalousement clos côté *hutong* où s'enchevêtrent les petites rues qu'ils bordent. De sorte qu'on n'imagine pas le havre de paix, la savante quiétude, qu'offrent ces logis anciens au cœur d'une ville de plus de 21 millions d'habitants. Le charme de ces cours carrées tient à leurs vasques en pierre où s'ébattent des poissons dorés, à leurs arbres fruitiers, grenadiers, vinettiers, jujubiers et plaqueminiers, choisis pour que floraisons et fruits se succèdent du printemps jusqu'à la fin de l'automne, tandis que, parfois, une vigne grimpante orne une splendide pergola – pour celles du moins que l'urbanisation effrénée des années 90 n'a pas dévastées.

Et moi aussi, j'ai eu envie d'habiter un *siheyuan* niché au cœur d'un *hutong* du vieux Pékin. Avec mon mari nous en avons visité des dizaines, jusqu'à ce jour de l'été 2013, où Robert m'a téléphoné :

– Il faut absolument que tu viennes !

– Où donc ?

– *Weijia hutong* !

Mon Dieu ! Pourquoi faut-il que le destin me ramène, trente-cinq ans après, sur les lieux les plus tristes de mon enfance ? À ce seul nom – *Weijia hutong* – mon cœur se serre. Je revois mon père et ma mère, devenus suspects, relégués là par directive du Comité central, avec d'autres familles, elles aussi placées sous surveillance. Une vingtaine de familles entassées là, 18, *Weijia hutong*. Des familles de «contre-révolutionnaires», sous la garde de familles «révolutionnaires». On leur a octroyé deux petites pièces. Puis, quand nous apprenons que mon père est détenu, les séances de fouilles commencent. À la libération de mon père, sept ans et demi plus tard, le bureau central nous réinstalle au, 18 *Weijia hutong*, dans un logement encore plus petit, un placard.

Le 28 juillet 1976, à 3 h 42 du matin, les murs grondent et vacillent : le tremblement de terre de Tangshan dont l'épicentre situé à 150 kilomètres de Pékin. L'un des plus meurtriers de l'histoire, 8,2 sur l'échelle de Richter mais dont la Chine minore la magnitude ainsi que le nombre de morts. Le pays toujours «fermé», refuse l'aide internationale. Toutes les familles de *Weijia hutong* vivront des mois durant sous la tente, dans les différentes cours du *Siheyuan*. Et si peu de temps après cette impression de fin du monde, la plongée dans les livres, les révisions, dans si peu d'espace pour travailler, pour réapprendre. Avec l'espoir chevillé au corps de sortir de là, parce que les examens d'entrée à l'université sont à nouveau ouverts à tous. Une chance, mais collé à l'espoir, ce bloc d'angoisse, niché, 18 *Weijia hutong*, et que, depuis si longtemps, je m'efforçais de tenir à distance !

Avant d'emménager face au 18, *Weijia hutong*, nous avons entrepris des travaux dont je venais surveiller à intervalle régulier l'état d'avancement. Les fantômes n'avaient qu'à bien se tenir, mais je les sentais là, qui rôdaient. Mon père, ayant appris que nous avions décidé d'habiter en face de notre ancienne adresse – quelle drôle d'idée! – fait le voyage depuis le sud de la Chine. Il veut voir.

À peine ai-je fini de lui faire visiter ce qui deviendra notre maison, il me prend par la main, il me regarde et me dit : «Et, maintenant, si on allait voir en face, au 18, qu'est-ce que tu en penses ?»

J'hésite.

Mais qui pourrait aller contre l'entêtement de mon père? En fait, aller en face, 18, *Weijia hutong,* je n'attendais que cela! Il fallait exorciser le passé.

C'est alors qu'au milieu de l'une des cours, une vieille dame, aux cheveux tout blancs, se précipite vers mon père : «Vous êtes bien Yan Mingfu ?»

Et lui : «Oh, Madame Wang! Il y a si longtemps!» Ils s'embrassent, les larmes coulent le long des joues de madame Wang. J'ai comme l'impression que cette dame faisait partie de la famille révolutionnaire chargée de nous surveiller. Mais je ne suis pas sûre. Ce qui est sûr, c'est que je ne veux plus revenir sur de tels épisodes.

J'ai demandé à mon père comment il pouvait conserver son espoir et son optimisme. Il m'a répondu simplement : «Comparée à la si longue histoire de la Chine et à tous les bouleversements qu'elle a traversés, ma souffrance ne compte pas.»

Remerciements

Mes remerciements vont à Bertrand et Catherine Julien-Laferrière, qui sont à l'origine de cette aventure et m'ont encouragée à écrire l'histoire que je leur racontais.

À Christine Ockrent qui m'a proposé de rencontrer son éditeur, et à Nicole Lattès pour sa confiance

À Brigitte Paulino-Neto pour son aide précieuse sans laquelle ce livre n'aurait pu voir le jour

À Malcy Ozannat qui a rendu ce livre possible

À Christine Cayol pour ses conseils très utiles

À Sébastien Roussillat pour ses traductions de certains documents historiques chinois en français.

À Ken Jacobs, qui m'a toujours accordé son soutien. À qui j'ai demandé de me mettre en retrait de chez Lazard pour écrire et qui m'a répondu qu'il ne connaissait personne ayant écrit un livre en quittant Lazard, mais seulement des auteurs ayant publié leur livre en restant chez Lazard !

À Arnaud Michel, mon ancien associé au cabinet Gide Loyrette Nouel, et pas seulement parce que sa spécialité concerne le droit intellectuel…

À Robert et Martin pour leur soutien de chaque instant, et parce qu'ils m'ont permis de disposer du temps qui aurait dû leur être réservé à titre privé pour entreprendre ce long voyage de solitude pour écrire, et de méditation pour réfléchir

À tous mes amis qui ont suivi chaque étape du progrès de cette écriture, avec beaucoup d'encouragements, d'intérêt et de curiosité.

«Où en es-tu de ton livre, me demandaient-ils à chacune de nos rencontres»?

Le voilà !

1893 : Naissance de Mao Zedong.

1898 : Naissance de Zhou Enlai.

1901 : Naissance de Zhang Xueliang, seigneur de guerre et fils du redouté Zhang Zuolin.

1904 : Naissance de Deng Xiaoping.

1911 : Révolution et chute de la dynastie Qing, à la tête de l'Empire depuis 1644.

1912 : Proclamation de la République de Chine, Nankin pour capitale. Sun Yat-sen, fondateur avec Chiang Kai-shek du parti nationaliste Kuomintang, devient le premier président.

1915 : Le Japon accroît encore son contrôle de la Chine par l'obtention de Vingt et une demandes dont le but est d'établir un protectorat dans un pays fragilisé par la Révolution et la chute de l'Empire.

1917 : Révolution en Russie.

1919 : Conférence de la Paix à Paris, organisée par les vainqueurs de la Première Guerre mondiale. Le Traité de Versailles restitue le Shandong au Japon. Et déclenche à Pékin le mouvement nationaliste chinois connu sous le nom de Mouvement du 4 Mai, guidé par de jeunes intellectuels progressistes.

1921, juillet : Premier congrès clandestin du Parti communiste chinois dans la concession française de Shanghai. Mao Zedong compte parmi les 13 membres fondateurs. Au début de son existence, le PCC est

HISTOIRE DES YAN

1895 : Naissance de Yan Baohang.

1907 : Yan Baohang, 12 ans, admis à l'école de son village du Liaoning, dans le Nord-Est chinois.

1909 : Mariage de Baohang, 14 ans, avec Gaosu, 16 ans

1910 : Baohang, 15 ans rentre à l'école de Shenyang, capitale du Liao-ning.

1913 : Baohang, 18 ans, achève l'École normale. Fréquente la Young Men's Christian Association, YMCA, de Shenyang. Se lie d'amitié avec Zhang Xueliang.

1916 : Conversion de Baohang, 21 ans, au protestantisme.
Naissance de sa première fille, Mingshi.

1918 : Baohang, 23 ans, achève ses études en Chine. Nommé Secrétaire général de la YMCA de Shenyang. S'initie aux théories du socialisme et communisme. Ouvre la première école des enfants pauvres.

1919 : Baohang, 24 ans, devient père d'une deuxième petite fille, Mingying.

soutenu par l'Internationale communiste (Komintern) et allié avec le Kuomintang de Sun Yat-Sen.

1923 : Le gouvernement de Sun Yat-sen est reconnu par l'Union soviétique qui encourage les membres du PCC à adhérer au Kuomintang pour faire cause commune contre les prétentions japonaises et les factions des seigneurs de guerre.

1924 : Première coopération entre le Parti Communiste et le Kuomintang.

1925 : Mort de Sun Yat-sen. Chiang Kai-shek, nouveau maître du Kuomintang, se retourne contre son ancien allié communiste. Début de la guerre civile chinoise.

1927 : Par le Massacre de Shanghai, perpétré en avril contre ses alliés communistes, le Kuomintang de Chiang Kai-shek compte faire obstacle à toute prise de pouvoir du parti nationaliste par les communistes. Mariage de Chiang Kai-shek avec Soong May-ling.

1928 : À la suite à la deuxième offensive de Chiang Kai-shek contre les seigneurs de guerre en vue d'unifier la Chine sous la bannière du Kuomintang, celui-ci prend le pouvoir au sein de la République. Zhang Xueliang se rallie aux nationalistes de Chiang Kai-shek.

1931 : Invasion japonaise de la Mandchourie.

1934 : Début de La Longue Marche menée par l'Armée rouge chinoise et une partie de l'appareil du PCC pour échapper à l'Armée du Kuomintang de Chiang Kai-shek durant la guerre civile chinoise.

1935 : À l'issue de La Longue Marche, cadres et troupes communistes rescapés s'installent dans le Shaanxi et établissent leur capitale à Yan'an.

1936 : «Incident de Xi'an» provoqué par l'arrestation de Chiang Kai-shek par Zhang Xueliang. Sitôt libéré, Chiang condamne Zhang Xueliang à la prison à perpétuité. Occupation de la Mandchourie par les Japonais.

1922 : Baohang, 27 ans, voit naître son premier fils, Daxin.

1924 : Naissance de Mingzhi, deuxième fils de Baohang, 29 ans.

1927 : Baohang s'embarque pour Londres, puis se rend à l'Université d'Édimbourg pour y compléter ses études.
Naissance de sa troisième fille, Mingguang.

1929 : Yan Baohang interrompt ses études pour revenir en Chine via Copenhague et Moscou.
Le nord-est du pays est menacé par les Japonais.
1931 : Naissance du dernier fils de Baohang, Mingfu (père de Lan).
Baohang lance l'Association de défense du pays natal : De Pékin à Shanghai en passant par Nankin, il coordonne la lutte antijaponaise.
Naissance de Wu Keliang, mère de Lan.

1937 : Seconde Guerre sino-japonaise. Le gouvernement du Kuomintang se réfugie à Chongqing.

1939, 23 août : Pacte de non-agression, signé à Moscou, en présence de Staline entre les représentants allemands et soviétiques, Ribbentrop et Molotov.

1941, 22 juin : Invasion par le IIIe Reich de l'Union soviétique selon le Plan Barbarossa.

7 décembre : Attaque de Pearl Harbour par les forces Japonaises, d'où résulte l'entrée en guerre des États-Unis.

1945, 9 août : Destruction de l'armée japonaise du Guandong par l'Armée rouge soviétique.
L'Armée rouge prend le nom d'Armée populaire de libération.

1949, 1er octobre : Proclamation de la République populaire de Chine par le pouvoir communiste.

décembre : Premier voyage de Mao à Moscou.

1953 : Mort de Staline.

1957 : Début des accusations contre les «droitistes».
Campagne des Cent fleurs.
Deuxième et dernier voyage de Mao à Moscou.
Début de la dégradation des relations sino-soviétiques.

1958 : Début du Grand Bond en avant.

1959 : Début des trois années de catastrophes naturelles qui provoqueront la Grande famine et feront 15 millions de morts.

1937 : Zhou Enlai invite Yan Baohang à intégrer clandestinement le PCC. Commence alors sa collaboration d'agent secret au sein du pouvoir nationaliste et dans la proximité du chef du Kuomintang et de son épouse.

1941 : En banlieue de Chongqing, mise en place de la cellule de renseignement conduite par Yan Baohang. Obtention de la date exacte de l'attaque allemande contre l'URSS, aussitôt transmise à Moscou.

novembre : Obtention d'informations sur le projet d'attaque de la base américaine de Pearl Harbour.

1944 : Interception des données complètes relatives à l'armée japonaise du Guandong stationnée en Mandchourie.

1946 : Yan Baohang nommé gouverneur du Liaobey, sitôt ce territoire libéré par les communistes.

1949, 1ᵉʳ octobre : Yan Baohang devient membre permanent de la Conférence politique consultative. Il assiste Zhou Enlai dans la préparation des travaux du Sénat chinois. Son fils aîné, Daxin est engagé dans les combats contre les nationalistes dans le Sud. Son fils cadet, Mingfu, 18 ans, entame une carrière de traducteur interprète du russe.

1952 : Wu Keliang, mère de Lan, étudiante à l'Université de Pékin, entame une activité d'interprète.

1953 : Mingzhi, deuxième fils de Yan Baohang, diplomate en poste à Moscou. Gaosu, 60 ans, intègre le PCC. Mingfu rencontre Wu Keliang.

1954 : Wu Keliang intègre le Département des Liaisons internationales.

1955 : Mingfu, 24 ans, devient interprète personnel de Mao pour le russe. Mariage de Mingfu et Keliang.

1957 : Naissance de Lan.

Mingshi, éditeur, critiquée et condamnée comme droitiste, exilée pendant plus de 20 ans dans le Liaoning avec ses huit enfants.

Mingfu dans la délégation du voyage à Moscou.

1959 : À la demande de Zhou Enlai, Yan Baohang intègre le Comité de documentation historique du Sénat chinois.

1966 : Début de la Révolution culturelle. Culte de Mao orchestré par Lin Biao. Épidémie de «Suicides», dont Lao She, puis Fu Lei. Naissance des Gardes rouges. Jiang Qing, femme de Mao, prend la tête du groupe en charge de la Révolution culturelle.

1967 : Le président Liu Shaoqi et sa femme, Wang Guangmei, arrêtés.

1968, 22 mai : Deng Pufang, fils de Deng Xiaoping, aux prises avec des Gardes rouges, se jette par la fenêtre. Ses deux parents sont assignés à résidence.

octobre : Deng Xiaoping dépouillé de toutes ses fonctions.

1969 : Deng et sa femme employés dans une usine de tracteurs. Lin Biao désigné comme le successeur de Mao.

1971, 13 septembre : Mort de Lin Biao dans un accident d'avion en Mongolie.

1973 : La Bande des Quatre, principaux animateurs de la Révolution culturelle, dont Jiang Qing, femme de Mao, est promue à de hautes fonctions.

1976, janvier : Mort de Zhou Enlai et manifestations de colère populaire contre la Bande des Quatre. Mort de Mao en septembre. Arrestation de la Bande des Quatre. Fin de la Révolution culturelle.

1977 : Deng Xiaoping réintroduit les examens d'entrée à l'Université après onze ans de suspension.

1978, décembre : Ouverture libérale enclenchée par Deng Xiaoping.

1979, 9 septembre : Décès de Mao Zedong.

1980 : Mise en place d'une cour spéciale pour juger la bande des Quatre, dont Jiang Qing, la femme de Mao. Condamnation à mort de celle-ci. Sa peine sera commuée en prison à vie en 1983.

1962, été : Lan, 5 ans, avec ses parents à Beidaihe chez Deng Xiaoping

1966 : Mingfu assigné à résidence dans son ministère.

1967, 6 novembre : Arrestation de Yan Baohang, 72 ans.

17 novembre : Arrestation de Yan Mingfu, 36 ans.

décembre : Keliang, mère de Lan, assignée à résidence dans son ministère.

1968, 22 mai : Mort de Yan Baohang, 73 ans, sept mois après son arrestation.

été : Keliang envoyée en camp de travail dans le Heilongjiang, près de la frontière soviétique.

1969 : Keliang envoyée en camp de travail dans le Henan où Lan, 12 ans, est autorisée à la rejoindre.

1971 : Décès de Gaosu, 78 ans.

1974 : Keliang est autorisée à rendre visite en prison à Mingfu, son mari, après sept ans d'incarcération.

1975 : Libération de Mingfu. La famille apprend alors seulement la mort de Baohang et celle de son deuxième fils, Mingzhi, 51 ans.

1977 : Lan, 20 ans, réussit l'examen national et est admise à l'Institut des langues étrangères de Pékin.

1978, janvier : Réhabilitation de Yan Baohang.

1989 : Événements de Tian'anmen.
1991 : «Suicide» de la femme de Mao.

1997 : Décès de Den Xiaoping.
Reprise de Hong Kong par la Chine : «un pays, deux systèmes.»

2001 : Entrée de la Chine dans l'OMC.

2010 : La Chine devient la 2ᵉ puissance économique mondiale.

1981 : Lan intègre la faculté de Droit de l'Université de Pékin.
1984 : Lan intègre l'Institut des hautes études internationales à Genève.
1985 : Mingfu, ministre du Département du Front-Uni.
1987 : Lan chercheur associé à Harvard.
Mingfu, secrétaire du Comité central du PCC.
1988 : Mingfu vice-président de la conférence politique consultative.
1989 : Mingfu démis de toutes ses fonctions.
1991 : Lan intègre le cabinet d'avocats Gide Loyrette Nouel à Paris.
Mingfu, vice-ministre des Affaires civiles.
1995, 9 mai : Médaille posthume à Yan Baohang remise par Boris Eltsine à l'occasion du cinquantième anniversaire de la Victoire sur l'Allemagne nazie.
1997 : Naissance à Paris de Martin Shi, le fils de Lan.

1998 : Retour de Lan en Chine à la tête du cabinet Gide à Pékin.
2000 : Décès de Mingshi, tante première.
2004 : Décès de Daxin, oncle premier.
2007 : Décès de Mingying, tante deuxième.

2011 : Lan en charge de la Grande Chine pour la banque Lazard.
2015, janvier : Décès de Wu Keliang.
Pour les 70 ans de la Victoire antijaponaise, remise d'une médaille commémorative à la famille Yan pour l'action de Yan Baohang.

CHEZ LE MÊME ÉDITEUR

Jean Abitbol, *Le Pouvoir de la voix*

Louis Bériot, *Un café avec Voltaire*

Diane Brasseur,
Les Fidélités
Je ne veux pas d'une passion

Laurence de Cambronne,
Madame de Staël. La femme qui faisait trembler Napoléon

Christine Clerc, *Le Tombeur du Général*

Jérôme Colin, *Éviter les péages*

Matthias Debureaux,
De l'art d'ennuyer en racontant ses voyages

Philippe Douroux, *Alexandre Grothendieck*

Marc Dufumier,
50 idées reçues sur l'agriculture et l'alimentation

Ludovic Escande, *L'Ascension du mont Blanc*

Marc Giraud,
Comment se promener dans les bois sans se faire tirer dessus ?
La Nature au fil des saisons

Raphaël Glucksmann,
Génération gueule de bois
Notre France

Philippe Hayat,
Momo des halles
L'Avenir à portée de main

Serge Hayat, *L'Empire en héritage*

Alexandre des Isnards,
Dictionnaire du nouveau français

Jooks, *Dans la tête des mecs*

Joude Jassouma, *Je viens d'Alep*

Slimane Kader, *Avec vue sous la mer*

Bernard Kouchner et Adam Michnik,
Mémoires croisées

Alexandre Lacroix,
Ce qui nous relie. Jusqu'où Internet changera nos vies ?
Pour que la philosophie descende du ciel

Elisabeth Laville, *Vers une consommation heureuse*

Sophie Lemp, *Leur séparation*

Jean-Noël Liaut, *Elle, Edmonde*

Pascal Louvrier,
Je ne vous quitterai pas
L'état du monde selon Sisco

Philippe Nassif, *Ultimes*

Florent Oiseau, *Je vais m'y mettre*

Charles Pépin,
La Joie
Les Vertus de l'échec

Bernard Pivot,
Au secours ! Les mots m'ont mangé

Jean-François Revel, *L'Abécédaire*

Matthieu Ricard,
Plaidoyer pour les animaux
Trois amis en quête de sagesse, avec Christophe André
et Alexandre Jollien, coédition L'Iconoclaste
Cerveau et Méditation, avec Wolf Singer

Sous la direction de Matthieu Ricard,
Vers une société altruiste

François-Olivier Rousseau, *Devenir Christian Dior*

Nicolas Santolaria,
Touriste, regarde où tu poses tes tongs
Comment j'ai sous-traité ma vie

Riad Sattouf,
L'Arabe du futur (3 tomes)
Les Cahiers d'Esther (2 tomes)

Jean Vautrin, *Gipsy Blues*

www.allary-editions.fr

Ouvrage composé en Plantin
par Justine Dupré, Paris

Achevé d'imprimer en août 2017
par Normandie Roto Impression s.a.s.
à Lonrai (61)
N° d'impression : 1703315
Dépôt légal : octobre 2017
A00025/61
Imprimé en France